Bea

L'ESPOIR FAIT VIVRE

DU MÊME AUTEUR

Du fond de l'abîme : les enquêtes de Jack Reacher
LGF, 1999
et Ramsay, 2003

Des gages pour l'enfer
Ramsay, 2000
et Éd. de la Seine, 2001
et Pocket, 2004

Les Caves de la Maison-Blanche
Ramsay, 2001
et Éd. de la Seine, 2002
et Pocket, 2005

Un visiteur pour Ophélie
Ramsay, 2001
et Pocket, 2004

Pas droit à l'erreur
Fleuve noir, 2004

Carmen à mort : les enquêtes de Jack Reacher
Ramsay, 2004
et Pocket, 2006

Ne pardonne jamais
Fleuve noir, 2005

Folie furieuse
Fleuve noir, 2006

Liste mortelle
Fleuve noir, 2007

Sans douceur excessive
Seuil, 2009
Points n° 2412

La faute à pas de chance
Seuil, 2010
Points n° 2533

Lee Child

L'ESPOIR FAIT VIVRE

roman

TRADUIT DE L'ANGLAIS (ÉTATS-UNIS)
PAR JEAN-FRANÇOIS LE RUYET

ÉDITIONS DU SEUIL
25, bd Romain-Rolland, Paris XIVe

Titre original : *Nothing to loose*

Éditeur original : Bantam Press

ISBN original : 978-0-593-05703-2

ISBN 978-2-02-099212-1

www.seuil.com

Pour Rae Helmsworth et Janine Wilson.
Elles savent pourquoi.

UN

Il avait connu des chaleurs deux fois plus fortes, mais celle-ci suffisait à le déboussoler, à lui donner le vertige. Il se sentait très faible. Il n'avait rien mangé depuis trois jours, ni bu une goutte d'eau depuis quarante-huit heures.

Faible ? Pas seulement. Il se mourait et il le savait.

Il avait dans la tête des images d'objets à la dérive. Un bateau à rames, entraîné par le courant d'une rivière, tirait à hue et à dia sur une corde pourrie, s'en libérant d'un coup sec. Il l'appréhendait du point de vue d'un petit garçon recroquevillé au fond de l'embarcation, impuissant, les yeux écarquillés rivés sur la berge, tandis que l'appontement rétrécissait de plus en plus.

Ou celle d'un ballon tanguant doucement sous la brise, amarres larguées sans qu'on sache pourquoi, et qui s'éloignait dans les airs, lentement, alors que le gamin dans la nacelle distinguait à terre de petits personnages agités qui faisaient des signes, les yeux braqués dans sa direction, leurs visages inquiets tendus vers lui.

Puis les images se brouillèrent et les mots parurent plus importants que les images : une idée absurde, les mots ne l'avaient jamais intéressé. Mais, avant de mourir, il voulait savoir lesquels lui collaient à la peau. Lesquels le définissaient ? Était-il un homme ? Un gamin ? On lui avait mis les deux étiquettes. *Conduis-toi en homme*, disaient certains. D'autres soutenaient : *Ce gamin n'est pas responsable*. Il avait l'âge de voter, de tuer et de mourir, ce qui faisait de lui un homme. Il était trop jeune pour boire, même une bière, ce qui faisait de lui un gamin. Était-il lâche ou courageux ? On avait affirmé les deux. On racontait qu'il était tête en l'air, instable, perturbé, dérangé, déséquilibré, dément, traumatisé, et il voulait bien tout comprendre, tout admettre, sauf cette histoire de tête en l'air. Aurait-il dû être tenu par des gonds ? Comme une porte ? Les gens n'étaient peut-être que des portes. Peut-être étaient-ils juste traversés par les événements. Peut-être le vent les refermait-il dans un claquement. Il y réfléchit un bon moment, puis il leva brusquement le bras en l'air de dépit. Il jacassait comme un adolescent accro à l'herbe.

Ce qu'il était très précisément un an et demi auparavant.

Il tomba à genoux. Et même s'il avait connu des sables deux fois plus brûlants, celui-ci l'était assez pour calmer ses frissons. Il tomba tête la première, épuisé, au bout du rouleau. Il sut avec la plus grande des certitudes qu'il ne rouvrirait jamais les yeux s'il les fermait.

Mais il était très las.

Vraiment très, très las.

Plus qu'un homme ou un gamin ne l'avait jamais été.

Il ferma les yeux.

DEUX

La démarcation entre Hope et Despair était tangible : une ligne bien visible sur la route entre le macadam d'une ville et celui de l'autre. La voirie de Hope avait utilisé un asphalte noir épais et lissé. La municipalité de Despair disposait d'un plus petit budget. C'était très clair. Elle avait coulé du goudron chaud sur un empierrement grossier et ajouté une couche de gravier gris par-dessus. À la jointure des deux revêtements, il y avait une tranchée de deux centimètres, un no man's land rempli d'un agglomérat noir caoutchouteux. Un joint de dilatation. Une frontière. Une ligne de démarcation. Jack Reacher la franchit dans la foulée et continua sa marche. Il n'y prêta aucune attention.

Mais il s'en souvint plus tard. Plus tard, il se la rappela dans les moindres détails.

Hope et Despair étaient toutes deux dans le Colorado. Reacher se trouvait dans cet État parce qu'il était dans le Kansas deux jours plus tôt et que le Colorado jouxte le Kansas. Il se dirigeait à l'ouest et au sud. À Calais, dans l'État du Maine, il s'était mis en tête de traverser le continent en diagonale jusqu'à San Diego, en Californie. Calais était la dernière ville d'importance au nord-est, San Diego, la dernière au sud-ouest. D'un extrême à l'autre. De l'Atlantique au Pacifique, de la fraîcheur humide à la chaleur sèche.

Il voyageait en bus, quand il y en avait, et il faisait du stop quand il n'y en avait pas. Quand personne ne le prenait, il marchait. Il était arrivé à Hope sur le siège avant d'une

Mercury Grand Marquis vert bouteille, conduite par un représentant en mercerie à la retraite. Il quittait Hope à pied, parce qu'aucun véhicule n'empruntait la route de l'ouest vers Despair, ce matin-là.

Il se souvint plus tard de ce détail. Et se demanda pourquoi il ne s'en était pas inquiété.

Au regard de son beau projet de diagonale, il avait légèrement dérivé. Dans l'idéal, il aurait dû filer plein sud-ouest et pénétrer au Nouveau-Mexique. Mais il n'avait jamais suivi un plan à la lettre, la Grand Marquis était confortable, et le bonhomme au volant décidé à passer par Hope pour y voir trois de ses petits-enfants, avant de se rendre à Denver où quatre autres l'attendaient. Reacher avait patiemment écouté les histoires de famille du type et il s'était dit qu'un itinéraire en dents de scie, à l'ouest puis au sud, conviendrait tout aussi bien. Peut-être deux côtés de triangle auraient-ils plus d'intérêt qu'un seul. À Hope, il avait regardé la carte et, voyant Despair à vingt-sept kilomètres à l'ouest, il n'avait pas su résister au détour. Une fois ou deux dans son existence, il avait fait ce parcours-là au figuré : de l'espoir au désespoir. Il s'était dit qu'il devait l'effectuer au propre, puisque l'occasion s'offrait à lui.

Cette idée inopinée, il se la rappela aussi plus tard.

La route entre les deux villes s'étirait en ligne droite sur deux voies. Elle montait en pente très douce vers l'ouest. Rien de spectaculaire. La partie orientale du Colorado où se trouvait Reacher était plutôt plate. Comme au Kansas. Mais on voyait les Rocheuses, bleues, massives et brumeuses, à l'horizon vers l'ouest. Elles paraissaient toutes proches. Et bien lointaines, subitement. Au sommet d'une petite côte, Reacher stoppa net et comprit pourquoi une cité s'appelait Hope et l'autre Despair. Les colons et les fermiers qui progressaient à grand-peine vers l'ouest, un siècle plus tôt, s'étaient arrêtés en un lieu qu'ils avaient baptisé Hope, croyant à portée de main le dernier grand obstacle sur leur route. Puis, après une halte d'une semaine, ou d'un mois, ils avaient repris leur chemin, atteint cette même petite côte et réalisé que la proximité apparente des Rocheuses n'était qu'un vilain tour joué par la topographie. Une illusion d'optique. Un effet de lumière. Du haut de la côte, la grande barrière rocheuse paraissait de nouveau lointaine, sinon inaccessible, derrière des centaines de kilomètres d'une plaine sans fin. Voire peut-être des milliers, même s'il s'agissait, là encore, d'une illusion. Reacher estima que les sommets les plus proches se situaient en vérité à environ trois cents kilomètres de distance. Un long mois de voyage difficile, à pied et en chariot tiré par des mules, à travers une nature sauvage sans relief, en suivant par endroits des traces de roue vieilles de plusieurs décennies. Six semaines de progression contrariée à la mauvaise saison, peut-être. Rien d'un désastre, mais une amère déception, un coup au moral assez dur pour que les inquiets et les impatients basculent de l'espoir au désespoir entre deux regards sur l'horizon.

Reacher quitta la route menant à Despair et ses gravillons, traversa une étendue de croûte sablonneuse jusqu'à une excroissance rocheuse de la hauteur d'une voiture. Il s'y hissa, puis s'allongea, les mains derrière la nuque, pour contempler le ciel. Bleu pâle et zébré de longues volutes en altitude : les restes de traînées d'avions transcontinentaux, sans doute. À l'époque où il fumait, il aurait pu griller une cigarette pour passer le temps. Mais il avait arrêté. Fumer signifie avoir toujours sur soi un paquet de cigarettes et une boîte d'allumettes, et Reacher ne s'encombrait plus du superflu depuis longtemps. Ses poches ne contenaient que des billets de banque, un passeport périmé, une carte de crédit et une brosse à dents pliable. Rien d'autre ne l'attendait nulle part ailleurs. Aucun garde-meuble dans une ville lointaine, rien d'entreposé chez des amis. Ses biens se résumaient à ce qu'il avait dans les poches, aux vêtements sur son dos et aux chaussures à ses pieds. C'était tout, et ça lui suffisait. Tout le nécessaire et rien de superflu.

Il se releva et se mit sur la pointe des pieds en haut de son rocher. Derrière lui, vers l'est, il vit une petite dépression d'une quinzaine de kilomètres de diamètre où, presque au milieu, se dressait la ville de Hope, à environ douze kilomètres : un rectangle long d'une dizaine de pâtés de maisons en brique sur six de large avec, en périphérie, un fouillis de résidences, de fermes, de granges et autres structures en bois et en tôle ondulée. L'ensemble formait comme une tache fine et chaude au milieu de la brume. À l'opposé, vers l'ouest, une plaine de plusieurs dizaines de milliers de kilomètres carrés, totalement déserte, à l'exception des rubans d'asphalte dessinés par quelques routes au loin, et de la ville de Despair, à treize ou quatorze kilomètres. Despair se devinait moins que Hope. La brume était plus dense à l'ouest. Même si l'on n'en distinguait pas les détails, Despair semblait plus grande que Hope, elle avait la forme d'une larme et son centre, typique des Grandes Plaines, s'étendait surtout au sud de l'avenue principale, à l'avant d'une zone d'activité plus étendue : une zone industrielle, peut-être, d'où ce brouillard de fumée. Despair paraissait moins séduisante que Hope. Froide, quand Hope dégageait une certaine chaleur. Et sa grisaille contrastait avec le mordoré de sa voisine. Elle n'avait rien d'accueillant. L'espace d'un instant, Reacher envisagea de rebrousser chemin et de reprendre sa route plein sud à partir de Hope, mais il repoussa l'idée avant même de l'avoir esquissée pleinement. Reacher détestait rebrousser chemin. Il aimait avancer, tête baissée, et advienne que pourrait. Chacun avait besoin d'un principe directeur dans l'existence, et celui de Reacher se confondait avec une inexorable marche en avant.

Il s'en voulut, plus tard, d'avoir été si inflexible.

Il descendit du rocher et parcourut une longue diagonale dans le sable avant de rejoindre la route, vingt mètres plus loin de là où il l'avait laissée. Il remonta sur le côté gauche de la chaussée et continua sa marche d'un long pas aisé, un peu au-delà de cinq kilomètres à l'heure, face au trafic pour plus de sécurité. Mais il ne vit rien venir. Rien dans l'une ni l'autre direction. Cette route était déserte. Nul véhicule ne l'empruntait. Ni voiture ni camion. Rien. Aucune chance de faire du stop. Reacher en fut un peu décontenancé, sans s'alarmer outre mesure. Son existence lui avait souvent imposé de faire bien plus d'une trentaine de kilomètres à pied d'une seule traite. Il balaya quelques cheveux sur son front, dégagea un peu sa chemise collée aux épaules et avança vers l'inconnu.

TROIS

La limite de la ville était marquée par un terrain vague où l'on avait projeté de construire quelque chose qui n'avait jamais vu le jour, probablement une vingtaine d'années auparavant. Puis on trouvait un vieux motel, fermé, les volets clos, sans doute définitivement à l'abandon. De l'autre côté de la rue, cinquante mètres à l'ouest, il y avait une station-service. Deux pompes, des anciens modèles. Pas des antiquités comme celles qu'il y avait à la campagne, et que Reacher avait vues dans des tableaux d'Edward Hopper, mais facilement en retard de deux générations. Il y avait une petite cabane en retrait, à la vitrine crasseuse remplie de bidons d'huile disposés en pyramide. Reacher traversa l'aire de service et passa la tête dans l'encoignure de la porte. L'intérieur était sombre et sentait la créosote et le bois brut chaud. Un type se tenait derrière le comptoir, vêtu d'une salopette bleue usée avec des taches noires. La trentaine, mince.

« Vous avez du café ? demanda Reacher.

– Ceci est une station-service, fit l'autre.

– Les stations-service vendent du café, dit Reacher. De l'eau, des boissons gazeuses.

– Pas celle-ci, répliqua l'homme. On vend de l'essence.

– Et de l'huile.

– Si vous en voulez.

– Existe-t-il une cafétéria dans le bourg ?

– Il y a un restaurant.

– Un seul ?

– On n'a pas besoin de plus. »

Reacher baissa la tête pour ressortir à la lumière du jour et reprit sa marche. Une centaine de mètres plus loin à l'ouest, des trottoirs avaient poussé au bord de la route, laquelle, à en croire un panneau, prenait dès lors le nom de Main Street. Dix mètres plus tard, on tombait sur le premier pâté de maisons. Un austère cube en brique de trois étages, sur la gauche de la rue, côté sud. Autrefois, c'était sans doute une grosse épicerie. Il abritait toujours un commerce de détail. Reacher distingua trois clients, des rouleaux de tissu et des articles de ménage en plastique à travers les vitrines poussiéreuses du rez-de-chaussée. Suivaient un même cube de brique de trois étages, puis un autre, et encore un autre. Le centre-ville semblait s'étendre sur un carré d'une douzaine de pâtés de maisons de côté, essentiellement massés au sud de Main Street. Reacher était loin d'être un expert en architecture, et il se savait bien à l'ouest du Mississippi, pourtant tout ici lui rappelait une vieille ville ouvrière du Connecticut, ou les bords de l'Ohio à Cincinnati. Plutôt laide, sévère, sans apprêt et démodée. Il avait vu des films mettant en scène de petites villes américaines où les décors étaient habilement rehaussés pour avoir l'air un peu plus parfaits, un peu plus vivants que la réalité. Là, c'était tout le contraire. On aurait dit qu'un décorateur et toute une équipe de machinistes avaient fait leur possible pour la rendre plus moche et plus sinistre que nécessaire. Il y avait peu de circulation dans les rues. Autos et camionnettes avançaient doucement, sans se presser. Aucune n'avait moins de trois ans d'âge. Quelques rares piétons marchaient sur les trottoirs.

Reacher prit une rue au hasard, sur la gauche, en quête du restaurant indiqué. Il coupa au travers d'une douzaine de pâtés de maisons et passa devant une épicerie, un barbier, un bar, une pension avec des chambres à louer et un vieil hôtel fatigué, avant d'arriver au café-restaurant. Celui-ci occupait tout le rez-de-chaussée d'un autre cube de brique terne. La salle était haute de plafond et les parois presque entièrement vitrées. Peut-être une ancienne concession automobile. Du carrelage au sol, des tables et des chaises marron, une odeur de légumes bouillis. Il y avait un petit comptoir d'accueil derrière la porte et un panneau « Veuillez attendre qu'on vous place » au bout d'une courte tige en cuivre montée sur un gros socle. Le même panneau qu'il avait vu partout, de l'Atlantique au Pacifique. Mêmes caractères, même couleur, même forme. Il se dit qu'un même fournisseur pour restaurants devait les produire par millions. Il en avait vu à Calais, dans le Maine, et s'apprêtait à en voir d'autres à San Diego, en Californie. Il s'arrêta devant et attendit.

L'attente s'éternisa.

Onze clients prenaient leur repas. Trois couples, un trio et deux clients isolés. Une seule serveuse. Personne à l'accueil. Personne à la caisse. Un ratio assez habituel. Reacher avait mangé dans des milliers d'endroits identiques et il en connaissait inconsciemment la routine. L'unique serveuse n'allait pas tarder à lui jeter un coup d'œil et à faire un petit signe de tête, comme pour dire : « Je suis à vous dans un instant. » Puis elle prendrait une commande, apporterait un plat et écarterait peut-être, en venant vers lui, une mèche de cheveux collée sur sa joue, un geste pour s'excuser autant que pour éveiller sa sympathie. Elle attraperait un menu sur une pile, le conduirait à une table et irait s'occuper d'autres clients avant de revenir vers lui.

Mais elle n'en fit absolument rien.

Elle lança un regard dans sa direction. Ne lui fit aucun signe de tête. Se contenta de le dévisager une bonne seconde avant de tourner la tête. Reprit ses activités. Pas grand-chose, à vrai dire. Elle avait satisfait ses onze clients. Assurait juste le suivi. Faisait le tour des tables en demandant si ça allait et en remplissant de café des tasses encore presque pleines. Reacher se retourna pour vérifier qu'il n'avait pas manqué un panneau avec les heures d'ouverture sur la porte en verre, et s'assurer qu'on n'approchait pas de l'heure de fermeture. Ce n'était pas le cas. Il examina son reflet pour voir s'il n'était pas coupable de délit de sale gueule. Ce n'était pas non plus le cas. Il portait un pantalon gris foncé et une chemise grise assortie, l'un et l'autre achetés deux jours plus tôt dans le Kansas, dans un magasin qui déstockait des tenues pour agents de maintenance. Ces magasins étaient sa dernière trouvaille. Des tenues simples, résistantes et bien finies, à des prix raisonnables. Parfait. Ses cheveux coupés court étaient propres. Il s'était rasé le matin précédent. Sa braguette était fermée.

Il se retourna et attendit.

Les clients l'observèrent l'un après l'autre. Ils le jaugèrent sans détour avant de porter les yeux ailleurs. La serveuse refit un tour de salle et jeta un œil à tout le monde sauf à lui. Il ne bougea pas et passa la situation au crible dans sa tête pour en comprendre le sens. Puis il perdit patience, ignora le panneau et pénétra dans la salle pour s'asseoir à une table de quatre. Il rapprocha sa chaise et prit ses aises. La serveuse le regarda faire et rentra en cuisine.

Elle n'en ressortit pas.

Reacher attendit sur sa chaise. Le silence régnait dans la salle. Personne ne parlait. On n'entendait que le choc métallique étouffé des couverts sur les assiettes, les bruits de mastication, le frottement de céramique des tasses reposées lentement sur leurs soucoupes et le craquement des pieds en bois quand un client bougeait sur sa chaise. Ces petits bruits prirent de l'ampleur et résonnèrent dans la vaste salle carrelée, jusqu'à en devenir assourdissants.

Il ne se produisit rien pendant près de dix minutes.

Puis un vieux pick-up crew cab vint se ranger doucement le long du trottoir, devant la porte. Une seconde après, quatre types en descendirent et se regroupèrent sur le trottoir. Ils se mirent en formation serrée et marquèrent un nouveau temps d'arrêt avant d'entrer. Puis encore une pause, une fois à l'intérieur, passant la salle en revue et trouvant leur cible. Ils allèrent droit à la table de Reacher. Trois s'assirent sur les chaises libres et le quatrième se posta en bout de table, pour empêcher Reacher de bouger.

QUATRE

Les quatre types étaient tous d'un gabarit respectable. Le plus petit faisait un peu moins d'un mètre quatre-vingt-cinq, le plus mince un peu moins de cent kilos. Ils avaient tous les phalanges grosses comme des noix, les poignets épais et les avant-bras noueux. Deux avaient le nez cassé, et aucun toutes ses dents. Ils avaient la mine pâle, un peu maladive. Ils étaient crasseux et les poussières grises logées dans les plis de leur peau lançaient des reflets micacés. Ils portaient des chemises de travail en toile, avec les manches retroussées au-dessus du coude. Ils avaient entre trente et quarante ans. Et affichaient un même désir de chercher des crosses.

« Je n'ai pas besoin de compagnie, dit Reacher. Je préfère manger seul. »

Le type planté en bout de table était le plus imposant des quatre, de quelques centimètres et d'une douzaine de kilos.

« Tu ne mangeras rien du tout, lança-t-il.

– Vraiment ? fit Reacher.

– Pas ici, du moins.

– On m'a dit que c'était le seul endroit en ville.

– C'est le cas.

– Alors, quoi ?

– Il faut que tu t'en ailles.

– Que je m'en aille ?

– D'ici.

– D'où exactement ?

– De ce restaurant.
– Je peux savoir pourquoi ?
– On n'aime pas les étrangers.
– Moi non plus, dit Reacher. Mais il faut bien que je mange quelque part. Sinon, je vais devenir aussi rachitique que vous.
– Petit malin.
– Je dis juste ce qui est », répliqua Reacher.
Il posa les bras sur la table. Il dominait le plus costaud de quinze kilos et de huit centimètres, et les autres, davantage encore. Et il était prêt à parier qu'il avait un peu plus d'expérience et un peu moins d'inhibition qu'eux. Ou même que les quatre réunis. Mais, au bout du compte, si on devait en arriver là, ce serait ses cent vingt-cinq kilos contre leurs quatre cent cinquante. Des chances très moyennes. Mais Reacher avait horreur de reculer.
« On ne veut pas de toi ici, reprit le type debout.
– Tu me confonds avec quelqu'un qui ne se foutrait pas éperdument de ce que vous voulez, répliqua Reacher.
– Tu ne te feras pas servir ici.
– Non ?
– Aucun espoir.
– Tu pourrais commander à ma place.
– Et alors ?
– Alors, je mangerais ton déjeuner.
– Petit malin, répéta l'autre. Il faut que tu t'en ailles.
– Pourquoi ?
– Va-t'en, c'est tout.
– Vous avez des noms ? demanda Reacher.
– Tu n'as pas à les connaître. Et il faut que tu t'en ailles.
– S'il faut que je m'en aille, je veux l'entendre de la bouche du propriétaire. Pas de la tienne.
– On peut t'arranger ça. »
Le type debout fit un signe de tête à un autre sur une chaise, qui en fit crisser les pieds sur le carrelage avant de se lever et de se rendre en cuisine. Une grosse minute plus tard,

il revint accompagné d'un homme au tablier taché, qui s'essuyait les mains sur un torchon et n'avait pas l'air particulièrement inquiet ni troublé. Il alla à la table de Reacher.

« Je veux que vous quittiez mon restaurant, dit-il.

– Pourquoi ?

– Je n'ai pas à vous donner d'explication.

– C'est vous, le propriétaire.

– C'est moi.

– Je partirai après une tasse de café, fit Reacher.

– Vous allez partir tout de suite.

– Noir, sans sucre.

– Je ne veux pas d'ennuis.

– Vous en avez déjà. Si on me sert un café, je sors d'ici. Si on ne me le sert pas, ces types vont essayer de me flanquer dehors et vous passerez le reste de la journée à nettoyer le sang par terre, et celle de demain à acheter de nouvelles tables et de nouvelles chaises. »

Le type au tablier ne répliqua pas.

« Noir, sans sucre », répéta Reacher.

Le type au tablier resta un bon moment sans broncher puis il retourna en cuisine. Peu après, la serveuse réapparut avec une tasse en équilibre sur une soucoupe. Elle traversa la salle et posa la tasse devant Reacher, assez fort pour renverser un peu de café dans la soucoupe.

« Bonne dégustation », dit-elle.

Reacher souleva la tasse et en essuya le fond sur sa chemise. Il la reposa ensuite sur la table et vida la soucoupe dedans. Puis il la souleva de nouveau et en but une gorgée.

Pas mauvais, pensa-t-il. Un peu fort, un peu trop infusé, mais, au fond, un bon produit de consommation courante. Meilleur que dans la plupart des petits restos indépendants, pire que dans la plupart des franchisés. En plein milieu de la courbe. La tasse était un monstre en porcelaine d'un bon centimètre d'épaisseur. Le café s'y refroidissait trop vite. Trop large, pas assez profonde, trop lourde. Reacher n'était pas un grand amateur de porcelaine fine, mais il pensait qu'un récipient est censé servir son contenu.

Les quatre types l'encadraient toujours. Deux assis et maintenant deux debout. Reacher les ignora et but son café, d'abord lentement, puis plus vite à mesure qu'il refroidissait. Il vida sa tasse et la reposa sur la soucoupe. Puis il la repoussa lentement, soigneusement, jusqu'à l'exact milieu de la table. Ensuite il porta rapidement son bras gauche à sa poche. Les quatre hommes sursautèrent. Reacher tira un billet de un dollar qu'il aplatit et coinça sous la soucoupe.

« Allons-y maintenant », fit-il.

Le type en bout de table s'écarta. Reacher fit crisser sa chaise et se leva. Onze clients le regardaient. Il rangea sa chaise sans se presser, contourna le bout de table et se dirigea vers la porte. Il sentait les quatre types derrière lui. Et entendait leurs godillots sur le carrelage. Ils se mirent en file indienne, se frayèrent un chemin entre les tables, dépassèrent le panneau et le comptoir. Le silence régnait dans la salle.

Reacher ouvrit la porte et sortit dans la rue. Le fond de l'air était frais, mais le soleil brillait. Le trottoir était en béton, des plaques carrées d'un mètre cinquante de côté. Séparées les unes des autres par un joint de dilatation de deux centimètres et demi, les joints bouchés par un amalgame noir.

Reacher prit sur la gauche, avança de quatre pas pour s'éloigner de la camionnette, puis s'arrêta et se retourna, le soleil d'après-midi dans son dos. Les quatre types s'alignèrent en face de lui, la lumière dans les yeux. Celui qui s'était planté en bout de table lui dit :

« Maintenant, tu t'en vas.

– Je suis déjà parti.

– Loin d'ici. »

Reacher se tut.

L'homme reprit :

« Tourne à gauche. Main Street est à quatre pâtés de maisons. Une fois que tu y seras, tu prends à gauche ou à droite, vers l'ouest ou vers l'est. On s'en fiche. Du moment que tu ne t'arrêtes pas.

– Vous faites toujours ça, ici ? demanda Reacher.

– Quoi donc ?

– Virer les gens de la ville.

– Et comment !

– Tu peux m'expliquer pourquoi ?

– On n'a pas à te donner de raisons.

– Je viens juste d'arriver, dit Reacher.

– Et alors ?

– J'ai l'intention de rester. »

L'homme en bout de rang retroussa ses manches un peu plus et fit un pas en avant. Nez cassé, dents en moins. Reacher détailla ses poignets. Leur épaisseur en indiquait à coup sûr la force brute. Ils étaient plus larges qu'une grande rose, moins qu'une planche de cinq sur dix centimètres. Plus proches de la planche que de la rose.

« Vous vous en prenez à la mauvaise personne, dit Reacher.

– Tu crois ? » répliqua celui qui parlait toujours pour les autres.

Reacher hocha la tête.

« Je dois vous prévenir. Je l'ai promis à ma mère, il y a longtemps. Elle affirmait qu'on devait donner aux gens une chance de s'en tirer.

– T'es un fils à maman ?

– Elle aimait le fair-play.

– Nous sommes quatre. Toi, tu es tout seul. »

Les mains de Reacher pendaient le long de son corps, tranquillement, les doigts doucement recourbés. Il avait les pieds écartés, solidement plantés dans le sol. Il sentait le béton brut sous les semelles de ses chaussures. On l'avait lissé. Quelqu'un y avait passé le balai-brosse juste avant qu'il sèche, dix ans plus tôt. Il écrasa les doigts de sa main gauche contre sa paume. Leva la main, très lentement. Jusqu'à l'épaule, paume vers l'extérieur. Les quatre types la fixèrent. La manière dont il avait replié les doigts pouvait laisser croire qu'il cachait quelque chose. *Mais quoi ?* Il les ouvrit d'un coup. *Rien dans la main.* Au même instant, précisément, il fit un pas de côté, lança son poing droit d'un mouvement convulsif et décocha à l'homme qui s'était avancé un uppercut colossal en pleine mâchoire. L'autre, qui respirait par la bouche à cause de son nez cassé, la referma d'un coup sec sous la force de l'impact foudroyant qui le souleva du sol avant de le projeter en vrac par terre. Pareil à une marionnette dont on aurait coupé les fils. Inconscient bien avant de toucher le sol.

« Maintenant, vous n'êtes plus que trois, fit Reacher. Et, moi, je suis toujours seul. »

Ce n'étaient pas de complets amateurs. Ils réagirent plutôt bien et assez vite. Ils reculèrent d'un bond et formèrent un grand demi-cercle en position défensive, les bras repliés, les poings prêts à frapper.

« Vous pouvez encore partir, déclara Reacher.

– Je ne crois pas, dit celui qui parlait pour les autres.

– Vous n'êtes pas à la hauteur.

– Tu as eu de la chance.

– Il n'y a que des pigeons pour se faire pigeonner comme ça.

– Ça ne se reproduira pas. »

Reacher ne répondit pas.

« Quitte cette ville, fit l'autre. Tu ne peux pas t'en sortir à trois contre un.

– On essaie ?

– Pas possible. Plus maintenant. »

Reacher acquiesça.

« Il se pourrait que tu aies raison. Il se pourrait que l'un de vous trois tienne assez longtemps debout pour m'avoir.

– Compte là-dessus.

– Mais la question à se poser est la suivante : lequel d'entre vous ? Pour le moment, vous n'avez aucun moyen de le savoir. Lequel conduira les trois autres pour six mois à l'hôpital ? Vous tenez tellement à me voir quitter la ville que vous êtes prêts à prendre les paris ? »

Aucun ne répondit. L'impasse. Reacher répéta ses mouvements à venir. Un coup de pied du droit dans l'entrejambe du gars sur sa gauche, un coup de coude en se retournant dans la tête de celui du milieu, se baisser pour éviter le poing que ne manquerait pas de lancer celui de droite, le laisser terminer son mouvement, lui donner de l'épaule dans les reins. Un, deux, trois : rien de très compliqué. Peut-être un petit nettoyage pour finir, au pied et au coude. La difficulté principale serait de limiter la casse. Retenue prudente de rigueur. Il est toujours plus sage de rester du bon côté de la ligne, plus proche de la rixe que de l'homicide.

La scène se figea. Reacher, bien droit, détendu, trois types courbés, poings serrés, un quatrième étalé, le nez contre le béton, qui soufflait, saignait, immobile. Au loin, derrière les trois hommes, Reacher aperçut sur les trottoirs des gens qui vaquaient tranquillement à leurs occupations. Il vit des voitures et des camionnettes rouler lentement dans la rue et stopper aux croisements avant de repartir.

Puis il remarqua plus précisément une voiture qui traversait un carrefour sans s'arrêter et filait dans sa direction. Une Crown Victoria blanc et doré avec un pare-chocs renforcé peint en noir, une barre de gyrophares sur le toit, des antennes rivées au coffre. Un écusson sur la portière, où l'on lisait sur toute la largeur : DPD. *Despair Police Department.* Un flic massif en veste brun clair au volant.

« Derrière vous, lança Reacher. Voilà la cavalerie. »

Mais il ne bougea pas pour autant. Il garda les trois types à l'œil. L'arrivée de ce flic n'offrait aucune garantie. Du moins, pas encore. Les trois hommes avaient l'air assez malades pour sauter de l'avertissement oral à l'inculpation pour coups et blessures. Ça leur était peut-être déjà si souvent arrivé qu'une fois de plus ne ferait aucune différence. Les petites villes… Selon l'expérience de Reacher, elles avaient toutes leurs cinglés.

La Crown Victoria freina sec le long du trottoir. La portière s'ouvrit en grand. Le chauffeur tira une arme à canon court d'un étui derrière son siège. Il sortit. Chargea son fusil à pompe et le tint en travers de la poitrine. C'était un costaud. Un Blanc, la quarantaine, peut-être. Cheveux noirs. Cou de taureau. Veste brun clair, pantalon marron, chaussures noires, une marque autour du front, celle de son chapeau de l'ours Smokey, la mascotte des Eaux et Forêts, probablement posé sur le siège passager. Il se planta derrière les trois hommes pour comprendre la scène. *Pas vraiment besoin d'être un génie*, pensa Reacher. *Trois types en encerclent un quatrième ? On n'a pas l'air de causer du temps qu'il fait.*

« C'est bon, reculez », lança le flic.

Une voix grave. Pleine d'autorité. Les trois hommes firent un pas en arrière. Le policier s'avança. Ils avaient échangé leurs positions. Les autres se tenaient maintenant derrière lui. Le flic saisit son arme et la pointa droit sur la poitrine de Reacher.

« Vous êtes en état d'arrestation », fit-il.

CINQ

Reacher ne broncha pas.

« Pour quel motif ? demanda-t-il.

– Je suis sûr que j'en trouverai un », répondit le flic.

Il prit son fusil dans une main et se servit de l'autre pour sortir les menottes de leur étui à la ceinture. Il les tendit dans le creux de sa main et un des hommes derrière lui s'avança, s'en saisit et contourna Reacher.

« Mettez vos bras dans le dos, dit le flic.

– Ces types sont-ils assermentés ?

– En quoi ça changerait quelque chose ?

– En rien. Mais ils le devraient. S'ils me touchent sans bonne raison, ils se retrouveront les bras cassés.

– Ils sont tous assermentés. Surtout celui que vous venez d'envoyer au tapis. »

Il reposa les deux mains sur son fusil.

« Légitime défense, dit Reacher.

– Vous l'expliquerez au juge », répliqua le flic.

L'homme derrière Reacher lui colla les bras dans le dos et lui menotta les poignets. Celui qui servait de porte-parole aux autres ouvrit la portière arrière de la voiture de police, qu'il tint comme un portier d'hôtel celle d'un taxi.

« Montez dans la voiture », dit le flic.

Reacher ne réagit pas, passant en revue les choix qu'il avait. Ce fut vite fait. Il n'en avait aucun. Il était menotté. Il avait un homme à moins d'un mètre dans le dos. Un flic à environ deux mètres cinquante devant lui. Deux autres types en renfort, un pas derrière le flic. Le fusil à pompe avait tout d'un Mossberg. Il ne reconnut pas le modèle, mais il respectait la marque.

« Dans la voiture », répéta le flic.

Reacher avança, contourna la porte ouverte et se plia à l'intérieur, fesses en avant. Le siège était recouvert d'un épais vinyle sur lequel il se glissa facilement. Un caoutchouc cranté était étalé par terre. La paroi de sécurité était un écran en plastique transparent, résistant aux balles. La banquette était étroite. Inconfortable, avec les mains menottées dans le dos. Il tendit les jambes, un pied dans le creux à gauche et un autre dans celui à droite de la séparation médiane. Il pensait qu'il allait se faire secouer.

Le flic remonta au volant. Les amortisseurs lâchèrent du mou sous son poids. Il rangea le Mossberg à sa place. Il claqua la portière, mit la boîte de vitesses automatique en position de conduite et écrasa l'accélérateur. Reacher se retrouva plaqué au dossier. Puis le type freina sec devant un panneau stop et Reacher fut projeté en avant. Il eut le temps de se tourner et d'amortir le choc contre l'écran en plastique avec l'épaule. Le flic répéta la manœuvre à l'intersection suivante. Et encore à la suivante. Mais Reacher l'acceptait. Il fallait s'y attendre. Il conduisait pareil, autrefois, quand il était devant à la place du flic, avec un autre derrière, à la sienne. Et puis, il s'agissait d'une petite ville. Où qu'il se trouve, le poste ne devait pas être bien loin.

Le poste de police se situait quatre pâtés de maisons à l'ouest et deux au sud du restaurant. Il était logé dans un de ces bâtiments banals en brique, le long d'une rue assez large pour que le flic puisse s'y garer en diagonale, nez vers le trottoir. Une autre voiture s'y trouvait également. Rien d'autre. Petite ville, petite police. L'immeuble avait deux étages. Les flics occupaient le rez-de-chaussée. Le tribunal municipal, l'étage. Reacher se dit qu'il devait y avoir des cellules au sous-sol. Sa mise en détention se déroula sans accrocs. Il ne fit pas d'histoires. Inutile. Rien à gagner à s'évader à pied dans une ville dont la juridiction s'étendait sur près de vingt kilomètres dans une direction et peut-être davantage dans l'autre. Le bureau était tenu par un agent qui aurait pu être le frère cadet de celui qui l'avait arrêté. Même gabarit, même silhouette, mêmes traits, même coupe de cheveux, en plus jeune. On enleva à Reacher ses menottes et il leur laissa le contenu de ses poches, ainsi que ses lacets. Il ne portait pas de ceinture. On lui fit descendre un escalier en colimaçon et on le plaça dans une cellule d'un mètre quatre-vingts sur deux mètres cinquante, fermée par une antique grille sans doute repeinte une cinquantaine de fois.

« Un avocat ? demanda-t-il.

– Vous en connaissez un ? lui rétorqua le jeune agent.

– Le commis d'office fera l'affaire. »

L'agent hocha la tête, verrouilla la grille et remonta à son bureau. Reacher se retrouva seul. Le quartier de détention était vide, hormis lui. Trois cellules côte à côte, un couloir étroit, pas de fenêtre. Chaque cellule était équipée d'une plaque de fer scellée au mur, en guise de lit, et d'une cuvette de toilettes en acier, avec un évier monté sur la chasse d'eau. Des appliques brillaient dans des cages de grillage au plafond. Reacher passa sa main sous l'eau froide dans l'évier et se massa les phalanges. Elles étaient douloureuses mais pas abîmées. Il s'étendit sur le lit et ferma les yeux.

Bienvenue à Despair, pensa-t-il.

SIX

L'avocat commis d'office ne vint jamais. Reacher somnola pendant deux heures, puis le flic qui l'avait arrêté descendit lourdement les escaliers, ouvrit sa cellule et lui fit signe de se lever.

« Le juge vous attend, dit-il.

– On ne m'a pas encore inculpé de quoi que ce soit. Je n'ai pas vu mon avocat, dit Reacher dans un bâillement.

– C'est au tribunal qu'il faut le dire. Pas à moi.

– Quel genre de système à la noix avez-vous dans le coin ?

– Le même depuis toujours.

– Je crois que je ne vais pas bouger d'ici.

– Je pourrais envoyer chercher vos trois copains encore indemnes.

– Pour économiser de l'essence, envoyez-les directement à l'hôpital.

– Je pourrais commencer par vous mettre les menottes. Vous attacher au lit.

– Vous ?

– Je pourrais aller chercher une arme pour vous neutraliser.

– Vous habitez en ville ?

– Pourquoi ?

– Je viendrai peut-être vous rendre visite.

– Ça m'étonnerait. »

Le flic attendait, planté là. Reacher haussa imperceptiblement les épaules et posa les pieds par terre. Il se redressa et sortit de la cellule. Il n'était pas commode de marcher avec des chaussures sans lacets. Dans l'escalier, il dut recroqueviller les orteils pour éviter de les perdre. Parvenu dans l'entrée du poste de police, il emprunta l'escalier derrière le flic. Un escalier plus imposant. Barré en haut par une double porte en bois, fermée. Devant elle, un panneau sur un petit piquet à large socle. Du même genre que celui du restaurant, à ceci près qu'on y lisait : « Tribunal municipal ». Le flic ouvrit le battant de gauche et s'écarta. Reacher pénétra dans une salle d'audience. Il y avait une allée centrale et quatre rangées de sièges pour le public. Puis une barrière de séparation, une table pour l'accusation, une autre pour la défense, trois chaises à roulettes derrière chacune d'elles. Il y avait une barre des témoins, un espace pour les jurés et une estrade pour le juge. Le mobilier et la menuiserie étaient entièrement en pin laqué noir, patiné par l'âge et la cire. Les murs étaient lambrissés du même matériau sur les trois quarts de la hauteur. Le plafond et le haut des murs étaient peints couleur crème. Deux drapeaux étaient tendus derrière l'estrade : la bannière étoilée, et un autre que Reacher pensa être celui de l'État du Colorado.

La salle était vide. Les pas y résonnaient et elle sentait la poussière. Le flic passa devant et ouvrit la barrière. Il désigna du doigt la table de la défense à Reacher. Puis il s'assit à celle de l'accusation. Bientôt, une porte discrète s'ouvrit dans le mur du fond et un homme en costume fit son entrée. Le policier se leva d'un bond et lança : « Levez-vous. » Reacher demeura assis.

Le type en costume monta lourdement les trois marches et se glissa à sa place, à l'arrière de l'estrade. Massif, il avait un peu plus de la soixantaine et une chevelure blanche fournie. Son costume bon marché était mal coupé. Il prit un stylo et ajusta un bloc devant lui. Il regarda Reacher et demanda :

« Votre nom ?

– On ne m'a pas lu mes droits, répondit Reacher.

– Vous n'êtes inculpé d'aucun crime, fit le vieux. Ceci n'est pas un procès.

– Quoi alors ?

– Une audience.

– À quel sujet ?

– Une procédure administrative, rien d'autre. Peut-être même une simple formalité. Mais je dois vraiment vous poser quelques questions. »

Reacher se tut.

« Votre nom ? redemanda le magistrat.

– Je suis sûr que la police a fait une copie de mon passeport qu'elle vous a montrée.

– Juste pour mémoire, s'il vous plaît. »

Le juge s'adressait à lui sur un ton neutre et ses manières étaient suffisamment courtoises. Reacher haussa donc les épaules et déclara : « Jack Reacher. Pas d'autre prénom. »

Le type en prit note. Suivirent sa date de naissance, son numéro de Sécurité sociale et sa nationalité. Puis :

« Votre adresse ?

– Pas de domicile fixe », répondit Reacher.

L'homme écrivit sa réponse.

« Profession ?

– Aucune.

– But de votre visite à Despair ?

– Tourisme.

– Comment avez-vous l'intention de subvenir à vos besoins durant votre séjour ?

– Je n'y ai pas vraiment songé. Je n'y voyais pas de difficulté majeure. Nous ne sommes pas à Londres, Paris ou New York.

– Répondez à la question, je vous prie.

– J'ai de l'argent de côté à la banque », dit Reacher.

Le juge nota tout. Puis il renifla, repassa son stylo au-dessus des lignes déjà écrites, avant de demander :

« Quelle était votre dernière adresse connue ?

– Une BPM.

– BPM ?
– Boîte postale militaire.
– Vous êtes un ancien militaire ?
– Exact.
– Combien de temps avez-vous servi ?
– Treize ans.
– Jusqu'à quand ?
– J'ai quitté l'armée il y a dix ans.
– Quelle unité ?
– Police militaire.
– Grade avant démobilisation ?
– Major.
– Et vous n'avez pas d'adresse permanente depuis votre départ de l'armée ?
– Non, aucune. »

L'autre fit une grosse marque devant une ligne. Reacher le vit tracer quatre traits : deux dans un sens et deux dans l'autre. Puis l'homme poursuivit :

« Depuis combien de temps êtes-vous sans travail ?
– Dix ans.
– Vous n'avez plus travaillé après avoir quitté l'armée ?
– Pas vraiment.
– Un ex-major qui ne trouve pas de travail ?
– Un ex-major qui n'en cherche pas.
– Et vous avez pourtant de l'argent en banque.
– Des économies, répondit Reacher. Plus quelques petits travaux rémunérés, à l'occasion. »

L'homme cocha une autre ligne : deux barres horizontales, deux verticales.

« Où avez-vous dormi, la nuit dernière ?
– À Hope, dans un motel.
– Et vos bagages y sont encore ?
– Je n'ai aucun bagage. »

Le type nota et fit une nouvelle marque.

« Vous êtes venu ici à pied ?
– Oui, dit Reacher.

– Pourquoi ?

– Il n'y a pas de bus et je n'ai trouvé aucune voiture pour m'emmener.

– Pourquoi ici ?

– Pour faire du tourisme, répéta Reacher.

– Qu'avez-vous entendu dire sur notre petite cité ?

– Rien du tout.

– Pourtant, vous avez décidé de la visiter ?

– Évidemment.

– Pourquoi ?

– Son nom m'a intrigué.

– Ce n'est pas une raison très convaincante.

– Il faut bien que j'aille quelque part. Et merci pour le comité d'accueil. »

L'autre dessina encore une marque sur sa feuille. Puis il passa en revue avec son stylo chaque élément de sa liste, lentement, méthodiquement : quatorze réponses, plus les quatre marques dans la marge, et déclara :

« Désolé, mais je vous déclare en infraction avec un arrêté municipal de la ville de Despair. Je crains que vous ne deviez partir.

– Partir ?

– Quitter la ville.

– Quel arrêté ?

– Celui contre le vagabondage. »

SEPT

« Vous avez un arrêté contre le vagabondage, par ici ? » dit Reacher.

Le juge hocha la tête.

« Comme dans la plupart des villes de l'Ouest.

– On ne m'en a jamais parlé.

– C'est que vous avez eu beaucoup de chance.

– Je ne suis pas un vagabond.

– Sans domicile fixe depuis dix ans, chômeur depuis autant, vous allez de ville en ville, en bus ou en stop, et faites des petits travaux à l'occasion. Comment donc vous définiriez-vous ?

– Un homme libre, dit Reacher. Et un veinard. »

Le juge hocha de nouveau la tête.

« Je suis content que vous voyiez le bon côté des choses.

– Et mon droit à la liberté de réunion, protégé par le premier amendement de la Constitution ?

– La Cour suprême a tranché depuis longtemps. Les municipalités ont le droit d'exclure les indésirables.

– Les touristes sont des indésirables ? Qu'en dit la chambre de commerce locale ?

– Nous sommes une petite ville tranquille, à l'ancienne. Les gens ne ferment pas leurs portes à clé. Nous n'en voyons pas la nécessité. La plupart des clés ont été égarées, il y a des années, à l'époque de nos grands-parents.

– Je ne suis pas un voleur.

– Mais nous n'hésitons pas à abuser de prudence. L'expérience, ailleurs, montre que les chômeurs en transit posent toujours des problèmes.

– Supposons que je refuse de partir ? Quelle serait la peine ?

– Trente jours de prison. »

Reacher se tut. Le juge reprit :

« Ce policier va vous reconduire aux limites de la ville. Trouvez-vous un travail, une maison, et nous vous accueillerons à bras ouverts. Mais ne revenez pas avant. »

Le flic le ramena au rez-de-chaussée et lui remit son argent, son passeport, sa carte bancaire et sa brosse à dents. Rien ne manquait. Puis il lui tendit ses lacets et attendit derrière le bureau que Reacher les enfile dans les œillets de ses chaussures avant de les serrer et de les attacher. Le flic mit alors la main sur la crosse de son revolver et dit : « En voiture. » Reacher traversa le hall devant lui et sortit dans la rue. Le soleil était couché. Il était tard, l'année était bien avancée, et il commençait à faire noir. Le policier avait bougé sa voiture. Elle était désormais garée face à la rue.

« Montez derrière », dit le flic.

Reacher entendit un avion dans le ciel, au loin vers l'ouest. Un monomoteur qui montait sèchement. Un Cessna, un Beechcraft ou un Piper, tout seul, tout petit dans l'immensité. Reacher ouvrit la portière et se glissa à l'intérieur. Sans menottes, il se sentait beaucoup mieux. Il prit ses aises comme il l'aurait fait dans un taxi ou dans une limousine. Le flic se pencha à l'intérieur, une main sur la porte, l'autre sur le toit, et lança :

« On ne plaisante pas. Si vous revenez, je vous arrête et vous passerez trente jours dans la même cellule. À supposer que vous ne nous regardiez pas de travers et qu'on ne vous abatte pas pour résistance à agent.

– Vous êtes marié ? demanda Reacher.

– Pourquoi ?

– Ça m'aurait étonné. Vous êtes plutôt du genre à vous branler. »

L'autre resta un moment sans broncher, puis claqua la portière et se mit au volant. Il descendit la rue avant de prendre à droite, plein nord. *Six pâtés de maisons et on sera à Main Street*, estima Reacher. *S'il tourne à gauche, vers l'ouest, et me fait poursuivre ma route, peut-être laisserai-je couler. Mais s'il prend à droite et me ramène vers Hope, à l'est, sans doute que non.*

Reacher détestait rebrousser chemin.

Aller de l'avant, telle était sa philosophie.

Six croisements. Six stops. À chacun d'eux, le flic freina doucement, ralentit, regarda à gauche et à droite avant de s'engager. Arrivé sur Main Street, il marqua l'arrêt. Puis il appuya sur le champignon, engagea le véhicule et braqua.

Il tourna à droite.

Plein est.

Retour sur Hope.

HUIT

Reacher vit défiler l'épicerie, la station-service, le motel abandonné et le terrain vague, puis le flic cala la vitesse sur cent à l'heure. Les pneus crissèrent sur la mauvaise route et quelques graviers rebondirent sous le châssis avant de finir sur les bas-côtés. Douze minutes plus tard, la voiture ralentit, puis freina jusqu'à arrêt complet. Le flic ouvrit sa portière, sortit et mit la main sur la crosse de son arme avant d'ouvrir à Reacher.

« Dehors », fit-il.

Reacher se coula hors du véhicule et sentit le mauvais revêtement de Despair sous sa semelle.

D'un geste du pouce, le policier lui désigna l'est où il faisait plus noir encore.

« Par là », dit-il.

Reacher ne broncha pas.

Le flic déboucla l'arme à sa ceinture. Un Glock neuf millimètres, trapu et terne dans la pénombre. Pas de cran de sécurité. Seulement une sorte de loquet sur la détente que le flic serrait déjà de son doigt boudiné.

« Je t'en prie, dit celui-ci. Donne-moi juste un prétexte. »

Reacher avança de trois pas. Il nota la lune qui se levait à l'horizon. Il vit où se terminait le gravier rugueux posé par Despair et où commençait la bonne route goudronnée vers Hope. La voiture avait son pare-chocs juste au-dessus de la démarcation. Le joint de dilatation. La frontière. Reacher haussa les épaules et la franchit. Un seul grand pas : retour à Hope.

« Ne reviens pas nous embêter », lui lança le flic.

Reacher ne répondit pas. Il ne se retourna pas. Il fixa l'est sans bouger et il écouta la voiture faire marche arrière, puis demi-tour et s'éloigner en faisant crisser le gravier. Lorsque le bruit eut totalement disparu au loin, il haussa de nouveau les épaules et il se remit en marche.

Il n'avait pas fait vingt pas qu'il vit des phares, à moins de deux kilomètres, approcher dans sa direction en provenance de Hope. Bien écartés, ils décrivaient un arc de belle amplitude. Une grosse voiture qui roulait vite. Elle se rapprocha de lui, émergea des ténèbres naissantes, et, lorsqu'elle ne fut qu'à une centaine de mètres, il reconnut une autre voiture de police. Une nouvelle Crown Victoria, peinte en noir et blanc comme bien des véhicules de police, équipée de pare-chocs renforcés, de gyrophares et d'antennes. Elle s'arrêta un peu avant lui et un projecteur fixé au pare-brise s'alluma, pivota de plusieurs crans et le balaya deux fois de haut en bas, se posant sur son visage, l'accrochant dans son faisceau. La lumière s'éteignit et la voiture avança lentement en faisant chuinter les pneus sur le revêtement lisse, puis elle s'arrêta de nouveau, la portière du conducteur exactement au niveau de Reacher. Un écusson doré y était peint, traversé du sigle HPD. *Hope Police Department*. La vitre électrique descendit, une main se tendit et un plafonnier s'alluma à l'intérieur. Reacher découvrit une femme flic au volant, les cheveux blonds coupés court éclairés par la faible ampoule jaunâtre derrière elle.

« Je vous emmène ? demanda-t-elle.

– Je préfère marcher, fit Reacher.

– Il y a huit kilomètres jusqu'au centre-ville.

– J'ai fait l'aller à pied, je peux faire le retour.

– C'est plus facile en voiture.

– Ça ne me pose aucun problème. »

La femme se tut un moment. Reacher écouta le moteur de la Crown Victoria. Il ronflait patiemment au ralenti. Les courroies tournaient et le silencieux refroidissait en cliquetant. Reacher reprit sa route. Il fit trois pas et entendit passer la marche arrière, puis le véhicule se porta à son niveau et ajusta son allure à la sienne. La vitre était toujours ouverte.

« Baissez un peu la garde, Zénon », lui lança la femme.

Reacher s'arrêta.

« Vous savez qui était Zénon ? dit-il.

– Zénon de Citium. Le fondateur de l'école des stoïciens. Je vous dis de laisser de côté votre résignation excessive.

– Les stoïques se doivent d'être résignés. Le stoïcisme est fondé sur l'acceptation inconditionnelle des destinées. C'est Zénon qui l'a dit.

– Votre destin est de retourner à Hope. Zénon se fiche que ce soit à pied ou en voiture.

– Et vous, vous êtes quoi ? Philosophe ? Flic ? Chauffeur de taxi ?

– La police de Despair nous appelle chaque fois qu'ils lâchent quelqu'un à la frontière, par politesse.

– Ça arrive souvent ?

– Plus que vous ne le croyez.

– Et vous venez jusqu'ici nous récupérer ?

– Nous sommes là pour servir. C'est marqué sur l'écusson. »

Reacher baissa le regard sur la portière. Si *HPD* couvrait le parchemin roulé au milieu, on lisait *Protéger*, au-dessus de l'écusson, *Et Servir* au-dessous.

« Je vois, dit-il.

– Allez, montez.

– Pourquoi font-ils ça ?

– Montez et je vous le dirai.

– Vous ne voulez pas me laisser y aller à pied ?

– Ça fait huit kilomètres. Vous êtes déjà ronchon et vous serez carrément de mauvais poil en arrivant en ville. Croyez-moi. Je l'ai déjà vu. Mieux vaut pour tout le monde que vous montiez.

– Je suis différent. Marcher me calme.

– Je ne vais pas vous le demander à genoux, Reacher, dit la femme.

– Vous savez comment je m'appelle.

– La police de Despair nous a donné votre nom. Un geste de politesse.

– Doublé d'un avertissement ?

– Possible. Maintenant, j'ai du mal à dire s'il ne faudrait pas les prendre au sérieux. »

Reacher haussa de nouveau les épaules et posa la main sur la poignée de la portière arrière.

« Montez devant, idiot. Je suis là pour vous aider, pas pour vous arrêter. »

Reacher fit le tour de la voiture par l'arrière et ouvrit la portière, côté passager. Le siège était encadré par des équipements radio et un ordinateur portable sur un support, mais la place était libre. Aucun chapeau. Il s'y cala comme il put. Pas grand espace pour les jambes, à cause de l'écran de sécurité dans son dos. À l'avant, la voiture sentait l'essence, le café, le parfum et les appareils électroniques sous tension. L'écran de l'ordinateur portable affichait une carte GPS. Une petite flèche pointée à l'ouest clignotait au bord d'une tache mauve désignée par la légende : *Municipalité de Hope*. Un rectangle parfaitement dessiné, presque un carré. Une division territoriale arbitraire, taillée à l'emporte-pièce, comme celle de l'État du Colorado. À côté, la municipalité de Despair était figurée par une autre tache, rose pâle. Despair n'avait pas une forme rectangulaire. Elle avait la forme d'un morceau de bois mal taillé. Son bord est collait à Hope, puis sa forme s'évasait comme un triangle épointé. Sa frontière à l'ouest, deux fois plus longue que son pendant à l'est, longeait une zone grise et vide. Des territoires hors municipalité, se dit Reacher. Des embranchements de l'I-70, qui court du Maryland à l'Utah, et de l'I-25, qui va du Wyoming au Nouveau-Mexique, les traversaient et coupaient Despair au nord-ouest.

La femme flic remonta sa vitre électrique, tendit le cou pour regarder derrière elle et fit un demi-tour en trois points sur la route. Elle était fluette sous sa chemise fauve amidonnée. Probablement moins d'un mètre soixante-dix, probablement moins de soixante kilos, probablement moins de trente-cinq ans. Pas de bijou, pas d'alliance. Elle avait une radio Motorola accrochée au col et un grand badge doré épinglé au-dessus du sein gauche. D'après le badge, elle s'appelait Vaughan. Et, d'après ce même badge, c'était un sacré bon flic. Elle avait l'air d'avoir glané un paquet de médailles et de décorations. Elle était jolie, mais d'une manière différente des autres femmes. Elle semblait avoir vu des choses que les autres n'avaient pas vues. C'était clair. Reacher en avait une petite idée. Il avait servi avec pas mal de femmes quand il appartenait à la police militaire.

« Pourquoi Despair m'a flanqué dehors ? » demanda-t-il.

La femme qui répondait au nom de Vaughan éteignit le plafonnier. Elle était maintenant éclairée de face par les témoins rouges des indicateurs du tableau de bord, par le reflet rose et mauve de l'écran du GPS et quelques reflets blancs de la lumière des phares sur la route.

« Regardez-vous, fit-elle.

– Qu'est-ce que j'ai ?

– Qu'est-ce que vous voyez ?

– Un type ordinaire.

– Un col bleu en tenue de travail, en bonne santé, costaud et affamé.

– Et alors ?

– Jusqu'où êtes-vous allé ?

– J'ai pu voir la station-service et le restaurant. Plus le tribunal municipal.

– Vous n'avez donc pas pu vous faire une idée complète », commenta Vaughan.

Elle conduisait lentement, à environ cinquante kilomètres à l'heure, comme si elle en avait beaucoup plus à dire. Elle gardait une main sur le volant, le coude appuyé contre la portière. L'autre posée tranquillement sur la cuisse. Huit kilomètres à cinquante à l'heure prendrait dix minutes.

Reacher se demanda ce qu'elle avait à lui dire, pourquoi moins de dix minutes n'y aurait pas suffi.

« Je suis plus un col vert qu'un col bleu.

– Un col vert ?

– J'étais dans l'armée. Police militaire.

– Quand ?

– Il y a dix ans.

– Vous travaillez maintenant ?

– Non.

– Eh bien, voilà.

– Voilà quoi ?

– Vous étiez une menace.

– Comment ça ?

– À l'ouest de Despair se trouve la plus grosse usine de recyclage de métaux du Colorado.

– J'ai vu la fumée.

– L'économie de Despair ne repose sur rien d'autre. L'usine de métaux en est le seul moteur.

– Une ville sous la coupe d'une unique entreprise », dit Reacher.

Vaughan hocha la tête.

« L'homme qui possède cette usine est propriétaire de la moindre brique du moindre bâtiment. La moitié de la population travaille pour lui à temps plein. L'autre moitié à temps partiel quand il a besoin d'elle et s'il en a besoin. Les temps pleins sont plutôt contents, les temps partiels, en position précaire. Ils n'aiment pas la concurrence des étrangers. Ils n'aiment pas voir se pointer des gens qui cherchent du boulot, qui sont prêts à travailler pour moins.

– Je n'avais aucune intention d'y travailler.

– Vous le leur avez dit ?

– Ils ne me l'ont pas demandé.

– De toute façon, ils ne vous auraient pas cru. Les villes qui dépendent d'une seule grosse boîte sont des endroits étranges. Rester là chaque matin à attendre un mot du contremaître laisse des traces sur les gens. Ça a un côté féodal. La ville entière est un fief. L'argent que le propriétaire verse en salaires lui revient directement, sous forme de loyers. Et aussi d'emprunts. La banque est à lui. Pas de relâche le dimanche, non plus. Il n'y a qu'une église et il y est le prédicateur laïc. Quand on veut du boulot, il faut s'y montrer sur un banc de temps en temps.

– Et ça vous semble juste ?

– Il aime dominer. Il est prêt à tout.

– Pourquoi alors les gens ne s'en vont pas ?

– Certains sont partis. Ceux qui sont restés ne bougeront jamais.

– Ce type-là ne veut-il pas voir venir des gens qui travailleraient pour moins ?

– Il préfère la stabilité. Il aime les gens qui lui appartiennent, pas les étrangers. Peu importe vraiment ce qu'il paie. Il le récupère en loyers et en bénéfices dans ses magasins.

– Alors pourquoi ces types se faisaient-ils du mouron ?

– Les gens s'en font tout le temps. Les villes qui dépendent d'une grosse boîte sont étranges.

– Et le juge municipal fait ce qu'on lui dit ?

– Il est obligé. C'est une fonction élective. Et l'arrêté municipal contre le vagabondage existe bien. La plupart des villes ont le même. Nous aussi, à Hope, en tout cas. Pas moyen d'y couper, si jamais quelqu'un se plaint.

– Mais personne ne s'est plaint à Hope. J'ai dormi ici, la nuit dernière.

– Nous ne dépendons pas d'une entreprise unique. »

Vaughan ralentit. On devinait au loin les premières maisons de Hope. Reacher les reconnut. Une quincaillerie traditionnelle. Le matin même, un vieux bonhomme avait sorti ses escabeaux et ses brouettes pour en faire un étalage sur le trottoir. Le magasin était maintenant fermé et dans la pénombre.

« Quels sont les effectifs de la police à Hope ?

– En plus de moi, il y a deux autres policiers et un chef de poste.

– Des adjoints assermentés ?

– Quatre. On ne s'en sert pas souvent. Peut-être pour faire la circulation quand on a des travaux en cours. Pourquoi ?

– Ils sont armés ?

– Non, au Colorado les adjoints sont des gardiens de la paix civils. Pourquoi ?

– Combien d'adjoints ont-ils à Despair ?

– Quatre, je crois.

– Je les ai croisés.

– Et alors ?

– Imaginons. Que ferait la police de Hope si quelqu'un se pointait, se prenait la tête avec un de vos adjoints et lui démolissait la mâchoire ?

– On flanquerait le quidam en taule, dare-dare.

– Pourquoi ?

– Vous le savez bien. Aucune tolérance pour coups et blessures sur un agent de la force publique, plus l'obligation de se serrer les coudes, plus une question d'orgueil et de dignité.

– Imaginons qu'il y ait un problème de légitime défense.

– Entre un civil et un agent de la force publique, il faudrait que ce soit sacrément indubitable.

– D'accord.

– Vous auriez réagi pareil dans la police militaire.

– Là, pour sûr.

– Alors pourquoi poser la question ? »

Reacher ne répondit pas directement.

« Je ne suis pas vraiment un stoïque. Zénon prêchait d'accepter passivement son destin. Je ne suis pas comme ça. Je ne suis pas très passif. J'ai à cœur de relever les défis.

– Et alors ?

– Je n'aime pas qu'on me dise où je dois aller ou non.

– Têtu ?

– Ça me chiffonne sérieusement. »

Vaughan ralentit encore et s'arrêta contre un trottoir. Elle se mit au point mort et se tourna vers lui.

« Un petit conseil ? fit-elle. Laissez tomber et passez à autre chose. Despair n'en vaut pas le coup. »

Reacher se tut.

« Trouvez-vous un endroit où manger et une chambre pour la nuit, ajouta Vaughan. Je suis certaine que vous avez faim. »

Reacher acquiesça.

« Merci pour la course, fit-il. Et ce fut un plaisir de faire votre connaissance. »

Il ouvrit la portière et se glissa dehors. L'équivalent de Main Street s'appelait First Street à Hope. Il savait qu'une cafétéria se trouvait sur Second Street, un pâté de maisons plus loin. Il y avait pris le petit déjeuner. Il se mit en marche et entendit la Crown Victoria de Vaughan rouler derrière lui. Il perçut le ronron policé du moteur et le léger chuintement des pneus sur l'asphalte. Puis il tourna un coin de rue et n'entendit plus rien.

Une heure plus tard, il était toujours dans la cafétéria. Il avait avalé une soupe, un steak, des frites, des haricots, une tarte aux pommes et une glace. Il en était au café. Bien meilleur que celui du restaurant de Despair. Et servi dans un mug cylindrique. Aux bords encore trop épais, mais bien plus proche de la forme idéale.

Il pensa à Despair et se demanda pourquoi ils avaient préféré le jeter dehors que le garder et le faire tomber pour coups et blessures sur la personne d'un adjoint de la police.

NEUF

Le café était servi à volonté à la cafétéria de Hope et Reacher en profita impitoyablement. Il en but presque un pot entier à lui tout seul. La serveuse en fut fascinée. Il n'était pas nécessaire qu'il l'appelle. Elle revenait vers lui chaque fois qu'il en avait besoin, et même parfois avant, comme si elle le poussait à battre une sorte de record du monde. Il lui laissa un double pourboire au cas où le patron lui ferait une retenue sur salaire pour avoir été si généreuse.

Il faisait nuit noire quand il quitta le restaurant. Vingt et une heures. Il estima qu'il ne ferait pas jour avant sept heures, heure à laquelle le soleil se levait sous ces latitudes, à cette époque de l'année. Il se rendit trois pâtés de maisons plus loin, là où il avait repéré une petite épicerie. On en aurait fait une *bodega* en ville, et une boutique franchisée en banlieue, mais, à Hope, elle était restée ce qu'elle avait sans doute toujours été : un petit magasin familial exigu et poussiéreux où l'on vendait le minimum vital.

Reacher avait besoin d'eau, de protéines et d'énergie. Il acheta trois bouteilles de Poland Spring Water, six Powerbars au chocolat, plus un rouleau de sacs-poubelle noirs de cinquante litres. La caissière les rangea soigneusement dans un sac en papier et Reacher récupéra sa monnaie. Il emporta le tout quatre pâtés de maisons plus loin, au motel où il avait dormi la nuit précédente. Il prit la même chambre, celle du fond. Il y entra, posa son sac sur la table de nuit et s'allongea sur le lit. Il avait l'intention de se reposer un peu.

Jusqu'à minuit. Il ne voulait pas faire deux fois vingt-cinq kilomètres à pied dans la même journée.

Reacher se leva à minuit pile et regarda par la fenêtre. Plus de lune. Il vit de gros nuages et quelques étoiles briller au loin. Il enfourna ses achats dans un sac-poubelle noir et le mit à l'épaule. Puis il quitta le motel, rejoignit First Street dans le noir et prit à l'ouest. Pas une voiture en vue. Aucun piéton. Deux ou trois lumières aux fenêtres. Le milieu de la nuit au milieu de nulle part. Le trottoir s'arrêtait six mètres après la quincaillerie. Il continua son chemin sur l'asphalte. Au pas de marche : six kilomètres et demi à l'heure. Rien de difficile en terrain plat régulier. Il se cala sur un rythme où il se sentit capable de marcher sans plus jamais s'arrêter.

Et pourtant, il s'arrêta. Huit kilomètres plus loin, une centaine de mètres avant la frontière entre Hope et Despair. Devina une forme devant lui. Un trou dans les ténèbres. Une voiture garée sur l'accotement. Noire, pour l'essentiel, avec quelques taches de blanc.

Une voiture de police.

Vaughan.

Le nom lui revint à l'esprit au moment exact où les phares du véhicule s'allumèrent. Une lumière violente. Il était pris dedans. Son ombre s'étirait derrière lui sur une distance insondable. Il se protégea les yeux de la main gauche, la droite déjà prise par son sac. Il ne broncha pas. La lumière persista. Il descendit de la route et poursuivit son chemin vers le nord sur la croûte de sable qui la bordait. Les phares s'éteignirent et le projecteur monté sur le pare-brise le suivit à la trace. Il ne le lâcherait pas. Il changea alors de direction et se dirigea droit dessus.

Vaughan coupa le projecteur et descendit la vitre électrique à son approche. Elle s'était garée face à l'est, deux roues sur le sable, le pare-chocs arrière exactement au-dessus du joint de dilatation de la route. Tout juste au-dessus.

« Je pensais bien vous voir ici », fit-elle.

Reacher la regarda sans rien dire.

« Que fabriquez-vous ? demanda-t-elle.

– Je me balade.

– C'est tout ?

– Aucune loi ne l'interdit.

– Pas ici, fit Vaughan. Mais c'est le cas si vous faites trois pas de plus.

– Pas chez vous.

– Vous êtes têtu. »

Reacher hocha la tête.

« Je voulais voir Despair et j'y arriverai.

– Ce n'est pas un bled passionnant.

– J'en suis convaincu. Mais j'aime me forger ma propre opinion.

– Ils ne plaisantent pas, vous savez. Soit vous ferez trente jours de prison, soit ils vous descendront.

– S'ils me trouvent.

– Ils vous trouveront. J'y suis bien arrivée.

– Je ne me cachais pas de vous.

– Vous avez amoché un de leurs adjoints, là-bas ?

– Pourquoi cette question ?

– Je pensais à celle que vous m'avez posée.

– Je ne suis pas persuadé que c'en était vraiment un.

– Je n'aime pas qu'on s'attaque aux adjoints.

– Vous ne l'auriez pas aimé celui-là. Si tant est qu'il en soit un.

– Ils vont vous chercher.

– Ils sont nombreux ?

– Moins que chez nous. Deux voitures, deux agents, je crois.

– Ils ne me trouveront pas.

– Pourquoi retourner là-bas ?

– Parce qu'ils me l'ont interdit.

– Est-ce que ça en vaut la peine ?

– Que feriez-vous à ma place ?

– Je fonctionne aux œstrogènes, pas à la testostérone. Et j'ai terminé ma croissance. Si j'étais vous, je mettrais mon mouchoir dessus et je passerais à autre chose. Ou je resterais à Hope. C'est un coin sympa.

– Je vous revois demain, dit Reacher.

– Je ne crois pas. Je vous récupérerai ici même dans un mois ou je lirai un article sur vous dans le journal. Tabassé et abattu pour avoir opposé une résistance lors de votre arrestation.

– Demain, fit Reacher. Je vous invite à dîner à la nuit tombée. »

Il avança d'un pas, de deux, de trois, et franchit la frontière.

DIX

Reacher quitta la route tout de suite. La police de Hope avait prévu qu'il relèverait le gant. Il était facile d'imaginer que celle de Despair ferait la même analyse. Et il ne voulait pas tomber bêtement sur une de leurs voitures garée au bord de la route. La conclusion serait complètement différente de sa causette avec Vaughan, la jolie policière.

Il fit un détour par la broussaille d'une quinzaine de mètres vers le nord. Assez près de la route pour savoir où il allait, mais suffisamment loin pour échapper au champ de vision périphérique de quelqu'un qui serait dessus. La nuit était fraîche. Le terrain, accidenté. Sa progression, ralentie. Aucune chance de tenir les six kilomètres à l'heure. Absolument aucune. Il avança cahin-caha. Il n'avait pas de torche. Un choix réfléchi. Une lampe lui aurait fait plus de mal que de bien. On l'aurait vu à plus d'un kilomètre. Autant hurler « Je suis là ! » du sommet d'un rocher.

Après un kilomètre et demi de lente progression, l'horloge dans sa tête lui fit savoir qu'il était deux heures moins le quart du matin. Il entendit de nouveau un moteur d'avion, au loin vers l'ouest, qui changeait d'allure avant de se mettre au ralenti. Un monomoteur en phase d'atterrissage. Un Cessna, un Beechcraft ou un Piper. Peut-être le même qu'il avait entendu décoller quelques heures auparavant. Il tendit l'oreille jusqu'à ce que l'appareil lui semble posé et garé. Puis il reprit sa route.

Quatre heures plus tard, soixante-quinze minutes avant l'aube, il était pratiquement au niveau du centre-ville, à trois cent mètres dans les broussailles. Il était conscient des belles traces de pas laissées derrière lui, sans s'en inquiéter particulièrement. Il doutait que la police de Despair entretienne un plein chenil de limiers ou qu'elle pratique la surveillance par hélicoptère. Tant qu'il se tenait à l'écart des routes et des trottoirs, il était quasiment invisible.

Il fit quinze pas supplémentaires vers le nord, devina la masse d'un nouveau gros rocher en forme de bateau et s'accroupit derrière. La nuit était toujours fraîche. Il déballa ses affaires, but un peu d'eau et mangea une barre chocolatée. Puis il refit son sac, se releva à l'abri du rocher et se retourna pour observer la ville. Le rocher lui arrivait à la poitrine et il s'y accouda, avant-bras à plat, mâchoire calée sur les poings posés l'un sur l'autre. D'abord, il ne vit rien. Rien que des ténèbres immobiles et l'éclat masqué de rares lumières aux fenêtres. Plus au loin, il distingua d'autres lumières et devina d'autres mouvements. Les quartiers résidentiels, se dit-il, au sud du centre-ville. Des maisons et des appartements, peut-être. Ou bien des campements de mobil-homes. Il se dit que les gens devaient se lever pour aller travailler.

Dix minutes plus tard, il vit des phares approcher au nord. Deux paires, puis trois. Leurs rais de lumière couraient dans les rues transversales, montaient et descendaient en projetant de grandes ombres dans sa direction. Il ne bougea pas et se contenta de les regarder. Les phares s'arrêtèrent un moment sur Main Street, puis ils pivotèrent à l'ouest en un large mouvement. D'autres les suivirent. Chaque rue transversale ne tarda pas à être illuminée par un long cortège de véhicules. On aurait dit que le jour venait du sud. Il y avait des berlines, des camionnettes, de vieux 4 × 4. Ils se dirigeaient tous vers Main Street au nord, s'y arrêtaient un instant et se bousculaient pour continuer leur route vers l'ouest, là où Vaughan lui avait dit que se trouvait l'usine de recyclage.

Une ville sous la coupe d'une seule entreprise.

Six heures du matin.

La population de Despair se rendait au travail.

Reacher les suivit, à pied, quatre cents mètres plus au nord. Il avançait en trébuchant sur cette terre desséchée couverte de broussailles, sans perdre la route des yeux. Moins de cinq kilomètres à l'heure. Ils allaient dix fois plus vite. Ils mirent pourtant dix minutes à tous le dépasser. Ils formaient une longue caravane. Puis la dernière camionnette le doubla et il suivit des yeux le grand chapelet de feux arrière. Un kilomètre et demi devant lui, au minimum, l'horizon était embrasé d'un énorme éclat. Pas celui de l'aube. Elle restait à venir, dans son dos, à l'est. Le rougeoiement à l'ouest venait de lampes à arc. Il semblait qu'un vaste rectangle de lampes montées sur des poteaux entourait une sorte d'arène massive. Elle avait l'air de faire un bon kilomètre et demi de long. Et peut-être dans les huit cents mètres de large. « La plus grosse usine de recyclage de métaux du Colorado », lui avait dit Vaughan.

Sans blaguer, se dit Reacher, *on dirait la plus grosse du monde.*

De la vapeur blanche et une vilaine fumée noire flottaient par lambeaux sur le fond rouge du ciel. Arrivée sur place, la longue colonne de véhicules se scinda en deux, à gauche et à droite pour aller se garer en rangs réguliers sur des centaines de mètres carrés de terre battue. La lumière des phares pivota et tressauta avant qu'ils ne s'éteignent les uns après les autres. Reacher se planqua de nouveau, à quatre cents mètres de l'usine : quatre cents mètres au nord de l'entrée. Et il observa les hommes la franchir en file indienne, en traînant les pieds, gamelle à la main. La porte était étroite. Une entrée réservée au personnel. Reacher conclut que l'entrée destinée aux véhicules se trouvait de l'autre côté du complexe, facilement accessible par les bretelles des autoroutes.

Le ciel s'éclaircit derrière lui. Les détails du paysage se révélèrent. Vu dans son ensemble, le terrain était essentiellement plat, mais, à y regarder de plus près, suffisamment de creux, de bosses et de rochers en grêlaient la surface pour offrir des cachettes acceptables. La terre sablonneuse était de couleur fauve. Quelques maigres buissons la parsemaient. Il n'y avait rien d'intéressant à voir où que ce soit à la ronde. Rien qui attire les randonneurs. Aucune aire sympathique pour pique-niquer. Reacher s'attendait à passer la journée tout seul.

Le dernier ouvrier pénétra à l'intérieur de l'usine et la porte se referma. Reacher se mit en marche et décrivit un large cercle du nord vers l'ouest, toujours à l'abri des regards, mais cherchant de la hauteur lorsqu'il le pouvait. Cette usine de recyclage était vraiment gigantesque. Elle était entourée d'un interminable mur de plaques de tôle massives, soudées et peintes en blanc. Ce mur était surmonté sur toute sa longueur d'un cylindre horizontal d'un mètre quatre-vingts de diamètre. Impossible à franchir. Pareil à celui d'une prison de haute sécurité. Son estimation initiale de la taille de l'enceinte avait été modeste. Elle dépassait celle de la ville elle-même. Telle la queue qui s'agite au derrière du chien. Despair n'était pas une ville avec une usine en périphérie. C'était une usine avec des dortoirs à ses portes.

Le travail commençait à l'intérieur. Reacher entendit le grondement d'engins lourds, le bruit retentissant du métal contre le métal et vit l'éclat et les étincelles des chalumeaux coupeurs. Il fit tout le tour jusqu'à l'angle nord-ouest, un quart d'heure de marche d'un pas pressé, tout en gardant ses distances, à quatre cents mètres en retrait dans la broussaille. L'entrée des véhicules était maintenant visible. Une portion du mur ouest était ouverte. Une large route y menait en ligne droite vers l'horizon. Elle paraissait ferme et lisse. Construite pour les gros camions.

Cette route constituait un problème. Si Reacher voulait continuer son tour dans le sens inverse des aiguilles d'une montre, il lui faudrait la traverser quelque part. On pourrait le voir. Ses vêtements sombres seraient visibles à la lueur de l'aube naissante. Mais par qui, exactement ? Il estima que les flics de Despair se cantonnaient en ville, à l'est de l'usine. Et il ne s'attendait pas non plus à faire face à des équipes de surveillance mobiles à l'extérieur de l'usine elle-même.

Ce fut pourtant exactement ce qui arriva.

De son affût à quatre cents mètres de distance, il vit émerger de l'entrée réservée aux véhicules deux 4 × 4 Chevrolet Tahoe blancs. Ils roulèrent cinquante mètres sur la route puis s'en écartèrent brusquement, l'un à gauche, l'autre à droite, pour suivre des pistes de buissons écrasés par de précédentes rondes incessantes. Ces Tahoe avaient des suspensions surélevées tout-terrain, de gros pneus sur lesquels se détachaient des lettres blanches, et l'inscription Security peinte en noir au pochoir sur leurs portières. Ils progressaient lentement, autour de trente à l'heure, dans le sens des aiguilles d'une montre pour l'un, dans le sens inverse pour l'autre, comme s'ils avaient l'intention de faire le tour de l'usine toute la journée.

Reacher se fit tout petit et recula d'une centaine de mètres. Et tomba sur un rocher parfait pour une cachette. Les pistes des Tahoe couraient à peut-être cinquante mètres au-delà du mur. Si cette usine s'étendait au moins sur un kilomètre six cents de long et huit cents de large, chaque tour faisait dans les cinq kilomètres et demi. À trente kilomètres à l'heure, chaque ronde demandait à un 4 × 4 un peu plus de dix minutes. En conséquence, avec deux véhicules qui allaient en sens opposé, chaque point du circuit demeurait sans surveillance pendant un peu plus de cinq minutes. Pas davantage. Et à condition que les deux 4 × 4 suivent la même allure.

Reacher détestait faire demi-tour.

Il fila plein ouest, en restant autant que possible dans les creux du terrain et les rigoles creusées par la pluie, tout en laissant quelques rochers massifs entre lui et l'usine. Dix minutes plus tard, le terrain naturel fit place aux bas-côtés de la route, nivelés et dégagés. L'accotement le plus proche faisait peut-être dix mètres de large et sa surface sablonneuse était parsemée d'herbes rabougries qui avaient repoussé. La route elle-même faisait entre quinze et seize mètres de large. Deux voies séparées par une ligne jaune vif. Un goudron lisse et régulier. L'accotement de l'autre côté, lui aussi, était large d'une dizaine de mètres.

Une distance totale de trente-cinq mètres, au bas mot.

Reacher n'était pas un sprinter. Dans n'importe quelle course, il était plutôt lent. Son maximum dépassait à peine une marche rapide. Il s'accroupit contre la face est du dernier gros rocher à sa disposition et observa les Tahoe.

Ils passaient beaucoup moins souvent qu'il ne l'avait prévu. À un intervalle plus proche des dix minutes que des cinq. Un fait inexplicable, mais une bonne chose quand même. Ce qui l'était moins, c'était la circulation qui commençait à pointer. Reacher aurait dû s'y attendre. La plus grosse usine de recyclage du Colorado avait besoin de matières premières, et il était clair qu'il en sortait par ailleurs des produits finis. Ils ne prenaient pas leurs matériaux dans le désert pour les y enfouir de nouveau. Ils apportaient de la ferraille par camions entiers et expédiaient des barres de métaux par ces mêmes camions. Un paquet de ferraille. Et un paquet de barres. Peu après sept heures du matin, un semi-remorque à plateau passa la porte en rugissant et attaqua lourdement la route. Immatriculé dans l'Indiana, il transportait des barres d'acier luisantes. Il roula une centaine de mètres avant de croiser un autre semi à plateau. Immatriculé dans l'Oregon, celui-ci était chargé de voitures compactées, plusieurs dizaines, dont les peintures écaillées et cabossées s'étageaient comme de fines rayures. Un camion avec un conteneur, immatriculé au Canada, quitta l'usine et alla croiser le semi qui venait de l'Oregon. Puis le Tahoe qui faisait le tour dans le sens inverse des aiguilles d'une montre apparut, monta sur la route et en redescendit aussitôt pour suivre son chemin. Trois minutes plus tard, son équivalent dans le sens opposé accomplit son tour. Un nouveau camion semi-remorque sortit de l'usine et un autre y entra. Reacher en vit un troisième approcher un kilomètre et demi à l'ouest, sa silhouette rutilante floue dans la brume matinale. Loin derrière lui, un quatrième.

On se serait cru à Time Square.

Dans l'usine, des grues à portique géantes allaient et venaient et des gerbes d'étincelles de soudure pleuvaient de partout. La fumée s'échappait et de violentes vagues de chaleur montant des fourneaux troublaient l'atmosphère. On distinguait des bruits étouffés, le jacassement des marteaux pneumatiques, la résonance des tôles, des craquements métalliques, des bruits puissamment sonores comme de monstrueux coups sur l'enclume d'un forgeron.

Reacher but de nouveau un peu d'eau et mangea une autre barre chocolatée. Puis il referma son sac plastique, attendit que les Tahoe repassent et se leva tout simplement pour traverser la route. Il passa à moins de quarante mètres de deux camions : un dans chaque sens. Il acceptait le risque d'être vu. D'abord, il n'avait pas le choix. Et il estima qu'il s'agissait d'une question de compartimentage. Un chauffeur de camion irait-il raconter à un contremaître de l'usine qu'il avait vu un piéton ? Le contremaître en informerait-il la sécurité ? La sécurité alerterait-elle la police locale ?

Peu probable. Même dans ce cas-là, le temps de réaction serait important. Reacher serait de retour dans les hautes herbes bien avant l'arrivée des Crown Victoria de la police. D'ailleurs, celles-ci ne seraient pas efficaces hors piste. Quant aux Tahoe, ils ne dérogeraient pas à leurs itinéraires spécifiques.

Un danger tout relatif.

Il arriva sans encombre là où rochers, creux et bosses reprenaient, et se dirigea vers le sud pour contourner l'usine dans sa longueur. Le mur courait plus loin. D'environ quatre mètres cinquante de haut, il paraissait fait de toits de vieilles voitures soudés ensemble. Chaque plaque était légèrement bombée. Elles donnaient à l'ensemble une apparence matelassée. Le cylindre d'un mètre quatre-vingts qui le surmontait semblait fabriqué avec les mêmes matériaux auxquels des presses géantes auraient donné la forme voulue avant qu'on les assemble d'un seul tenant. Puis on avait aspergé le tout d'une couche de peinture blanche brillante.

Reacher mit vingt-six minutes à remonter l'usine dans toute sa longueur, supérieure donc au kilomètre et demi. Arrivé à l'angle sud-ouest, il comprit pourquoi les Tahoe mettaient tant de temps. Il existait un second ensemble ceinturé de murs. Un autre rectangle énorme. De taille identique. Il s'étendait le long d'un axe nord-est/sud-ouest, pas tout à fait aligné sur celui de l'usine. Son coin nord-est se situait à cinquante mètres environ de l'angle sud-ouest de l'usine. Les marques de pneus indiquaient que les Tahoe en faisaient également le tour et passaient et repassaient dans ce goulot d'une cinquantaine de mètres en décrivant une sorte de huit déformé. Reacher fut soudain à découvert. Sa position était bonne au regard de la première enceinte. Pas autant vue de la seconde. Le Tahoe qui faisait le tour dans le sens des aiguilles d'une montre pouvait émerger du goulot et, au terme d'un grand virage, passer tout près. Il recula vers l'ouest et avisa un gros rocher peu élevé. Il était à mi-chemin dans une petite dépression broussailleuse.

Il entendit alors des pneus crisser dans la poussière.

Il s'aplatit au sol, profil contre terre, les yeux grands ouverts.

ONZE

Le 4 × 4 Tahoe blanc émergea du goulot à un peu plus de trente à l'heure. Reacher entendit le bruit des pneus sur la végétation. De larges pneus tendres qui glissaient sur les surfaces inégales et écrasaient les petits cailloux avant de les envoyer voler de tous les côtés. Il entendit le sifflement d'une pompe de direction assistée et le vrombissement gras d'un moteur V-8 quand le véhicule entama un virage. Celui-ci déboula en virant un peu, suffisamment près pour que Reacher sente ses gaz d'échappement.

Il ne broncha pas.

Le 4 × 4 continua sa route. Sans s'arrêter. Sans même ralentir. Le chauffeur était haut perché sur le siège de gauche. Reacher devina que, comme la plupart des gens, il avait les yeux fixés sur la trajectoire qu'il comptait suivre dans le virage. Il l'anticipait. Il regardait devant lui et sur la gauche. Pas sur son côté droit.

Piètre technique pour un agent de sécurité.

Reacher demeura immobile, le temps que le Tahoe s'éloigne. Puis il se releva, s'épousseta et reprit son chemin vers l'ouest, avant de se rasseoir derrière le gros rocher bas qu'il avait repéré.

La seconde enceinte était en pierre et non en métal. Pareille à celle d'une résidence. On y avait planté des essences décoratives, y compris un rideau d'arbres disposés de telle façon qu'il cachait totalement l'activité industrielle.

Une énorme demeure était visible au loin, en bois, un chalet qui aurait été plus approprié à la station de ski de Vail qu'à Despair. Elle avait des dépendances, dont une grange surdimensionnée qui servait probablement de hangar pour un avion, car il y avait, sur toute la longueur opposée, une large bande de terre nivelée qui ne pouvait être qu'une piste. Celle-ci était équipée de trois manches à air, une à chaque extrémité et une en plein milieu.

Reacher passa son chemin. Il se tint à l'écart du goulot entre les deux enceintes. Trop facile de s'y faire repérer. Trop facile de s'y faire écraser.

Au lieu de ça, il continua à l'ouest pour contourner aussi l'enceinte de la résidence, comme si les deux enclos étaient autant d'obstacles géants.

À midi, il était planqué bien plus au sud, l'arrière de l'usine de recyclage sous les yeux. L'enceinte résidentielle plus proche sur sa gauche. Derrière elle, au nord-ouest, on devinait une petite tache grise lointaine. Un bâtiment sans étage, ou plusieurs petits bâtiments, à huit ou dix kilomètres de là. C'était flou. Proche de la route, semblait-il. Peut-être une station-service, une halte pour camions ou un motel. Probablement hors du territoire de Despair. Reacher eut beau froncer les sourcils et plisser les yeux, il ne distingua rien d'autre. Il retourna à des objets plus proches. Le travail continuait à l'intérieur de l'usine. Rien de particulier du côté de la maison. Il vit les Tahoe décrire inlassablement leurs cercles et regarda les camions sur la route au loin. Ils y circulaient en flot continu. Des camions à plateau, en majorité, plus quelques porteurs de conteneurs et des camions à deux essieux. Ils entraient, sortaient et assombrissaient le ciel avec leur longue traînée de diesel jusqu'à l'horizon. L'usine crachait fumée, flammes et étincelles. Son vacarme était amorti par la distance, mais, de près, il devait être terrifiant. Le soleil était au zénith et la température s'était adoucie.

Il se recroquevilla et ouvrit grands les yeux et les oreilles, puis, en ayant assez vu, il se dirigea vers l'est pour explorer l'autre bout de la ville.

C'était une journée très claire, il demeura donc prudent et avança lentement. Une grande plaine déserte s'étendait entre l'usine et la ville elle-même. Cinq kilomètres, peut-être. Il parcourut la distance en ligne droite, éloigné de la maigre végétation. Au milieu de l'après-midi, il était au niveau où il se trouvait à six heures du matin, mais plein sud par rapport à l'agglomération, et non plus plein nord, avec vue sur l'arrière des habitations, et non plus sur les façades des commerces.

Les maisons étaient proprettes et toutes identiques, bien construites dans des matériaux bon marché. Uniquement des pavillons de plain-pied avec un parement de bardeaux et des toits asphaltés. Certains étaient peints, d'autres en bois brut et sale. Certains avaient des garages, d'autres non. Certains jardins étaient clos, d'autres ouverts. La plupart avaient des paraboles pointées vers le sud-ouest, telle une armée de visages dans l'expectative. On voyait des gens ici et là. Pour la plupart des femmes et des enfants. Quelques hommes. Ils montaient ou descendaient de voiture, ou bricolaient dans le jardin, le geste lent. *Des ouvriers à temps partiel*, pensa Reacher, les laissés-pour-compte du jour. Il se déplaça le long d'un arc d'une centaine de mètres : à gauche, à droite, à l'est et à l'ouest, en variant les points de vue. Mais ce qu'il vit ne changea pas beaucoup. Des maisons, une étrange petite banlieue accrochée à la ville, mais à des kilomètres de toute présence humaine, au milieu d'une vaste étendue désertique. Le ciel était immense tout là-haut. À l'ouest, au loin, les Rocheuses semblaient être à des millions de kilomètres. Reacher comprit tout à coup que Despair avait été bâtie par des gens qui avaient baissé les bras. En haut de la côte, ils avaient regardé l'horizon et n'avaient plus bougé de là. Ils avaient juste dressé le campement là où ils étaient pour ne plus en bouger. Et leurs descendants habitaient encore cette ville où ils travaillaient, ou non, au gré de l'humeur du propriétaire de l'usine.

Reacher mangea sa dernière barre chocolatée et finit ce qui lui restait d'eau. Il creusa un trou dans le sol à coups de talon et enterra les emballages, les bouteilles vides et son sac-poubelle. Puis il se faufila d'un rocher au suivant pour se rapprocher des habitations. Le bruit qui montait de l'usine au loin se calmait. Il estima que l'heure de la débauche approchait. Le soleil était bas sur sa gauche. Ses derniers rayons embrasaient le sommet des montagnes à l'horizon. La température se rafraîchissait.

Les premiers pick-up et voitures commencèrent à rentrer lentement, près de douze heures après leur départ. Une longue journée. Ils roulaient plein est, vers le noir, et avaient donc les phares allumés. Leurs lumières basculèrent vers le sud, vers les rues transversales, et montèrent et descendirent en se rapprochant de Reacher. Puis les véhicules tournèrent de nouveau à droite, ou à gauche, dans le désordre, et se dispersèrent dans les allées, les garages, sous les auvents ou vers les lopins de fortune à la terre tachée d'huile. Les uns après les autres, ils arrêtèrent de rouler et éteignirent les phares. Coupèrent le moteur. Ouvrirent les portières qui grinçaient et les refermèrent d'un coup sec. Les lampes brûlaient dans les maisons. On devinait le halo bleuté des téléviseurs derrière les fenêtres. Le ciel s'assombrit.

Reacher se rapprocha. Il vit des hommes apporter des gamelles vides à la cuisine ou s'attarder près de leur voiture, s'étirer, se frotter les yeux du revers de la main. Il vit des petits garçons, la balle et le gant de base-ball à la main, espérer qu'on leur accorderait une dernière partie. Il vit des pères accepter, d'autres refuser. Il vit des petites filles sortir en courant de la maison pour montrer des trésors qui ne pouvaient pas attendre.

Il reconnut le costaud qui lui avait bloqué la sortie en bout de table, au restaurant. Le type qui lui avait tenu la porte de la voiture de police comme un groom d'hôtel celle d'un taxi. Le premier auxiliaire de police. Il sortit du vieux pick-up que Reacher avait vu garé devant le restaurant. Il se tenait le ventre à deux mains. Il ignora la porte de sa cuisine et se rendit dans son jardin, le pas mal assuré. Il n'y avait aucune barrière. L'homme dépassa un lopin cultivé et s'enfonça dans les broussailles au-delà.

Reacher se rapprocha.

Le type s'était arrêté et, jambes tendues, penché en avant, il vomit. Il demeura une vingtaine de secondes, plié en deux, puis il se releva, en secouant la tête, et cracha.

Reacher se rapprocha encore. Il était à moins de vingt pas quand l'autre se pencha et vomit de nouveau. Reacher l'entendit haleter, ni souffrant ni surpris, mais contrarié et résigné.

« Ça ira ? » lui lança Reacher dans la pénombre.

L'homme se raidit.

« Qui est-ce ? fit-il.

– Moi, dit Reacher.

– Qui ça ? »

Reacher se rapprocha encore plus. Il se planta dans un rai de lumière projeté par la fenêtre de cuisine d'un voisin.

« Toi ? dit l'autre.

– Oui, moi, acquiesça Reacher en hochant la tête.

– On t'a jeté dehors.

– Ça n'a pas suffi.

– Tu ne devrais pas être ici.

– On pourrait en discuter si tu veux. Tout de suite. Ici même. »

Le type fit non de la tête.

« Je suis malade. Pas équitable.

– Ça ne le serait pas plus si tu n'étais pas malade », rétorqua Reacher.

L'autre haussa les épaules.

« Peu importe. Là, je rentre chez moi.

– Comment va ton pote ? Sa mâchoire ?

– Tu l'as bien démolie.
– Ses dents ont tenu le choc ?
– Qu'est-ce que ça peut te faire ?
– La réplique graduelle, dit Reacher. Tout un art. La force nécessaire, ni plus ni moins.
– Il avait des dents pourries. Comme nous tous.
– Dommage, fit Reacher.
– Je suis malade, répéta l'autre. Je rentre chez moi. On ne s'est pas vus, d'accord ?
– Mauvaise bouffe ? »
Le type fit une pause. Puis il acquiesça de la tête.
« Sans doute ça, dit-il. De la bouffe avariée. »
Il tourna le dos et prit la direction de son pavillon, le pas lent, hésitant, une main sur sa ceinture. Reacher le regarda s'éloigner, puis il fit demi-tour et se coula dans les ténèbres plus loin.

Il fit cinquante pas plus au sud et cinquante plus à l'est, au cas où le malade changerait d'avis et déciderait finalement qu'il avait vu quelque chose. Reacher voulait conserver une marge de manœuvre si les flics entamaient des recherches près du jardin de ce type. Il préférait commencer à jouer le gibier hors de la portée de la torche électrique.

Mais il ne vit pas l'ombre d'un flic. Visiblement, l'autre ne les avait pas appelés. Reacher attendit une petite trentaine de minutes. Il entendit de nouveau le même moteur d'avion, plus loin vers l'ouest, à plein régime, en phase d'ascension. Le petit avion venait encore de décoller. Sept heures du soir. Puis le bruit s'éteignit, les cieux virèrent au noir et les maisons parurent se blottir les unes contre les autres. Quelques nuages s'en allèrent couvrir la lune et les étoiles. Hormis la lueur qui s'échappait des rideaux aux fenêtres, il faisait noir comme dans un four. La température tomba en flèche. La nuit en rase campagne.

Après une longue journée.

Reacher se leva, ouvrit son col de chemise et prit la direction de l'est : retour à Hope. Il laissa les maisons allumées derrière son épaule gauche puis, lorsqu'elles furent loin, il fit une boucle, toujours sur la gauche, dans le noir, et contourna la position estimée de l'épicerie, de la station-service, de l'ancien motel et du terrain vague. Puis il repartit vers la gauche et écarquilla les yeux à la recherche de la ligne dessinée par la route. Il savait qu'elle se trouvait par là. Pourtant, il ne la vit pas. Il se dirigea vers là où il pensait qu'elle devait être, d'aussi près qu'il pouvait se hasarder. Il finit par deviner une bande noire dans l'obscurité. Un peu vague, elle tranchait sur la plaine noire et sa végétation éparse. Il s'aligna dessus, enregistra sa direction et recula d'une dizaine de mètres, par sécurité, puis il se remit en marche. Il accrocha des buissons. Tendit les mains devant lui pour ne pas se cogner contre les rochers. Par deux fois, il se tapa dans de petits blocs de pierre de la taille d'un ballon et se retrouva par terre. Les deux fois, il se releva, s'épousseta et reprit sa délicate progression.

Têtu, avait dit Vaughan.

Stupide, pensa Reacher.

La troisième fois qu'il trébucha, ce ne fut pas sur de la pierre. Mais sur une matière molle dans laquelle son pied s'enfonça.

DOUZE

Reacher tomba et un instinct primitif l'empêcha de s'étaler de tout son long sur ce qui l'avait fait choir. Il leva les jambes, rentra la tête et roula comme au judo. Il atterrit sur le dos, le souffle coupé, avec des douleurs qui le lançaient là où il écrasait des pierres pointues : sous l'épaule et sous la hanche. Il demeura un moment immobile, puis il s'agenouilla et se retourna, face à Despair. Ensuite il ouvrit les yeux et les écarquilla.

Trop sombre pour y voir.

Pas de torche.

Il se traîna à genoux en s'aidant d'une main, l'autre tendue près du sol devant lui, le poing serré. Un interminable mètre plus loin, il toucha quelque chose.

De doux.

Pas une fourrure.

Une étoffe.

Il écarta ses doigts, les referma doucement, en frotta le bout et la partie charnue du pouce à gauche et à droite. Les resserra.

Une jambe. Sa main reposait sur une jambe humaine. La taille et la masse d'une cuisse, sans erreur possible. Il sentit le tendon sous ses doigts et un long quadriceps sous son pouce. Le tissu était fin et doux au toucher. Sans doute un sergé de coton, porté et lavé à maintes reprises. Peut-être un vieux pantalon kaki.

Il remonta sa main sur la gauche et toucha le creux d'une jambe. La jambe était face au sol. Il passa le pouce dessous et trouva la rotule. Elle était enfoncée dans le sable. Il glissa la main de dix centimètres à droite et parcourut un dos et une omoplate. Ses doigts remontèrent au cou, à la nuque et jusqu'à une oreille.

Absence de pouls.

Des chairs froides. Un rien plus chaudes que l'air nocturne.

Sous l'oreille, un col. De la maille, roulée sur elle-même. Un peu rêche. Peut-être celle d'un polo. Il se rapprocha, toujours à genoux, et écarquilla les yeux à s'en faire mal aux muscles faciaux.

Trop sombre pour y voir.

Cinq sens. Trop sombre pour y voir, rien à écouter. Il n'allait pas se mettre à goûter. Il restait donc l'odorat et le toucher. L'odeur était plutôt neutre. Reacher avait senti plus que son content de chairs en décomposition. Celle-ci n'était pas particulièrement nauséabonde. Une odeur de vêtements sales, de sueur aigre, de cheveux pas lavés, de peau sèche brûlée par le soleil, plus un soupçon à peine perceptible de méthane relâché par un début de décomposition. Pas de selles ni d'urine.

Pas de sang.

Aucun parfum ou eau de toilette.

Aucune information.

Ne restait plus que le toucher. À deux mains, il commença par les cheveux. Ni courts, ni longs, ébouriffés. Entre trois et cinq centimètres de longueur. Souples, avec une tendance à onduler. Race caucasienne. Impossible de dire la couleur. Plantés dans un petit crâne régulier.

Homme ou femme ?

Il promena son pouce le long de l'échine. Aucune bretelle de soutien-gorge, mais ça ne voulait pas nécessairement dire grand-chose. Il sonda du doigt l'arrière de la cage thoracique comme un aveugle qui lirait du braille. Une ossature fine, une épine dorsale saillante, une musculature légère et filiforme. Des épaules étroites. Soit un gars mince, légèrement décharné, soit une femme en pleine forme. De celles qui font des marathons ou cent cinquante kilomètres à vélo sans s'arrêter.

Mais lequel des deux ?

Une seule manière de le savoir.

Il trouva des plis dans l'étoffe à la hanche et à l'épaule et tourna le corps sur le côté. Il pesait un poids correct. D'après l'espace entre ses mains, Reacher estima qu'il faisait autour d'un mètre soixante-seize et près de soixante-dix kilos, donc probablement de sexe masculin. Une coureuse de marathon aurait été bien plus légère, dans les cinquante-deux kilos. Il serra les poignées d'étoffe, aida le corps à se poser sur le côté avant de le laisser basculer sur le dos. Puis il écarta les doigts et toucha de nouveau la tête.

Un homme, sans aucun doute.

Le front était plissé, osseux, le menton et la lèvre supérieure avaient une barbe piquante d'environ quatre jours. Les joues et la gorge étaient plus lisses.

Un homme jeune, à peine plus vieux qu'un ado.

Les pommettes saillantes. Les yeux durs et secs comme des billes. La peau du visage ferme et racornie. Légèrement graveleuse à cause du sable, même si peu de grains s'y étaient collés. La peau était trop sèche. La bouche aussi l'était, à l'intérieur comme à l'extérieur. Les tendons du cou étaient proéminents. Ils ressortaient comme des cordes. Aucune graisse. Rien que la peau sur les os, ou presque.

Mort de faim et de soif, se dit Reacher.

Le polo avait deux boutons, défaits l'un comme l'autre. Pas de poche, mais un petit logo brodé à gauche sur la poitrine. Dessous, de fins pectoraux et des côtes dures au toucher. Le pantalon bâillait à la taille. Pas de ceinture. Les chaussures ressemblaient à des baskets fermées par des lacets, des semelles épaisses et gaufrées.

Reacher s'essuya les mains sur son pantalon et recommença ses recherches en partant des pieds, en quête d'une blessure. Il s'y attela comme un agent de sécurité d'aéroport zélé et patient pour une fouille au corps complète. D'abord devant, puis il retourna le corps et continua son inspection.

Il ne trouva rien.

Zéro plaie, zéro trace de balle, zéro croûte de sang séché, zéro œdème, zéro contusion, zéro fracture.

Les mains menues étaient assez délicates mais un peu calleuses. Les ongles irréguliers. Aucune bague aux doigts. Rien au petit doigt, zéro bague de lycée ou de fac, zéro alliance.

Il fouilla les poches de pantalon : deux à l'avant, deux à l'arrière.

Il fit chou blanc.

Zéro portefeuille, zéro monnaie, zéro clé, zéro téléphone.

Il s'assit sur les talons et leva les yeux au ciel en priant pour qu'un nuage s'écarte et laisse passer quelques rayons de lune. En vain. La nuit demeura impénétrable. Reacher avait progressé vers l'est, était tombé, s'était retourné. Il faisait donc face à l'ouest. Il se remit debout. Fit un demi-tour sur sa droite. Désormais, il regardait le nord. Il avança, lentement, à petits pas, en s'appliquant à marcher en ligne droite. Il se baissa, frôla le sol de ses paumes ouvertes et trouva quatre pierres de la taille d'une balle de base-ball. Il se redressa et reprit sa marche : cinq pas, dix, quinze, vingt.

Il retrouva la route. La terre tassée laissa place à l'asphalte caillouteux. Du bout du pied, il en repéra le bord. Il se pencha et disposa trois pierres en triangle serré et y posa la quatrième en équilibre : une sorte de cairn de montagne miniature. Puis il pivota soigneusement à cent quatre-vingts degrés et refit le chemin inverse en comptant ses pas : cinq, dix, quinze, vingt.

Il stoppa, s'accroupit et tâtonna devant lui.

Rien.

Il avança en traînant les pieds, les bras tendus devant lui, les paumes à l'affût, jusqu'à ce que la droite touche l'épaule du cadavre. Il leva les yeux au ciel. Toujours plombé.

Impossible d'en faire davantage.

Il se releva, fit un quart de tour à gauche et entama sa difficile route dans le noir, plein est, vers Hope.

TREIZE

En se rapprochant des limites de Hope, il vira sur la gauche, vers la route. La ville n'était pas bien grande et il ne tenait pas à la manquer à cause de l'obscurité. Il ne voulait pas non plus marcher sans s'arrêter pour revenir là d'où il venait : le Kansas. Mais il se déporta suffisamment lentement pour que, en retrouvant l'accotement, il lui reste moins d'un kilomètre et demi à faire. Son horloge interne sonna minuit. Il avait bien avancé, à près de cinq kilomètres heure, malgré quatre nouvelles chutes et un petit crochet toutes les demi-heures pour vérifier qu'il n'avait pas sévèrement changé de cap.

Le macadam bon marché de Despair crissait bruyamment sous ses pieds, mais sa surface ferme et régulière lui permit d'accélérer le rythme. Il accrocha une bonne cadence et couvrit la fin en moins d'un quart d'heure. Il faisait toujours très froid. Et toujours aussi sombre. Mais il anticipa l'asphalte noir devant lui. Il le sentit venir. Puis il sentit changer la surface sous ses pieds. Sa semelle gauche appuya sur des graviers rugueux et la droite toucha un asphalte lisse comme du velours.

Il venait de retraverser la frontière.

Il s'arrêta une seconde. Il écarta grands les bras et leva les yeux vers les immenses cieux noirs. Des phares aveuglants le frappèrent alors de plein fouet et leurs faisceaux l'emprisonnèrent. Un projecteur s'alluma et le balaya de la tête aux pieds et des pieds à la tête.

Une voiture de flic.

Puis les phares s'éteignirent aussi soudainement qu'ils s'étaient allumés et une lumière éclaira l'intérieur du véhicule, révélant une frêle silhouette au volant. Une chemise fauve, des cheveux blonds, un sourire en coin.

Vaughan.

Elle était garée droit devant lui, les renforts de son pare-chocs six mètres à l'intérieur de sa juridiction, et elle attendait dans le noir. Reacher s'approcha d'elle, sur la gauche, et contourna le capot. Il s'arrêta devant la portière côté passager et posa la main sur la poignée. Il l'ouvrit et se serra dans l'espace libre à l'intérieur. Des échanges radio en sourdine et une odeur de parfum.

« Alors, vous êtes libre à dîner, même s'il est tard ? demanda-t-il.

– Je ne mange pas avec les idiots, fit-elle.

– Je suis revenu, comme j'avais dit.

– Vous vous êtes bien amusé ?

– Pas vraiment.

– J'assure le service de nuit. Je ne finis qu'à sept heures.

– Le petit déjeuner, alors. Boire un café avec un idiot, ce n'est pas pareil que manger avec.

– Je ne prends pas de café le matin. Il faut que je dorme dans la journée.

– Un thé, alors.

– Le thé contient aussi de la caféine.

– Un milk-shake.

– Peut-être. »

Elle était confortablement installée dans son siège, un bras sur l'accoudoir, un autre sur la cuisse.

« Comment m'avez-vous vu venir ? demanda Reacher. Je ne vous ai pas devinée.

– Je mange plein de carottes, fit Vaughan. Et nos caméras sont équipées pour voir la nuit. » Elle se pencha et tapota sur une boîte noire montée au-dessus du tableau de bord. « Caméra qui détecte le trafic et disque dur enregistreur. »

Elle bougea un peu la main et appuya sur une touche de l'ordinateur. L'écran afficha une image verte fantomatique du paysage devant eux, en grand angle. La route était plus claire que le désert. Elle gardait plus la chaleur du jour que les alentours. Ou l'inverse. Reacher ne savait plus trop.

« Je vous ai vu venir depuis près de huit cents mètres, dit Vaughan. Un petit point vert. »

Elle appuya sur une autre touche, balaya l'index des minutes, et Reacher se vit, une tache de lumière dans le noir qui grossissait à mesure qu'elle approchait.

« Très sophistiqué, commenta-t-il.

– L'argent du ministère de la Sécurité intérieure. On en reçoit des tonnes. Faut bien le dépenser quelque part.

– Depuis combien de temps êtes-vous ici ?

– Une heure.

– Merci d'avoir attendu. »

Vaughan mit le moteur en marche, recula un peu puis fit demi-tour sur la largeur de la route en mordant un peu sur l'accotement avec les roues avant. Elle redressa et accéléra.

« Vous avez faim ? demanda-t-elle.

– Pas vraiment.

– Faudrait quand même manger quelque chose.

– Où ça ?

– La cafétéria est encore ouverte. Elle le reste toute la nuit.

– À Hope ? Pourquoi ?

– On est en Amérique. Une économie de service.

– Qu'importe, je me ferais bien un somme à la place. J'ai fait une sacrée marche.

– Allez d'abord dîner.

– Pourquoi ?

– Parce que je pense que vous devriez le faire. C'est important de se nourrir.

– Qui êtes-vous donc ? Ma mère ?

– Je crois juste qu'il faut que vous mangiez quelque chose.

– Vous touchez une commission ? C'est votre frère le cuistot ?

– Quelqu'un vous a demandé.
– Qui ça ?
– Une fille.
– Je n'en connais pas.
– Elle ne vous a pas demandé personnellement, fit Vaughan. Elle voulait savoir si quelqu'un s'était fait virer de Despair plus récemment qu'elle.
– Elle s'est fait jeter dehors ?
– Il y a quatre jours.
– Ils virent aussi les femmes ?
– Le vagabondage est un délit qui ne s'applique pas qu'à un seul sexe.
– Qui est cette fille ?
– Une gamine. Je lui ai parlé de vous. Sans donner de nom, mais je lui ai dit que vous dîneriez peut-être à la cafétéria ce soir. Je présumais que vous rentreriez sans encombre. J'essaie de positiver. Donc, je pense qu'elle vous y attend peut-être.
– Que veut-elle ?
– Elle n'a pas voulu me le dire, répondit Vaughan. Mais j'ai l'impression que son copain a disparu. »

QUATORZE

Reacher descendit de la voiture de police de Vaughan sur First Street et marcha jusqu'à la rue suivante. La cafétéria brillait de tous ses néons et elle comptait quelques clients. Trois boxes étaient occupés. Un type seul, une jeune femme seule et deux hommes ensemble. Quelques habitants de Hope travaillant peut-être ailleurs. Pas à Despair, évidemment, mais pourquoi pas dans d'autres villes ? Pourquoi pas dans les États voisins comme le Kansas ou le Nebraska ? Des distances conséquentes. Peut-être rentraient-ils chez eux trop tard pour se faire à manger. Ou peut-être s'agissait-il de gens qui travaillaient de nuit, qui venaient de sortir de chez eux avant d'entamer une longue route jusqu'à leur travail.

Les trottoirs autour du restaurant étaient déserts. Aucune fille n'y traînait. Aucune n'épiait qui y entrait ou en sortait. Aucune fille adossée contre un mur. Aucune planquée dans l'ombre. Reacher tira la porte, entra et fonça dans un box au bout du restaurant d'où il avait une vue d'ensemble de la salle sans que son dos soit exposé. La force de l'habitude. Il ne s'asseyait jamais autrement. Une serveuse lui apporta une serviette, des couverts et un verre d'eau glacée. Une nouvelle, pas celle qu'il avait rencontrée lors de son marathon à la caféine. Celle-ci était jeune et n'avait pas l'air particulièrement fatiguée, malgré l'heure très avancée. Une étudiante, sans doute. Peut-être que cette cafétéria restait ouverte toute la nuit pour offrir quelques emplois. Peut-être que le propriétaire y voyait une sorte de devoir civique. La ville de Hope semblait favoriser ce genre de mentalité.

Le menu était accroché à une pince en chrome en bout de table. Une carte pelliculée avec des photos de plats. La serveuse revint et Reacher lui désigna un croque-monsieur au fromage avant d'ajouter : « Et du café. » Elle prit sa commande, s'éloigna, et Reacher s'adossa à la banquette pour regarder la rue par la fenêtre. Il se dit que la fille qui le cherchait allait repasser toutes les quinze ou vingt minutes. Il en aurait fait autant. À intervalles plus longs, il aurait pu la manquer. La plupart des clients ne s'attardaient pas dans les cafétérias. Il était sûr qu'une chambre professionnelle quelconque détenait le temps de rotation exact de la clientèle. En ce qui le concernait, il y passait en général une demi-heure. Moins, s'il était pressé, plus, s'il pleuvait. Son record devait avoisiner les deux heures. Et dans ses souvenirs récents, c'était la veille à Despair qu'il y avait passé le moins de temps. Une tasse de café vite avalée sous des regards hostiles.

Mais personne ne passa sur le trottoir. Personne ne jeta un coup d'œil à travers la vitrine. La serveuse lui apporta son croque-monsieur et une grande tasse de café. Le café était chaud et le sandwich correct. Le fromage collait au palais et avait moins de goût que ceux du Wisconsin, mais c'était mangeable. Et Reacher n'avait rien d'un gourmet. Pour lui, la nourriture se classait en deux catégories : mangeable ou immangeable. Et la « mangeable » était toujours de loin la mieux fournie, à son goût. Ainsi appréciait-il plutôt tout ce qu'il buvait et mangeait.

Un quart d'heure plus tard, il laissa tomber la fille. Il se dit qu'elle ne viendrait pas. Puis il changea d'avis. Il détourna les yeux du trottoir, passa en revue les autres clients de l'établissement et réalisa qu'elle était déjà là à l'attendre.

La jeune femme assise trois boxes plus loin.

T'es bête, Reacher, pensa-t-il.

Il s'était dit que, s'il avait été à sa place, il serait passé toutes les quinze ou vingt minutes pour regarder à travers la vitrine. Mais en y réfléchissant, ce n'est pas ce qu'il aurait fait. Il se serait plutôt mis au chaud en attendant que sa cible vienne à lui.

Comme elle.

Question de bon sens.

Âgée de dix-neuf ou vingt ans, elle avait quelques mèches de couleur dans ses cheveux blond terne, et portait une courte jupe en jean et un sweat-shirt blanc sur lequel se détachait un seul mot, sûrement le nom d'une équipe universitaire de football. Ses traits ne se conjuguaient pas en une beauté parfaite, mais elle dégageait cette bonne santé irrésistible qu'il avait déjà croisée chez de jeunes Américaines. Une peau impeccable. Un teint de miel qui rappelait un beau bronzage estival. Des dents blanches étincelantes et régulières. Des yeux d'un bleu éclatant. De longues jambes, ni trop maigres ni trop épaisses. *Une fille bien faite*, pensa Reacher. Expression démodée, mais pourtant exacte. Elle portait des baskets et de minuscules socquettes blanches qui ne lui couvraient pas les chevilles. Elle avait un sac. Posé près d'elle sur la banquette. Ni sac à main ni sac à dos. Une besace en nylon gris à large rabat.

Elle était bien celle qu'il attendait. Il en eut confirmation en l'observant du coin de l'œil ; elle en faisait autant. Elle le jaugeait pour savoir si elle allait l'approcher.

Apparemment pas.

Elle avait eu un bon quart d'heure pour se décider. Mais elle ne s'était pas levée pour le rejoindre. Pas pour une histoire de bonnes manières. Ni pour éviter de le déranger pendant son repas. Il soupçonna que son idée des conventions n'allait pas jusque-là, et, même si ça avait été le cas, la disparition de son petit ami aurait prévalu. Elle voulait simplement ne pas avoir affaire à lui. Rien de plus. Reacher ne lui en voulait pas. « Regardez-vous, avait dit Vaughan. Qu'est-ce que vous voyez ? » Il ne se faisait aucune illusion sur ce que voyait la fille trois boxes plus loin. Il n'avait aucune illusion sur le look et le sex-appeal qu'il devait dégager à ses yeux. Il était tard, elle avait devant elle un type deux fois plus vieux qu'elle, une armoire à glace débraillée, les cheveux en bataille, pas très net sur lui, qui dégageait cette aura repoussante et quasi électrique qu'il travaillait depuis des années, comme le panneau au cul des camions : *Distance de sécurité, deux cents mètres.*

Elle avait donc décidé d'attendre qu'il fasse le premier pas. C'était évident. Il en fut déçu. D'abord à cause des questions qu'il se posait sur ce jeune cadavre dans le noir, mais aussi, au fond de lui, parce qu'il aurait bien aimé être quelqu'un que les jolies filles accostent. Même s'il n'en aurait pas abusé. Elle semblait saine et puis il était deux fois plus vieux qu'elle. Sans compter que son petit ami était mort, ce qui faisait d'elle une veuve, en quelque sorte.

Elle n'arrêtait pas de l'observer. Il avait réorienté son regard de manière à voir son reflet dans la fenêtre. Elle levait les yeux, les baissait, croisait les doigts, regardait soudain vers lui comme si elle venait d'avoir une nouvelle idée, puis elle détournait le regard comme si elle était arrivée à une conclusion. Comme si elle cherchait d'autres arguments pour ne pas l'approcher. Il lui laissa encore cinq minutes, et ensuite sortit son argent de sa poche. Il n'avait pas besoin de l'addition. Il savait combien coûtaient le croque-monsieur et le café, grâce aux prix sur le menu. Il connaissait le taux de TVA local et était capable de l'ajouter de tête. Il savait également calculer le pourboire de quinze pour cent à laisser à la serveuse aux airs d'étudiante qui s'était aussi tenue à distance de lui.

Il plia quelques petits billets dans le sens de la longueur et les laissa sur la table. Il se leva puis se dirigea vers la porte. Au dernier moment, il tourna les talons, s'approcha du box de la jeune femme et se glissa sur la banquette en face d'elle.

« Je m'appelle Reacher, fit-il. Je crois que vous vouliez me parler. »

La fille le dévisagea, cligna des yeux, ouvrit et ferma la bouche puis, s'y reprenant une seconde fois, demanda :

« Qu'est-ce qui vous fait croire ça ?

– J'ai croisé une policière, Vaughan. Elle m'en a parlé.

– Parlé de quoi ?

– Que vous cherchiez quelqu'un qui s'était rendu à Despair.

– Vous vous trompez, dit la fille. Ce n'est pas moi. »

Ce n'était pas une bonne menteuse. Pas du tout. Dans une autre vie, Reacher avait eu affaire à de vrais experts. Cette fille affichait tous les signes. Serrements de gorge, faux départs, bégaiements, agitation, coups d'œil à droite. Les psychologues pensent que le centre de la mémoire se trouve dans l'hémisphère gauche du cerveau et celui de l'imagination dans le droit. En conséquence, les gens regardent inconsciemment à gauche quand ils se rappellent quelque chose, et à droite quand ils inventent. Quand ils mentent. Cette fille regardait tellement à droite qu'elle risquait un torticolis.

« OK, dit Reacher. Je m'excuse de vous avoir dérangée. »

Mais il ne bougea pas. Il resta sur place, occupant tranquillement presque toute la banquette en vinyle pour deux personnes. De près, cette fille était plus jolie que de loin. Elle avait un minois parsemé de taches de rousseur et une bouche très expressive.

« Qui êtes-vous ?

– Je suis juste un type, répondit Reacher.

– Quelle sorte de quidam ?

– Le juge de Despair m'a traité de vagabond. J'imagine donc être ce genre de type.

– Pas de boulot ?

– Pas depuis longtemps.

– Ils m'ont traitée de vagabonde, moi aussi », fit-elle.

Elle n'avait pas d'accent marqué. Elle ne venait pas de Boston, de New York, de Chicago, du Minnesota ou du Sud profond. Quelque part dans le Sud-Ouest, peut-être. Possiblement l'Arizona.

« Dans votre cas, ils se trompaient, j'imagine.

– Je n'en connais pas bien la définition, pour être honnête.

– Ça vient du latin "vagabundus", expliqua Reacher. Quelqu'un qui erre çà et là sans moyen apparent de subvenir légalement à ses besoins.

– Je suis à la fac.

– On vous accusait donc à tort.

– Ils voulaient juste me dégager.

– Où se trouve votre université ? »

Elle marqua une pause et regarda sur la droite.

« Miami », dit-elle.

Reacher hocha la tête. Quelle que fût sa fac, elle était loin de Miami. Sans doute pas sur la côte Est, d'ailleurs. Plus probablement sur la côte Ouest. Peut-être au sud de la Californie. Les menteurs amateurs comme elle choisissent souvent des symétriques lorsqu'ils fabulent sur la géographie.

« Vous vous spécialisez en quoi ? demanda-t-il.

– Dans l'histoire du vingtième siècle », répondit-elle en le regardant droit dans les yeux.

Probablement la vérité. Les jeunes disent d'habitude la vérité sur leur domaine de compétence, car ils en sont fiers, et parce qu'ils craignent d'être pris en défaut dans d'autres domaines. Souvent, ils n'en ont aucun autre. Un fait inhérent à leur jeunesse.

« Pour moi, c'était hier, dit-il. Pas encore de l'histoire.

– Quoi donc ?

– Le vingtième siècle. »

Elle ne dit rien. Ne comprit pas le sens de ses propos. Elle se souvenait au maximum de huit ou neuf ans du siècle écoulé, et de son point de vue de gamine. Il se rappelait légèrement plus de choses.

« Comment vous appelez-vous ? »

Elle jeta encore un coup d'œil sur la droite.

« Anne. »

Reacher acquiesça de nouveau. Quel que fût son nom, elle ne s'appelait pas Anne. C'était sans doute le nom de sa sœur. De sa meilleure amie. D'une cousine. En général, les gens préfèrent ne pas trop s'éloigner de leur quotidien quand ils donnent un faux nom.

La fille qui ne s'appelait pas Anne lui demanda :

« Et vous ? On vous accusait à tort ? »

Reacher fit non de la tête.

« Vagabond est un excellent mot pour me définir.

– Pourquoi vous être rendu là-bas ?

– Le nom me plaisait. Et vous ? »

Elle ne répondit pas.

« Quoi qu'il en soit, ça n'était pas un endroit terrible.

– Qu'en avez-vous vu ?

– Presque tout, la seconde fois.

– Vous y êtes retourné ? »

Il hocha la tête.

« J'en ai fait un bon tour, de loin.

– Et alors ?

– Ça n'a toujours rien de terrible. »

La fille se tut. Reacher la vit réfléchir à la question suivante. Comment la formuler ? Allait-elle oui ou non la poser ? Elle pencha la tête sur le côté et regarda derrière lui.

« Y avez-vous croisé des gens ? s'enquit-elle.

– Des tas de gens.

– Avez-vous vu l'avion ?

– J'en ai entendu un.

– Il appartient au type de la grande maison. Tous les soirs, il décolle à sept heures et rentre à deux heures du matin.

– Combien de temps êtes-vous restée là-bas ?

– Une journée.

– Comment savez-vous donc que cet avion décolle tous les soirs ? »

Elle ne répondit pas.

« Quelqu'un vous l'a rapporté, peut-être ? » suggéra Reacher.

Pas de réponse.

« Aucune loi n'interdit de faire une petite virée en avion, ajouta-t-il.

– Personne ne fait une virée en avion, la nuit. On ne voit rien.

– Très juste. »

La fille garda le silence une minute puis elle demanda :

« Vous étiez en cellule ?

– Pendant quelques heures.

– D'autres gens y étaient ?

– Non.

– Quand vous y êtes retourné, vous avez vu des gens ?

– Pourquoi ne pas simplement me montrer sa photo ? fit Reacher.

– Quelle photo ?

– Celle de votre petit ami.

– Pourquoi le ferais-je ?

– Votre petit ami a disparu. Et on dirait que vous ne savez pas comment le retrouver. Du moins, c'est l'impression qu'avait l'officier de police Vaughan.

– Vous faites confiance aux flics ?

– À certains.

– Je n'ai pas de photo sur moi.

– Vous avez un grand sac. Il contient probablement toutes sortes de choses. Peut-être même quelques photos.

– Montrez-moi votre portefeuille, répliqua-t-elle.

– Je n'ai pas de portefeuille.

– Tout le monde en a un.

– Pas moi.

– Prouvez-le.

– Je ne peux pas prouver ce qui n'est pas.

– Videz vos poches. »

Reacher hocha la tête. Il comprenait. *Son copain est en fuite pour une raison ou une autre. Elle m'a demandé ma profession. Elle veut savoir si je ne suis pas détective. Un enquêteur ne manquerait pas d'avoir une carte professionnelle compromettante dans son portefeuille.* Il leva ses fesses de la banquette et sortit son argent, son vieux passeport, sa carte bancaire et sa clé de motel. Sa brosse à dents était dans sa chambre, dépliée, au garde-à-vous dans le gobelet en plastique près du lavabo. La fille passa ses affaires en revue.

« Merci, dit-elle.

– Maintenant, montrez-moi sa photo.

– Ce n'est pas mon petit ami.

– Non ?

– C'est mon mari.

– Vous êtes bien jeune pour être mariée.

– On était amoureux.

– Vous ne portez aucune alliance. »

Sa main gauche reposait sur la table. Elle la ramena rapidement sur ses genoux. Mais il n'y avait aucune alliance qui brillait à son doigt ni même une marque de bronzage.

« Ça a été un peu soudain, expliqua-t-elle. Un peu précipité. On s'est dit qu'on verrait plus tard pour les alliances.

– Ça n'est pas nécessaire dans une cérémonie de mariage ?

– Non. C'est une légende. Elle se tut un instant avant d'ajouter : Je ne suis pas non plus enceinte, si c'est ce que vous pensez.

– Je n'y ai pas songé une minute.

– Bien.

– Montrez-moi cette photo. »

Elle tira la besace grise sur ses genoux et en souleva le rabat. Elle farfouilla dedans un moment et en sortit un gros portefeuille en cuir. Il y avait une partie portefeuille, que fermait difficilement une petite lanière, et une partie porte-monnaie. Une pochette en plastique transparent renfermait sur le dessus un permis de conduire californien avec la photo de la fille. Elle défit la petite lanière, ouvrit le portefeuille et feuilleta du doigt les pochettes plastique en accordéon. Elle glissa un doigt fin dans l'une d'elles et en tira un cliché. Elle le lui tendit de l'autre côté de la table. On l'avait redécoupé dans une photo au format standard 10 × 13 développée en une heure. Les bords n'étaient pas vraiment droits. On y voyait la fille, debout dans une rue sous un soleil ambré, des palmiers et de jolies boutiques alignées derrière elle. Elle souriait de toutes ses dents, rayonnante de joie, d'amour et de bonheur, légèrement penchée en avant comme si tout son être se débattait avec une crise de fou rire incontrôlable. Elle était dans les bras d'un gars à peu près de son âge. Il était très grand, blond et massif. Un athlète. Il avait les yeux bleus, les cheveux en brosse, un bronzage prononcé et un grand sourire.

« C'est votre mari ? demanda Reacher.

– Oui », fit la fille.

Le gars la dépassait largement d'une bonne tête. Il était imposant. Il la dominait de toute sa hauteur. Ses bras étaient gros comme le tronc des palmiers derrière lui.

Rien à voir avec le type sur lequel Reacher avait trébuché dans le noir.

Rien du tout.

Bien trop baraqué.

QUINZE

Reacher posa le cliché à plat devant lui sur la table. Puis il regarda la fille en face.

« Quand a été prise cette photo ?

– Récemment.

– Puis-je voir votre permis de conduire ?

– Pourquoi ?

– Quelque chose que j'ai besoin de vérifier.

– J'hésite.

– Je sais déjà que vous ne vous appelez pas Anne. Je sais que vous n'allez pas à la fac à Miami. Je dirais plutôt à UCLA. Cette photo a l'air d'avoir été prise par là-bas. Elle a ce petit côté Los Angeles. »

La fille ne répondit pas.

« Je ne suis pas là pour vous faire du mal », reprit Reacher.

Elle attendit une seconde et fit glisser son portefeuille de l'autre côté de la table. Il jeta un coup d'œil au permis. Il était presque totalement visible sous le plastique laiteux. Elle s'appelait Lucy Anderson. Aucun autre prénom. Anderson, donc Anne, peut-être.

« Lucy, fit-il. Ravi de faire votre connaissance.

– Désolée de ne pas vous avoir dit la vérité.

– Ne vous en faites pas. Pourquoi y auriez-vous été obligée ?

– Mes amis me surnomment Lucky Lucy. Une fausse répétition. Un surnom.

– J'espère que vous l'êtes toujours, chanceuse.

– Moi aussi. Jusque-là je l'ai toujours été. »

Son permis précisait qu'elle aurait bientôt vingt ans. Son adresse indiquait un appartement dans une rue qu'il savait proche du campus principal de UCLA. Il était passé à L.A. peu auparavant. Il avait encore le plan de la ville en tête. L'indication de son sexe, féminin, était assurément exacte, et celle de la couleur de ses yeux, bleu, bien en dessous de la vérité.

Elle mesurait un mètre soixante-seize.

Son mari devait donc faire au moins un mètre quatre-vingt-dix-huit. Sinon plus de deux mètres. Sur la photo il avait l'air de peser plus de cent kilos. Le gabarit de Reacher. Voire davantage.

Pas le gars à plat ventre de cette nuit. Celui-là faisait au mieux la taille de Lucy Anderson.

Il lui repassa le portefeuille. La photo suivit.

« L'avez-vous vu ? lui demanda Lucy Anderson.

– Non. Je ne l'ai pas vu. Désolé.

– Il doit bien être quelque part.

– Que fuit-il ? »

Elle tourna les yeux vers la droite.

« Pourquoi fuirait-il quelque chose ?

– Une idée, comme ça, fit Reacher.

– Qui êtes-vous donc ?

– Un type ordinaire.

– Comment saviez-vous que je ne m'appelais pas Anne ? Comment saviez-vous que je n'étais pas à la fac à Miami ?

– Autrefois, j'étais flic. Dans l'armée. J'ai des restes. »

Elle se tut et pâlit légèrement. Son teint blêmit sous ses taches de rousseur. Elle se dépêcha de ranger la photo à sa place, de refermer son portefeuille et de l'enfouir au fond de son sac.

« Vous n'aimez pas les flics, n'est-ce pas ? s'enquit Reacher.

– Pas toujours.

– Ce n'est pas commun pour une personne comme vous.

– Comme moi ?

– Équilibrée, protégée, issue de la classe moyenne, bien élevée.

– Les choses changent.
– Qu'a fait votre mari ? »
Elle ne répondit pas.
« Et à qui ? »
Pas de réponse.
« Qu'est-ce qu'il allait faire à Despair ? »
Blanc.
« Vous étiez censée le retrouver ici ? »
Silence.
« Peu importe, de toute façon, ajouta Reacher. Je ne l'ai pas vu. Je ne suis plus flic. Depuis bien longtemps.
– Qu'est-ce que vous feriez ? À ma place ?
– Je l'attendrais ici, dans cette ville. Votre mari a l'air capable de se débrouiller. Il finira probablement par se montrer tôt ou tard. Ou il vous fera passer un message.
– J'espère.
– Il est étudiant, lui aussi ? »
Lucy Anderson ne répondit pas à la question. Elle boucla le rabat de son sac, glissa de côté sur la banquette, se releva et tira sur l'ourlet de sa jupe. Un mètre soixante-seize, dans les soixante-cinq kilos, blonde aux yeux bleus, bien droite, solide et bien portante.
« Merci, dit-elle. Bonne nuit.
– Bonne chance, Lucky Lucy. »
Elle mit sa besace sur l'épaule, alla jusqu'à la porte, la poussa et se retrouva dans la rue. Il la vit serrer son sweat-shirt contre elle et s'éloigner dans le froid.

Reacher fut au lit avant deux heures du matin. Il faisait bon dans la chambre du motel. Il y avait un chauffage sous la fenêtre et il soufflait efficacement. Il régla son réveil interne à six heures et demie. Il était fatigué, mais estima que quatre heures trente de sommeil suffiraient. En fait, il le faudrait bien, car il voulait avoir le temps de se doucher avant de sortir prendre son petit déjeuner.

SEIZE

Le cliché veut que les flics s'arrêtent toujours prendre des beignets dans une cafétéria avant et après le travail, mais si les clichés sont des clichés, c'est parce qu'ils correspondent souvent à la vérité. Voilà pourquoi Reacher se glissa dans son box habituel, au fond de la salle, à sept heures moins cinq du matin, s'attendant tout à fait à voir l'officier de police Vaughan franchir la porte dans les dix prochaines minutes.

Ce qu'elle fit.

Il la vit remonter la rue dans son véhicule de patrouille et se garer. Poser le pied sur le trottoir, appuyer ses deux mains au creux des reins, s'étirer. Verrouiller les portières, faire demi-tour et se diriger vers la porte. Elle entra, le vit, marqua un long temps d'arrêt, puis changea de direction et se glissa sur la banquette en face de lui.

« Fraise, vanille ou chocolat ? demanda-t-il. Ils n'ont rien d'autre.

– D'autre quoi ?

– Milk-shake.

– Je ne prends rien avec des crétins au petit déjeuner.

– Je ne suis pas un crétin, mais un citoyen qui a un problème. Vous êtes là pour m'aider. C'est marqué sur votre écusson.

– Quelle sorte de problème ?

– La fille m'a trouvé.

– Avez-vous vu son petit ami ?

– Son mari, plutôt.

– Vraiment ? fit Vaughan. Elle est bien jeune pour être mariée.

– C'est aussi ce que je pensais. Elle m'a dit qu'ils s'aimaient.

– Laissez tomber les violons. Bon, vous l'avez vu, ce type ?

– Non.

– C'est quoi, votre problème, alors ?

– J'ai vu quelqu'un d'autre.

– Qui ça ?

– Pas vraiment vu. Il faisait noir comme dans un four. J'ai trébuché dessus.

– Qui ça ?

– Un mort.

– Où ça ?

– En rentrant de Despair.

– En êtes-vous sûr ?

– Complètement, dit Reacher. Le cadavre d'un homme jeune.

– Vous êtes sérieux ?

– Comme un pape.

– Pourquoi ne me l'avez-vous pas dit, la nuit dernière ?

– Je voulais prendre le temps d'y réfléchir.

– Vous me menez en bateau. Le désert s'étend sur combien de kilomètres carrés, là-bas ? Mille cinq cents ? Et vous tombez justement sur un cadavre qui vous fait un croche-patte dans le noir ? Voilà une coïncidence grosse comme une maison.

– Pas vraiment, répliqua Reacher. Je pense qu'il faisait la même chose que moi. Il rentrait de Despair vers Hope, plein est, pas trop loin de la route pour s'assurer de la bonne direction, et suffisamment à distance pour rester en sécurité. Ça le plaçait dans un couloir précis. Je l'aurais peut-être manqué d'un mètre, mais jamais d'un kilomètre. »

Vaughan ne dit rien.

« Mais il n'est pas allé au bout, continua Reacher. Je crois qu'il était épuisé. Ses genoux étaient assez profondément enfoncés dans le sable. Je dirais qu'il est tombé à genoux et qu'il s'est écroulé tête la première avant de mourir. Il était émacié et déshydraté. Aucune trace de coup ni de blessure.

– Quoi ? Vous l'avez autopsié, ce type ? Dans le noir ?

– J'ai tâté.

– Tâté ?

– Touché, expliqua Reacher. Un des cinq sens sur lesquels on s'appuie.

– Comment était-il, alors ?

– De race blanche, d'après la texture de ses cheveux. Dans les un mètre soixante-quinze, soixante-dix kilos. Jeune. Aucune pièce d'identité. Je ne sais pas s'il avait le teint mat ou non.

– C'est invraisemblable.

– C'est pourtant la vérité.

– Où ça, exactement ?

– À environ six kilomètres et demi du centre, à une douzaine de la frontière entre les deux villes.

– En plein Despair, donc.

– Aucun doute là-dessus.

– Vous devriez contacter la police de Despair.

– Je ne leur pisserais même pas dessus s'ils prenaient feu.

– Je ne peux rien faire pour vous. C'est hors de ma juridiction. »

La serveuse se rapprocha. Celle qui travaillait la journée, celle qui avait suivi le marathon au café. Elle était débordée et paraissait excédée. L'établissement se remplissait trop vite. Une vraie petite ville américaine à l'heure du petit déjeuner. Reacher commanda des œufs et du café. Vaughan aussi prit du café. Reacher y vit un bon signe. Il attendit que la serveuse se soit éloignée d'un pas rapide et dit :

« Vous pouvez vraiment m'aider.

– Comment ?

– Je veux retourner voir, tout de suite, en plein jour. Vous pouvez m'y conduire. On sera de retour en un clin d'œil.

– Ce n'est pas mon territoire.

– De manière non officielle. En dehors du service. Vous êtes une citoyenne. Vous avez le droit de rouler sur leur route.

– Seriez-vous capable de retrouver l'endroit exact ?

– J'ai laissé un petit cairn au bord de la chaussée.

– Je ne peux pas, fit Vaughan. Je ne me vois pas farfouiller là-bas. Et il n'est pas question que je vous y emmène, vous ! On vous y a banni. Ça constituerait une incroyable provocation.

– Personne ne le saurait.

– Vous croyez ? Ils n'ont qu'une route entrante et une route sortante, et deux voitures.

– À l'heure qu'il est, ils s'envoient des beignets dans leur restaurant.

– Vous êtes sûr de ne pas avoir rêvé ?

– Aucun rêve là-dedans, fit Reacher. Le jeune avait les yeux durs comme des billes et l'intérieur de la bouche sèche comme un cuir de chaussure. Il errait depuis des jours. »

La serveuse revint avec le café et les œufs. Ceux-ci étaient recouverts d'un brin de persil. Reacher l'attrapa et le mit sur le côté de l'assiette.

« Je ne vais pas rouler à Despair avec une voiture de patrouille de Hope, reprit Vaughan.

– Vous avez quoi d'autre ? »

Elle se tut un long moment. Sirota son café. Puis répondit : « J'ai un vieux pick-up. »

Elle lui ordonna d'attendre sur le trottoir de First Street près de la quincaillerie. Visiblement, elle ne voulait pas qu'il l'accompagne chez elle tandis qu'elle changeait de tenue et de véhicule. *Sage précaution*, pensa-t-il. *Regardez-vous*, avait-elle dit. *Qu'est-ce que vous voyez ?* Il se faisait aux réponses négatives qu'engageait cette question. La quincaillerie était encore fermée. La vitrine regorgeait d'outils et de petits objets. L'allée derrière la porte était bloquée jusqu'au plafond par le matériel qui prendrait place plus tard sur le trottoir. Depuis des années, Reacher se demandait pourquoi les quincailleries aimaient étaler leurs produits dans la rue. Ça nécessitait un gros travail. Un boulot physique, répétitif, deux fois par jour. Mais la psychologie des consommateurs voulait peut-être que les gros articles utilitaires se vendent mieux associés à un solide environnement extérieur. Ou peut-être s'agissait-il seulement d'une question d'espace. Il y réfléchit un moment, sans tirer de conclusion définitive, et s'éloigna un peu pour s'adosser à un poteau devant un passage piéton. Le jour qui se levait était froid et gris. Des nuages peu épais léchaient le sol. Les Rocheuses étaient totalement invisibles : ni proches ni lointaines.

Près de vingt minutes s'écoulèrent avant qu'un vieux pick-up Chevrolet ne s'arrête sur le trottoir d'en face. Pas un classique des années quarante, aux formes arrondies, ni une machine au design futuriste aérodynamique des années cinquante, ni un robuste El Camino des années soixante. Juste un simple pick-up d'occasion, américain, vieux d'une quinzaine d'années, la peinture bleu marine fatiguée, les jantes en acier, les roues de taille modeste. Vaughan était au volant. Elle portait un coupe-vent rouge fermé au col et une casquette de base-ball kaki rabattue sur le front. Un bon déguisement. Reacher ne l'aurait pas reconnue s'il ne l'avait pas attendue. Il traversa le passage piéton et monta à ses côtés. L'habitacle sentait l'essence et les gaz d'échappement froids. Il y avait des tapis de sol en caoutchouc couverts de poussière du désert, usés et parcheminés par l'âge. Il referma la porte d'un coup sec et Vaughan redémarra. Le véhicule avait un moteur à quatre cylindres asthmatiques. De retour en un clin d'œil, avait-il affirmé. Un clin d'œil visiblement relatif.

Ils couvrirent les huit kilomètres d'asphalte de Hope en sept minutes. À cent mètres de la ligne de démarcation, Vaughan lui dit : « Si on croise qui que ce soit, vous vous baissez tout de suite. » Puis elle appuya plus fort sur l'accélérateur et le joint de dilatation claqua sous les roues avant que les pneus ne se mettent à rugir sèchement sur les graviers acérés de Despair.

« Vous venez souvent par ici ? demanda Reacher.

– Pourquoi donc le ferais-je ? » répliqua Vaughan.

Il n'y avait aucune circulation à l'horizon. Ni dans un sens ni dans l'autre. La route pointait tout droit vers la brume à l'horizon, montant, descendant. Vaughan maintenait le pick-up à quatre-vingt-dix kilomètres à l'heure. Un kilomètre six cents à la minute, probablement sa vitesse de croisière maximale.

Sept minutes plus loin en territoire ennemi, elle ralentit.

« Surveillez l'accotement gauche, dit Reacher. Un cairn à quatre pierres. »

Une lumière grise avait éclairci le temps. Rien d'éclatant, pas de soleil non plus, mais parfaitement lumineux. Ni ombre ni reflet aveuglant. On voyait quelques ordures sur l'accotement. Pas beaucoup, mais suffisamment pour que le cairn de Reacher ne ressorte pas de loin comme un phare au milieu de l'océan. Des bouteilles d'eau en plastique. Des bouteilles de bière en verre. Des canettes de soda, du papier, des petites pièces de voitures sans importance, tous accrochés à un long sillon de graviers que les pneus avaient rejeté sur les bords de la route en passant. Reacher se retourna sur son siège. Personne derrière. Personne devant. Vaughan ralentit encore. Reacher observa l'accotement. Ces pierres lui paraissaient si grosses, si évidentes dans le noir. Mais, là, à la lumière neutre du jour, elles seraient minuscules au milieu de cette étendue.

Vaughan se cala au milieu de la route et ralentit davantage.

« Là-bas », fit Reacher.

Il avait repéré son petit cairn, trente mètres plus loin sur la gauche. Trois pierres accolées, la quatrième en équilibre dessus. Un point dans le lointain au milieu de nulle part. Au sud, la plaine courait jusqu'à l'horizon, monotone, presque sans aucun relief, parsemée de quelques buissons pâles et de rochers sombres, couverte de trous d'eau asséchés et de crêtes basses.

« C'est bien là ? demanda Vaughan.

– À vingt mètres au sud », répondit Reacher.

Il balaya de nouveau la route du regard. Rien devant ni derrière.

« On est bon », fit-il.

Vaughan dépassa le cairn, se rapprocha de l'accotement de droite et fit un large demi-tour sur les deux voies de la route. Une fois face à l'est, elle s'arrêta pile au niveau des pierres. Elle se mit au point mort et laissa tourner le moteur.

« Ne bougez pas d'ici, dit-elle.

– Tu parles ! »

Reacher sortit, enjamba les pierres et attendit sur le bas-côté. Il se sentit tout petit au milieu de cette immensité, au grand jour. Dans le noir, l'univers se contractait à ce qui se trouvait à portée de main. Là, il redevenait vaste. Vaughan le rejoignit et ils traversèrent la broussaille éparse du même pas, plein sud, à angle droit par rapport à la route, sur cinq, dix, quinze pas. Il s'arrêta au bout de vingt pas et vérifia la direction d'un coup d'œil par-dessus l'épaule. Puis il s'immobilisa et regarda autour de lui, dans un rayon de plus en plus étendu.

Il ne vit rien.

Sur la pointe des pieds, il tendit le cou et chercha.

Il n'y avait rien à voir.

DIX-SEPT

Reacher fit un demi-tour à cent quatre-vingts degrés et fixa la route pour s'assurer qu'il n'avait pas dévié de cap à l'ouest ou à l'est. Non. Il était en plein dans le mille. Il fit cinq pas au sud, vira à l'est, avança de cinq pas encore, tourna, puis fit dix autres pas vers l'ouest.

Visiblement rien.

« Alors ? lui cria Vaughan.

– Il n'y est plus, dit-il.

– Vous me faisiez juste tourner en bourrique.

– Non. Pourquoi le ferais-je ?

– Quelle était votre marge de précision avec ces pierres ? Dans le noir ?

– C'est ce que j'étais en train de me demander. »

Vaughan décrivit un petit cercle en silence. Et elle secoua la tête.

« Ça n'y est plus, fit-elle. Si tant est qu'il y ait eu quelque chose. »

Reacher ne réagit pas. Rien à voir. Rien à entendre, hormis le moteur au ralenti du pick-up de Vaughan, qui les attendait patiemment à vingt mètres de là. Il s'enfonça de dix mètres à l'est, puis il décrivit un grand arc de cercle. Il en avait fait un quart quand il s'arrêta net.

« Là, regardez », dit-il.

Il pointa le doigt par terre. Une longue rangée de petits creux ovales à demi écroulés, dans le sol.

« Des empreintes, indiqua Vaughan.

– Les miennes, dit Reacher. Celles de la nuit dernière. Le chemin du retour. »

Ils obliquèrent vers l'ouest, revinrent sur leurs pas, remontèrent la piste laissée par les empreintes de Reacher en direction de Despair. Dix mètres plus loin, ils tombèrent sur une petite zone dégagée en forme de losange. Elle était vide.

« Attendez, fit Reacher.

– Il n'y est pas.

– Mais il y était. C'est bien là. »

La croûte de sable séchée avait été retournée par de multiples traces. On voyait des douzaines d'empreintes de pas, dans tous les sens. De petits creux dans le sol. Bien dessinés pour certains, informes pour la plupart, vu la manière qu'avait le sable de retomber dedans.

« Dites-moi ce que vous voyez, dit Reacher.

– De l'activité, répondit Vaughan. Une belle pagaille.

– Une histoire, renchérit Reacher. Ces empreintes nous disent ce qui s'est passé.

– Quoi qu'il soit arrivé, on ne peut pas rester ici. On était censés faire l'aller-retour en un clin d'œil. »

Reacher se redressa et balaya la route du regard, d'ouest en est.

Rien.

« Personne en vue, commenta-t-il.

– J'aurais dû amener un pique-nique. »

Reacher pénétra dans l'espace dégagé. Il s'accroupit et montra de deux doigts écartés deux creux très nets, parallèles, en plein milieu de cette zone. Comme si on avait appuyé deux noix de coco dans le sable, très fort, le long d'un axe nord-sud.

« Les genoux du gars. C'est ici qu'il a lâché prise. Il a titubé, s'est arrêté, a fait demi-tour et s'est écroulé. Puis il désigna une large étendue avec des cailloux éparpillés, un mètre vingt plus à l'ouest : Voilà où j'ai atterri après avoir buté sur lui. Sur ces cailloux. Je peux vous montrer les bleus qu'ils m'ont faits, si vous voulez.

– On verra plus tard, dit Vaughan. Il faut qu'on s'en aille. »

Reacher pointa du doigt quatre empreintes profondes dans le sable. Des rectangles de cinq centimètres sur huit, presque identiques, aux quatre coins d'un autre grand rectangle, celui-ci de soixante centimètres sur un mètre cinquante.

« Des pieds de brancard, conclut-il. Des gens sont venus le récupérer. Quatre ou cinq personnes, peut-être, à en juger par les empreintes. Des gens avec des fonctions officielles. Qui d'autre possède des brancards ? Il se releva, regarda autour de lui et dessina du doigt un arc de cercle entre le nord et l'ouest, en suivant une piste laissée par les empreintes plus ou moins nettes et la végétation écrasée : Ils sont arrivés par là et l'ont ramené par le même chemin, jusqu'à la route. Au fourgon d'un coroner, peut-être, garé un peu à l'ouest de mon cairn.

– Donc, tout va bien. Les autorités compétentes l'ont entre leurs mains. Le problème est résolu. On devrait filer. »

Reacher acquiesça vaguement et fixa quelque chose à l'ouest.

« Que devrions-nous voir par là ?

– Des empreintes qui se dirigent vers ici, répondit Vaughan. Celles du jeune homme et les vôtres, toutes deux en provenance de l'est de la ville. Creusées à deux moments différents, mais pointant à peu près dans la même direction.

– Pourtant, on dirait qu'il y en a plus que deux. »

Ils contournèrent la zone, chacun de leur côté, et se retrouvèrent à l'autre bout, côté ouest. Ils virent quatre rangées d'empreintes distinctes, relativement proches les unes des autres. Le sable était piétiné sur moins de deux mètres cinquante de large.

« Deux dans un sens, deux dans l'autre, déclara Reacher.

– Comment le savez-vous ?

– L'angle des empreintes. La plupart des gens marchent les orteils vers l'extérieur.

– Il y a peut-être des gens qui ont les pieds en dedans de père en fils.

– À Despair ? Possible. Mais peu probable. »

Les empreintes les plus fraîches, qui se dirigeaient vers eux, avaient laissé de grosses marques profondes dans le sable, à peu près à un mètre d'intervalle les unes des autres. Les autres étaient moins marquées, plus petites, plus rapprochées, moins régulières et plus superficielles.

« Le jeune homme et moi, commenta Reacher. Vers l'est. À deux moments différents. Je marchais. Il se traînait en titubant. »

Les deux séries d'empreintes qui s'éloignaient dans la direction opposée étaient toutes récentes. Le sable était moins retombé et leurs bords mieux dessinés. Assez profondes, assez bien espacées, identiques.

« Des types de taille respectable, fit Reacher. Ils sont retournés plein ouest. Récemment. En même temps.

– Qu'est-ce que ça veut dire ?

– Qu'ils étaient sur la piste du jeune gars. Ou sur la mienne. Ou des deux. Pour savoir où on allait et d'où on venait.

– Pourquoi ?

– Ils ont découvert le cadavre et ils se sont posé des questions.

– Comment l'auraient-ils découvert ?

– Les vautours, dit Reacher. Le plus classique en terrain découvert. »

Vaughan ne réagit pas durant un instant. Puis elle lança : « On retourne au pick-up. Tout de suite. »

Reacher ne discuta pas. Elle avait tiré les conclusions qui s'imposaient une fraction de seconde avant lui. Rien qu'une fraction de seconde.

DIX-HUIT

Le moteur du vieux pick-up Chevrolet tournait toujours au ralenti. Et la route était toujours déserte. Pourtant, ils se mirent à courir. Ils coururent, ouvrirent à la volée les portières du pick-up et se jetèrent à l'intérieur. Vaughan enclencha brutalement la vitesse et appuya sur le champignon. Ils n'ouvrirent pas la bouche avant d'avoir senti le cahot du passage de la ligne de démarcation de Hope, huit interminables minutes plus tard.

« Maintenant, vous êtes vraiment un citoyen à problème, dit Vaughan. Pas vrai ? Les flics de Despair ne sont peut-être pas malins, mais ils n'en sont pas moins des policiers. Les vautours les mènent à un cadavre. Ils découvrent les traces dudit cadavre. Puis ils trouvent une seconde paire d'empreintes qui indique qu'un autre type a rattrapé le premier en route. Ils voient la terre retournée et des mouvements dans tous les sens. Ils voudront avoir une conversation sérieuse avec le second bonhomme. Vous pouvez en prendre le pari.

– Pourquoi n'ont-ils pas suivi ma trace plus loin, alors ?

– Parce qu'ils savaient où vous alliez. Il n'y a que deux solutions : Hope ou le Kansas. Ils voulaient savoir d'où vous veniez. Et que découvriront-ils ?

– Une boucle géante. Des emballages de barres chocolatées et des bouteilles d'eau vides enterrés, s'ils s'en donnent la peine. »

Vaughan hocha la tête sans lâcher le volant.

« La preuve physique incontestable qu'un grand type aux grands pieds et aux grandes jambes a fait une visite clandestine et préméditée de la ville, la nuit après qu'ils ont jeté dehors un grand type aux grands pieds et aux grandes jambes.

– Sans compter qu'un des adjoints m'a vu.

– Vous en êtes sûr ?

– On s'est parlé.

– Super.

– Ce cadavre : une mort naturelle.

– Vous en êtes certain ? Vous n'avez fait que tâter dans le noir. Ils vont autopsier ce gamin, eux.

– Je ne suis plus sur le territoire de Despair. Vous ne pouvez pas vous y rendre et ils ne peuvent pas venir ici.

– Les petits services de police locale n'enquêtent pas sur les homicides, crétin. Nous faisons appel à la police d'État. Et la police d'État est compétente partout sur le territoire du Colorado. Et la police d'État bénéficie de la coopération de tous au Colorado. Et vous êtes dans mon registre depuis hier. Je ne pourrais pas nier, même si je le voulais.

– Vous ne le voudriez pas ?

– Je ne sais rien de vous. Si ce n'est que je suis presque certaine que vous avez tabassé un adjoint là-bas. Vous l'avez pratiquement admis devant moi. Qui sait ce que vous y avez fait d'autre ?

– Je n'y ai rien fait d'autre. »

Vaughan se tut.

« Que va-t-il se passer, maintenant ? demanda Reacher.

– Il vaut toujours mieux jouer franc-jeu dans ce genre de truc. Vous devriez appeler la police d'État et lui apporter spontanément votre témoignage.

– J'étais militaire. Je ne me porte jamais volontaire.

– Alors, je ne peux pas vous aider. Ça ne relève pas de ma compétence. Ça n'en a d'ailleurs jamais relevé.

– Vous pourriez donner un coup de fil, reprit Reacher. Appeler la police d'État, voir ce qu'ils en pensent.

– Ils nous appelleront bien assez tôt.

– Alors, anticipons, comme vous le disiez. Les premières informations sont toujours bienvenues. »

Vaughan ne répondit pas. Elle se contenta de lever le pied aux abords de la ville. Le quincailler avait sa porte ouverte et il empilait son matériel sur le trottoir. Il y avait une sorte d'escabeau à rallonge qui pouvait prendre huit positions différentes. Il l'avait monté comme un échafaudage de peintre, suffisamment haut pour travailler un mur à l'étage. Vaughan prit à droite au croisement suivant, puis à gauche, et elle contourna la cafétéria par l'arrière. Les rues étaient larges, agréables, avec des arbres plantés sur les trottoirs. Elle s'arrêta sur une place de parking dessinée au sol, devant un bâtiment de plain-pied en brique. Ça aurait pu être une poste de banlieue. Mais non. Il s'agissait du commissariat de Hope. C'était écrit en lettres d'aluminium soigneusement fixées sur la façade. Vaughan coupa le moteur et Reacher la suivit sur un chemin de brique bien entretenu, jusqu'à la porte. Celle-ci était fermée à clé. Le commissariat n'était pas ouvert. Vaughan se servit d'une clé sur son trousseau.

« Le type de permanence n'arrive pas avant neuf heures », dit-elle.

L'intérieur ressemblait aussi à une poste. Terne, fatigué, officiel, administratif mais accueillant. Accessible. Disposé de manière à servir le public. Il y avait un comptoir d'accueil et quelques bureaux en retrait. Une porte massive menait au bureau fermé du chef de quart, dans le coin qu'aurait occupé celui d'un receveur des postes. Vaughan passa derrière le comptoir et se dirigea vers un bureau : le sien, à l'évidence. Bien agencé, bien organisé, rien d'intimidant. Un vieil ordinateur trônait en plein centre, un poste téléphonique juste à côté. Elle ouvrit un tiroir et trouva dans un annuaire le numéro qu'elle cherchait. Visiblement, les contacts entre la police de Hope et la police d'État n'étaient pas chose fréquente. Elle ne connaissait pas le numéro par cœur. Elle le composa, demanda à parler à l'officier de service, se présenta et dit : « On nous a rapporté un cas de personne disparue. Un homme de type caucasien d'une vingtaine d'années, un mètre soixante-seize, soixante-dix kilos. Pourriez-vous nous dire si vous avez quelque chose ? » Elle écouta un petit moment et ses yeux se tournèrent sur la gauche, puis vers la droite et répondit : « Nous n'avons aucun nom. » On lui posa une nouvelle question et elle jeta un nouveau regard sur la droite en ajoutant : « Impossible de dire s'il a le teint mat. On travaille sur une photo noir et blanc. Et rien d'autre. »

Il y eut alors une pause. Reacher la vit bâiller. Elle était fatiguée. Elle avait travaillé toute la nuit. Elle écarta un peu le téléphone de son oreille et Reacher distingua un faible cliquettement de clavier dans le bureau administratif, à l'autre bout du fil. À Denver, peut-être, ou à Colorado Springs. Puis lorsqu'une voix se fit réentendre, Vaughan colla le téléphone à son oreille et Reacher ne put rien entendre de ce qui se disait.

Vaughan écouta, dit : « Merci », puis raccrocha.

« Rien de signalé. Apparemment, Despair ne les a pas avertis.

– Mort naturelle, dit Reacher. Ils sont d'accord avec moi. »

Vaughan secoua la tête.

« Ils auraient dû le faire dans tous les cas. Une mort non expliquée en pleine brousse, c'est au moins du ressort du comté. Donc, elle aurait dû s'afficher sur les ordinateurs de la police d'État en une minute.

– Pourquoi, alors, n'ont-ils averti personne ?

– Je n'en sais rien. Mais ce n'est pas notre problème. »

Reacher s'assit derrière le bureau inoccupé. Un meuble d'administration purement utilitaire, des pieds en acier, un plateau d'un mètre quatre-vingt-quinze sur quatre-vingt-dix centimètres, en contreplaqué, recouvert d'un plastique qui rappelait vaguement le bois de rose ou l'acacia. Un panneau vertical cachait les jambes de son utilisateur et une colonne de trois tiroirs était rivetée aux pieds de droite. La chaise de bureau était équipée de roulettes et revêtue d'une sorte de tweed gris. Dans la police militaire, le mobilier était différent. Les chaises en vinyle. Les bureaux en acier. Reacher s'était assis à des dizaines de ces bureaux partout dans le monde. La vue qu'il voyait à travers les fenêtres pouvait changer du tout au tout, les bureaux demeuraient identiques, où que ce soit. Leur contenu aussi. Des dossiers pleins de personnes décédées ou disparues. Certaines regrettées, d'autres non.

Il repensa à Lucy Anderson, que ses amis appelaient « Lucky ». La nuit dernière, à la cafétéria. Il se rappela comme elle se tordait les mains. Il regarda Vaughan à son bureau.

« C'est quand même un peu notre problème. Ce gars-là a peut-être des gens qui s'inquiètent pour lui. »

Vaughan hocha la tête. Puis elle reprit son annuaire de la police. Reacher la vit laisser le « C » de Colorado, police d'État, pour le « D » de Despair. Elle composa le numéro et il entendit une réponse sonore dans le combiné, comme si la proximité géographique rendait plus puissant le courant dans les fils électriques. Elle débita la même requête bidon : personne disparue, race caucasienne, la vingtaine, un mètre soixante-seize, soixante-dix kilos, pas de nom, couleur indistincte car photo noir et blanc. Il y eut un petit silence puis on lui répondit brièvement.

Vaughan raccrocha.

« Rien à signaler, fit-elle. Ils n'ont jamais vu un tel type. »

DIX-NEUF

Reacher demeura assis sans broncher tandis que Vaughan rangeait un peu son bureau. Elle aligna le clavier avec le moniteur, souris parallèle au clavier, cala le téléphone bien droit derrière, puis elle ajusta l'ensemble pour que les bords soient tous parallèles ou à angle droit. Elle rangea alors les crayons dans un tiroir et chassa quelques miettes et poussières d'un revers de main.

« Les traces de brancard, fit-elle.

– Je sais, dit Reacher. Sans elles, on croirait que j'ai inventé toute cette histoire.

– S'il s'agissait bien de traces de brancard.

– Qu'est-ce que ça aurait pu être d'autre ?

– Rien, j'imagine. Elles venaient d'un brancard ancien modèle, avec des petits patins, pas des roulettes.

– D'ailleurs, pourquoi aurais-je inventé tout ça ?

– Pour vous faire remarquer.

– Je n'aime pas me faire remarquer.

– Tout le monde aime ça. Surtout les flics à la retraite. C'est une pathologie reconnue. On tente de retrouver l'action par la petite porte.

– En ferez-vous de même quand vous prendrez votre retraite ?

– J'espère que non.

– Moi, c'est pareil.

– Que se passe-t-il donc, alors ?

– Ce gars était peut-être du coin, proposa Reacher. Ils connaissaient son identité et il n'était pas le bon sujet pour une enquête de personne disparue. »

Vaughan secoua la tête.

« Ça n'a toujours aucun sens. Tout décès hors des murs doit faire l'objet d'une notification auprès du coroner du comté. Il aurait dû apparaître sur la base de données de la police d'État. Une pure statistique. La police d'État aurait dit : Bon, il paraît qu'on a retrouvé un cadavre sur la commune de Despair ce matin, voyez de quoi il retourne.

– Mais ils ne l'ont pas fait.

– Parce que Despair n'a rien signalé. Ce qui ne colle pas du tout. Que diable fabriquent-ils avec ce type ? Il n'y a pas de morgue, là-bas. Ni de chambre froide, pour autant que je sache. Même pas pour la viande.

– Donc, ils font quelque chose d'autre avec lui, dit Reacher.

– Quoi, par exemple ?

– Ils l'enterrent, probablement.

– Ce n'est pas un animal écrasé sur la route.

– Ils couvrent peut-être d'autres agissements.

– Vous affirmez qu'il est mort de mort naturelle.

– Oui, fit Reacher. Après avoir erré des jours dans le désert. Ils l'avaient peut-être chassé de la ville. De quoi leur causer un certain embarras. À supposer qu'ils soient capables de se sentir embarrassés. »

Vaughan refit non de la tête.

« Ils ne l'ont pas chassé de la ville. Nous n'avons reçu aucun appel. Et ils nous appellent à chaque fois. Toujours. Puis ils les lâchent sur la ligne de démarcation. Cette semaine, c'étaient vous et cette fille. Personne d'autre.

– Ils ne lâchent jamais les gens à l'ouest ?

– Il n'y a rien là-bas. C'est un territoire sous l'entière juridiction de l'État.

– Alors, ils sont peut-être un peu lents à la détente. Ils appelleront plus tard si ça se trouve.

– Ça ne tient pas debout, dit Vaughan. Quand vous découvrez un cadavre, vous portez une main à votre arme et l'autre à votre radio. Vous appelez les renforts, une ambulance, le coroner. Un, deux, trois. C'est un automatisme. Ici comme là-bas.

– Ils n'ont peut-être pas votre professionnalisme.

– Il ne s'agit pas d'un manque de professionnalisme. Mais d'une prise de décision immédiate en violation de la procédure : celle de ne pas alerter le coroner. Et il fallait une sérieuse raison. »

Reacher se tut.

« Peut-être qu'aucun flic n'est mêlé à cette histoire. Que c'est quelqu'un d'autre qui l'a trouvé.

– Les civils n'ont pas pour habitude de trimballer un brancard dans leur véhicule », objecta Reacher.

Vaughan acquiesça vaguement et se leva de sa chaise.

« On ferait mieux de partir d'ici avant que l'homme de quart rapplique. Sans compter le chef de poste.

– Embarrassée d'être vue en ma compagnie ?

– Un peu. Et aussi de ne pas savoir quoi faire. »

Ils remontèrent dans le vieux pick-up de Vaughan et retournèrent à la cafétéria. Le coup de feu du petit déjeuner était terminé. Le calme revenu. Reacher commanda du café. Vaughan annonça qu'elle se contenterait d'eau du robinet. Elle en sirota un demi-verre en tapotant des doigts sur la table.

« Reprenez à zéro, dit-elle. Qui était ce type ?

– Un homme de type caucasien.

– Ni hispanique ni étranger ?

– Je crois que techniquement le caucasien inclut l'hispanique. Plus les Arabes et quelques Asiatiques. Je ne me fie qu'aux cheveux. Ce n'étaient pas ceux d'un Noir. Ça, j'en suis sûr. Il aurait pu venir de n'importe où au monde.

– Peau claire ou peau foncée ?

– Je ne pouvais pas voir.

– Vous auriez dû prendre une torche.
– Au final, je suis content de ne pas l'avoir fait.
– Comment était la peau au toucher ?
– Comment ça ? Comme de la peau.
– Vous auriez dû en tirer davantage. La peau olive n'a pas le même grain que la peau blanche. Un peu plus lisse et plus épaisse.
– Vraiment ?
– Je crois. Pas vous ? »

Reacher se tâta le dessous du poignet gauche du bout de l'index droit. Puis il essaya sa joue, sous l'œil.

« Difficile à dire », fit-il.

Vaughan lui tendit le bras sur la table.

« Allez-y, comparez. »

Il lui toucha le dessous du poignet, doucement.

« Essayez mon visage, maintenant.
– Vraiment ?
– Seulement à des fins de recherche. »

Il marqua un temps d'arrêt, puis il lui toucha la joue avec le gras du pouce.

« Une texture plus épaisse que la mienne ou la vôtre. Un grain entre les deux.
– D'accord, dit-elle. Elle se toucha le poignet là où il l'avait touché, puis le visage, et dit : Donnez-moi votre poignet. »

Il le lui tendit sur la table. Elle le palpa, comme si elle lui prenait le pouls. Elle le frotta sur trois centimètres vers le haut, vers le bas, et se pencha pour lui toucher la joue de l'autre main. Le bout de ses doigts s'était refroidi sur son verre d'eau et son geste le fit sursauter. Il sentit une petite décharge électrique.

« Il n'était donc pas nécessairement blanc, mais plus jeune que vous. Moins marqué, moins ridé, moins buriné. Moins abîmé.
– Merci.
– Vous devriez utiliser une bonne crème hydratante.

– Je n'oublierai pas le conseil.
– Et une crème solaire.
– Également.
– Fumez-vous ?
– Autrefois.
– Ça ne fait pas de bien à la peau, non plus.
– Il pouvait être d'origine asiatique avec ses trois poils de barbe.
– Les pommettes ?
– Saillantes, mais il était maigre, de toute façon.
– Émacié, en vérité.
– De manière prononcée. Mais il était sans doute sec comme un clou à l'origine.
– Combien de temps met un type mince pour être émacié à ce point ?
– Je n'en suis pas certain. Dans les cinq à six jours sur un lit d'hôpital ou en cellule, si vous êtes malade ou faites la grève de la faim. Moins dehors, dans la chaleur, quand vous brûlez de l'énergie. Peut-être dans les deux ou trois jours. »

Vaughan resta un moment sans rien dire.

« Ça fait une bien longue errance, fit-elle. On doit trouver pourquoi les braves gens de Despair ont déployé tant efforts pour l'éloigner deux ou trois jours de suite. »

Reacher secoua la tête.

« On devrait plutôt chercher à savoir pourquoi il tenait tant à y rester. Il devait avoir une sacrée bonne raison. »

VINGT

Vaughan termina son verre d'eau et Reacher son café.

« Puis-je vous emprunter votre pick-up ? demanda-t-il.

– Quand ça ?

– Tout de suite. Pendant que vous dormirez.

– Non.

– Pourquoi non ?

– Vous retourneriez à Despair avec, vous vous feriez arrêter et je serais complice.

– Imaginons que je ne retourne pas à Despair.

– Où iriez-vous donc ?

– Je veux voir ce qu'il y a plus à l'ouest. Le mort devait venir de là. Je suppose qu'il n'est probablement pas passé par Hope. Vous l'auriez vu et vous vous en souviendriez. Pareil pour le mari disparu de cette fille.

– Bon argument. Mais il n'y a pratiquement rien à l'ouest de Despair. Beaucoup de presque rien, à vrai dire.

– Il doit y avoir quelque chose. »

Vaughan réfléchit.

« Ça fait un sacré tour. Vous devez pratiquement repartir jusqu'au Kansas.

– Je prends l'essence à ma charge, fit Reacher.

– Promettez-moi de ne pas mettre les pieds à Despair.

– Où s'arrête leur juridiction ?

– Huit kilomètres avant l'usine de recyclage de métaux.

– Marché conclu. »

Vaughan soupira et lui glissa ses clés sur la table.

« Allez-y, fit-elle. Moi, je rentre à pied. Je ne veux pas que vous voyiez où j'habite. »

On ne pouvait pas reculer bien loin le siège avant du vieux pick-up Chevrolet. Les rails étaient courts. Reacher se retrouva le dos droit comme un I, genoux écartés comme pour conduire un tracteur. La direction avait du jeu et les freins étaient mous. C'était pourtant mieux que d'y aller à pied. Bien mieux même. Reacher en avait soupé de la marche, au moins pour un jour ou deux.

Il s'arrêta d'abord au motel de Hope. Sa chambre se situait tout au fond, ce qui lui fit penser que celle de Lucy Anderson se trouvait plus près de l'accueil. Elle ne pouvait être nulle part ailleurs. Il n'avait repéré aucun autre endroit où passer la nuit en ville. Et elle ne dormait pas chez des amis ; ils lui auraient tenu compagnie à la cafétéria, la veille au soir, quand elle en aurait eu besoin.

Les fenêtres principales du motel donnaient toutes sur l'arrière. L'avant du bâtiment offrait une succession de portes, de chaises de jardin et de vasistas en verre dépoli qui laissaient entrer la lumière dans les salles de bains. Reacher commença par la chambre voisine de la sienne et remonta l'enfilade, à la recherche de contours flous de sous-vêtements séchant au-dessus d'une baignoire. Son expérience lui avait enseigné que les femmes de la classe et de la génération de Lucy Anderson étaient à cheval sur l'hygiène corporelle.

Les douze chambres offraient deux possibilités. Une ombre dessinait des contours plus larges que l'autre. Pas nécessairement plusieurs sous-vêtements. Juste une taille ou deux au-dessus. Une femme plus vieille, plus corpulente. Reacher frappa à l'autre porte, recula d'un pas et attendit. Un bon moment plus tard, Lucy Anderson ouvrit et se tint à l'intérieur, dans la pénombre, méfiante, une main sur la poignée.

« Bonjour, Lucky Lucy.

– Que voulez-vous ?

– Je veux savoir pourquoi votre mari s'est rendu à Despair et comment. »

Elle portait les mêmes baskets et le même genre de chaussettes miniatures. Une longue jambe lisse et parfaitement bronzée remontait du haut de la cheville. Peut-être jouait-elle au football dans l'équipe d'UCLA. Peut-être était-elle une star universitaire. Ses jambes tout en longueur s'interrompaient sur un jean découpé très court, effrangé plus haut sur les cuisses qu'à l'entrejambe, c'est-à-dire vraiment plus haut. Il n'en restait que deux centimètres à l'entrejambe.

Au-dessus du short, un nouveau sweat-shirt, bleu roi, sans aucune inscription.

« Je ne veux pas que vous recherchiez mon mari, répliqua-t-elle.

– Pourquoi ça ?

– Parce que je ne veux pas que vous le retrouviez.

– Pourquoi pas ?

– C'est évident.

– Pas pour moi, fit Reacher.

– J'aimerais que vous me laissiez tranquille, maintenant.

– Vous étiez inquiète à son sujet, hier. Plus aujourd'hui ? »

Elle fit un pas dans la lumière, un seul, et elle jeta un coup d'œil à gauche et à droite par-dessus l'épaule de Reacher. Le parking du motel était vide. Aucun véhicule hormis le vieux pick-up de Vaughan garé devant la porte de Reacher. Le sweat-shirt de Lucy Anderson était assorti à la couleur de ses yeux et ceux-ci étaient remplis de panique.

« Laissez-nous tranquilles, c'est tout », fit-elle avant de rentrer dans sa chambre et d'en refermer la porte.

Reacher s'assit un moment dans le pick-up de Vaughan avec, sur les genoux, une carte trouvée dans la portière. Le soleil brillait de nouveau et il faisait bon dans l'habitacle. D'après son expérience, les voitures étaient froides ou chaudes. Une sorte de calendrier rudimentaire. Soit été, soit hiver. Le soleil tapait sur le métal et sur les vitres, ou il ne tapait pas.

La carte lui confirma ce que lui avait appris Vaughan. Il devrait parcourir trois côtés d'un énorme rectangle, d'abord vers l'est, presque jusqu'à la frontière du Kansas, puis au nord pour rejoindre l'I-70, ensuite plein ouest, puis cap au sud sur la bretelle de sortie de cette même autoroute, celle empruntée par les camions chargés de métaux. Distance totale, près de trois cent vingt kilomètres. Durée du trajet, pas loin de quatre heures. Plus quatre heures et trois cent vingt kilomètres pour le retour, à condition de respecter l'interdiction que lui avait faite Vaughan d'emprunter les routes de Despair avec son pick-up.

Et il en avait bien l'intention.

À priori.

Il sortit du parking et prit vers l'est, refaisant en sens inverse la route effectuée en compagnie du vieux dans sa Grand Marquis. Le soleil du milieu de matinée était toujours bas sur sa droite. L'antique pot d'échappement du vieux pick-up refoulait un peu de gaz à l'intérieur, il laissa donc les fenêtres entrouvertes. Pas de vitres électriques. Juste ces poignées à l'ancienne qu'il préférait pour leur précision. Il avait baissé la vitre gauche d'environ deux centimètres et la droite d'autant. À une vitesse de croisière de quatre-vingt-dix kilomètres à l'heure, le vent sifflait doucement dans la cabine : un bourdon aigu auquel répondaient une basse rugissante annonciatrice du pire et le ténor glougloutant du moteur fatigué. Ce pick-up était un bon compagnon de voyage sur les routes secondaires. Beaucoup moins sur l'I-70. Les semi-remorques le secouaient dans tous les sens en le dépassant. Les roues étaient mal alignées et la suspension instable. Reacher sentit venir des crampes aux poignets au bout de quinze kilomètres à force de se battre pour le tenir en ligne droite. Il s'arrêta une fois pour prendre de l'essence et une autre pour un café, ravi de faire une pause dans les deux cas.

L'embranchement de l'I-70 commençait à l'ouest de Despair et virait au sud et à l'est avant de se rétrécir en une voie à double sens pour camions, moins de quarante kilomètres plus loin. Reacher la reconnut. C'était le même tronçon de route qu'il avait vu partir de l'usine à l'autre bout. Même assise robuste, même largeur, même revêtement noir rugueux, mêmes accotements sablonneux. Quatre heures exactement après son départ du motel, il ralentit, passa en roue libre, roula sur la bande rugueuse et s'arrêta, deux pneus sur le sable. Il y avait peu de circulation, seulement des camions de toutes formes qui se rendaient à l'usine de recyclage, trente kilomètres plus loin, ou qui en venaient. Essentiellement immatriculés dans le Colorado et les États voisins, et quelques-uns en provenance de l'État du Washington, du New Jersey et du Canada. Ils passèrent devant lui à pleine vitesse et la turbulence derrière eux secoua les amortisseurs du pick-up.

Despair demeurait invisible à l'horizon, hormis une tache floue au loin et un léger rideau de fumée immobile dans l'atmosphère. Plus près de huit kilomètres, mais à dix-huit kilomètres encore, apparaissaient les bâtiments gris qu'il avait déjà repérés : désormais une petite masse sombre informe, sur sa droite. Peut-être une station-service. Ou un motel. Pourquoi pas les deux. À moins qu'il ne s'agît d'une aire pour camions avec tous les services, restaurant compris. Le genre d'endroit où il lui serait possible d'avaler un repas hypercalorique.

Peut-être le genre d'endroit où le mari de Lucy Anderson et le cadavre inconnu avaient pris un repas hypercalorique avant d'arriver à Despair. Peut-être d'ailleurs le tout dernier repas du cadavre inconnu.

Quelqu'un pourrait se souvenir d'eux.

Cet endroit se situait peut-être hors du territoire de Despair.

Ou peut-être que non.

Reacher regarda dans le rétroviseur, repassa une vitesse, remonta ses roues de droite sur la chaussée et se dirigea vers l'horizon. Douze minutes plus tard, il stoppa de nouveau, juste devant un petit panneau vert sur un poteau. *Vous entrez sur le territoire de Despair. Population : 2 691 habitants,* pouvait-on y lire. Une centaine de mètres plus loin, du mauvais côté de la ligne de démarcation, on voyait un groupe de bâtiments de plain-pied.

Ils n'étaient pas de couleur grise. Un effet de la lumière, de la brume et de la distance.

Ils étaient vert olive.

Pas une station-service.

Ni un motel.

Ni une quelconque aire pour routiers.

VINGT ET UN

On comptait six bâtiments verts sans étage. Des préfabriqués métalliques disposés suivant un cahier des charges réglementaire et des normes précises. Ils étaient séparés par des allées de largeur égale, bordées de cailloux uniformes et de petite taille, peints en blanc. Entourés d'une haute enceinte de grillage renforcée de lames de rasoir, bien droite et parfaitement alignée, qui se prolongeait à l'ouest pour inclure un parking. Six Hummer blindés s'y pressaient. Chaque véhicule était équipé d'une mitrailleuse à enclenchement rapide sur le toit. Près du parking se dressait un mât de communication radio entouré de son propre grillage.

Pas un motel.

Encore moins un arrêt pour routiers.

Un poste militaire.

Plus précisément, un poste de l'armée de terre. Encore plus précisément, un poste de police militaire. Et pour être encore plus précis, un poste temporaire avancé pour une unité combattante de police militaire. Un POA, un poste opérationnel avancé. Reacher en reconnut le format et les équipements. La confirmation se trouvait affichée sur un panneau à l'entrée. Celle-ci consistait en une barrière à contrepoids flanquée d'une guérite. Le panneau, monté sur deux piquets près de la guérite, peint en vert lustré militaire, donnait l'identité de l'unité en question en caractères blancs au pochoir.

Pas une unité de la garde nationale.

Ni de réservistes.

Un régiment d'active de l'armée, un bon. Du moins, il en avait la réputation à l'époque de Reacher, et il n'y avait aucune raison de croire qu'il s'était relâché entre-temps. Absolument aucune.

La preuve de cette absence de relâchement lui fut fournie presque instantanément.

La guérite était une structure métallique avec de grandes fenêtres sur les quatre côtés. Quatre hommes à l'intérieur. Deux ne bougèrent pas, et n'en bougeraient jamais, quelles que soient les circonstances. Les deux autres en émergèrent. Ils portaient un treillis pour le désert, des bottes, un gilet pare-balles, un casque et un M-16. Ils se baissèrent sous la barrière, côte à côte, l'arme à l'épaule, et s'engagèrent sur la route. Ils exécutèrent un quart de tour gauche parfait et se dirigèrent au petit trot vers le pick-up de Reacher, du même pas, à exactement onze kilomètres à l'heure, comme on le leur avait appris. Arrivés à une trentaine de mètres, ils se séparèrent pour ne plus former une cible unique. Un homme se dirigea vers le terrain sablonneux et prit position à dix mètres à droite de Reacher, l'arme pointée. L'autre ne quitta pas la route et fit un détour pour contrôler le plateau du pick-up avant de se planter à moins de deux mètres de la vitre de Reacher et de lui lancer d'une voix forte et distincte : « Monsieur, veuillez baisser votre fenêtre. »

Et posez les mains où je puisse les voir, pensa Reacher. *Dans l'intérêt de votre sécurité.* Il descendit sa vitre jusqu'au bout et il regarda sur sa gauche.

« Monsieur, veuillez poser les mains où je puisse les voir, fit l'autre. Dans l'intérêt de votre sécurité. »

Reacher plaça ses mains en haut du volant et continua de regarder sur la gauche. L'homme devant lui était un caporal, jeune mais expérimenté, avec des rides prononcées de chaque côté des yeux. Il portait des lunettes à fine monture noire. Sur l'étiquette d'identification au côté droit de son gilet pare-balles, Reacher lut son nom : Morgan. Au loin, un camion klaxonna. Le soldat se serra sur le bas-côté et un semi-remorque passa à pleine vitesse derrière eux en soulevant une tempête de vent et de poussière. On entendit un long gémissement de pneus sous une pleine charge, le pick-up de Reacher tangua sur sa suspension, puis le silence retomba. Le soldat reprit sa position et son attitude initiale, à la fois méfiante et belliqueuse, prudente et pleine de maîtrise, son M-16 pointé vers le sol mais prêt à servir.

« Repos, caporal, fit Reacher. Il n'y a rien à voir ici.

– Monsieur, c'est à moi de le déterminer », lui dit le dénommé Morgan.

Reacher regarda devant le capot. Le partenaire de Morgan était immobile comme une statue, la crosse de son M-16 bien calée à l'épaule. Un soldat de première classe. Il visait de l'œil droit, le canon pointé sur le pneu avant droit de Reacher.

« Pourquoi vous être arrêté ici, monsieur ? demanda Morgan.

– Dois-je avoir une bonne raison ?

– Monsieur, vous m'avez l'air de surveiller une zone militaire interdite.

– Eh bien, vous vous trompez. Ce n'est pas le cas.

– Pourquoi vous êtes-vous arrêté, monsieur ?

– Arrêtez de m'appeler monsieur, s'il vous plaît.

– Pardon, monsieur ? »

Reacher sourit en son for intérieur. Un policier militaire de l'expérience de Morgan avait probablement lu des tonnes de circulaires intitulées, *Civils, Territoire national, Formes réglementaires pour échanges verbaux*, constamment révisées, amendées, mises à jour.

« Et si j'étais perdu ? fit Reacher.

– Vous n'êtes pas d'ici ?

– Non.

– Votre véhicule est immatriculé dans le Colorado.

– Le Colorado est un État étendu, dit Reacher. Plus de cent soixante mille kilomètres carrés, soldat. Le huitième plus grand des États-Unis. Du moins, en superficie. Seulement le trente-deuxième en population. Je viens peut-être d'un coin lointain et reculé. »

Morgan marqua un temps d'arrêt. Puis il demanda : « Où allez-vous, monsieur ? »

La question posa problème à Reacher. La sortie d'autoroute sur l'I-70 était petite et difficile à trouver. Impossible pour un automobiliste se dirigeant à Colorado Springs, à Denver ou à Boulder de la prendre par erreur. Invoquer une erreur de navigation éveillerait les soupçons. Éveiller les soupçons amènerait une vérification d'immatriculation du véhicule de Vaughan et l'entraînerait dans quelque chose dont il valait mieux la tenir à l'écart.

« Je vais à Hope », répondit donc Reacher.

Morgan ôta sa main gauche de son fusil et pointa droit devant.

« Dans cette direction, monsieur. Vous êtes sur la route. À trente-cinq kilomètres du centre de Hope. »

Reacher hocha la tête. Tout en pointant vers le sud-est, Morgan ne quittait pas les mains de Reacher des yeux. Un bon soldat. Expérimenté. Bien habillé. Loin d'être neuf, son treillis était bien entretenu. Ses bottes usées et rayées étaient cirées et impeccablement brossées. Le haut de ses lunettes, parfaitement aligné avec le bord de son casque. Reacher aimait les lunettes chez les soldats. Elles apportaient une dimension de vulnérabilité humaine qui contrebalançait le caractère étrange des armes et des protections.

Le visage d'une armée moderne.

Morgan se rapprocha encore du pare-chocs de Reacher et un nouveau camion les dépassa à toute allure. Il s'agissait d'un camion semi-remorque immatriculé dans le New Jersey, cette fois, qui portait un conteneur d'expédition de quinze mètres. Telle une brique géante lancée à quatre-vingt-dix kilomètres à l'heure. Un bruit, du vent, un long panache de poussière tourbillonnante. Le pantalon de treillis de Morgan se colla à ses jambes et des minitornades de poussière dansèrent tout autour de ses chevilles. Il ne cligna même pas des yeux derrière ses lunettes.

« Ce véhicule vous appartient-il, monsieur ? demanda-t-il.

– Je ne suis pas sûr que vous ayez le droit d'exiger ce type d'information.

– Aux abords d'une zone militaire interdite, je dirais que je peux demander pratiquement n'importe quelle information. »

Reacher ne répondit pas.

Morgan reprit :

« Avez-vous la carte grise et l'attestation d'assurance ?

– Dans la boîte à gants », dit Reacher, sans prendre grand risque.

Vaughan était flic. La plupart des flics avaient leurs papiers à jour. L'inverse serait trop embarrassant.

« Puis-je voir ces documents, monsieur ?

– Non.

– Monsieur, il m'apparaît désormais que vous approchez une zone militaire interdite dans un véhicule de transport de marchandise volé.

– Vous avez déjà vérifié derrière. C'est vide. »

Morgan se tut.

« Détendez-vous, caporal, fit Reacher. Nous sommes au Colorado, pas en Irak. Je ne vais pas faire sauter quoi que ce soit.

– J'aurais préféré que vous n'utilisiez pas ces propos, monsieur.

– Repos, Morgan. Je vous indiquais ce que je ne ferais pas.

– On ne plaisante pas là-dessus.

– Je ne plaisantais pas.

– Il me faut voir ces documents, monsieur.

– Vous outrepassez les limites de votre autorité.

– Monsieur, je dois les voir, vite.

– Vous avez un juriste agréé par le juge-avocat général au poste ?

– Négatif, monsieur.

– Ça ne vous gêne pas de prendre sur vous cette décision ? »

Morgan ne répondit pas. Il se rapprocha de nouveau du pare-chocs et un camion-citerne les dépassa plein pot. Il avait un losange orange à l'arrière, transport de produits chimiques dangereux, et une carrosserie en aluminium si luisante que Reacher se vit dedans comme dans un miroir déformant. Puis le souffle s'estompa dans son sillage, Morgan reprit sa position et dit : « Vous devez me montrer ces documents, monsieur. Agitez-les seulement devant moi, si vous voulez. Pour me prouver que vous les avez en votre possession. »

Reacher haussa les épaules, se pencha et ouvrit la boîte à gants. Il fouilla dedans et découvrit un petit porte-cartes noir dans un fatras de stylos, d'étuis de kleenex vides et d'autres bricoles. Il était noir avec un écusson argenté en forme de volant. Un de ces articles bon marché en vente dans les stations-service et les stations de lavage, au côté de désodorisants pour voitures en forme de conifère, et de boussoles sphériques à coller au pare-brise par une ventouse. Le plastique était devenu raide et cassant avec l'âge, et le noir virait au gris sale.

Reacher ouvrit le porte-cartes hors du champ de vision de Morgan. À gauche, sous sa protection transparente, se trouvait un certificat d'assurance valide. À droite, le certificat d'immatriculation.

L'un et l'autre établis au nom de David Robert Vaughan, domicilié à Hope dans le Colorado.

Reacher tint le porte-cartes ouvert avec son pouce et l'agita dans la direction de Morgan, assez longtemps pour qu'il identifie les documents, mais pas suffisamment pour qu'il en lise un.

« Merci, monsieur. »

Reacher rangea le porte-cartes dans la boîte à gants, dont il referma le couvercle.

« Maintenant, il faut vous en aller, monsieur. »

Ce qui posait un nouveau problème à Reacher. S'il continuait sur la même route, il entrait dans Despair. S'il faisait demi-tour, Morgan se demanderait pourquoi il avait soudain changé d'avis et n'allait plus à Hope, et il serait tenté de faire vérifier l'immatriculation du véhicule.

Qu'est-ce qui était le plus dangereux ?

Morgan, de loin. Un match entre la police de Despair et une unité combattante de police militaire était une sorte de non-match. Reacher enclencha donc une vitesse et tourna le volant.

« Bonne journée, caporal », lança-t-il, et il quitta l'accotement. Il accéléra et, un mètre plus loin, dépassa le petit panneau vert et le nombre d'habitants de la ville de Despair augmenta provisoirement de 2 691 à 2 692.

VINGT-DEUX

La solide route à deux voies continuait pratiquement tout droit sur huit kilomètres jusqu'aux portes de l'usine de recyclage. Cent mètres avant, un embranchement non signalé partait dans le désert sur la gauche et formait l'extrémité ouest de l'unique route qui traversait Despair. Reacher la reconnut sans difficulté. Cambrure inégale, revêtement de mauvaise qualité, gravillons et petits cailloux. Il s'arrêta pour laisser passer un semi-remorque chargé de barres d'acier luisantes, puis il attendit encore devant un camion à conteneur à destination du Canada. Il prit alors à gauche, se fit secouer en passant sur la surface rugueuse, continua et vit redéfiler dans l'ordre inverse tout ce qu'il avait vu la veille : le long mur de l'usine en plaques de tôle soudées, sa peinture blanche éclatante, les étincelles et la fumée dégagées par l'activité à l'intérieur, les grues en mouvement. Il tendit le bras de l'autre côté de l'habitacle, descendit la vitre côté passager, entendit le bruit des presses et sentit des odeurs âcres de produits chimiques.

Il atteignit l'aire de parking près de l'entrée du personnel et devina un véhicule de sécurité, celui tournant dans le sens des aiguilles d'une montre, qui cahotait dans les broussailles au loin, sur sa droite. Son équivalent en sens inverse se trouvait beaucoup plus près. Dans le parking. À trente à l'heure, vitres teintées fermées, il ralentit pour vérifier s'il pouvait couper la route à angle droit. Reacher accéléra et le 4 × 4 Tahoe freina davantage avant de traverser juste derrière lui. Reacher le vit passer dans son dos, grossi par le rétroviseur. Il roula, laissa l'usine derrière lui, et le centre de Despair surgit à cinq kilomètres en face, sur sa droite. Des cubes de brique, bas sur l'horizon, ternes sous le soleil de l'après-midi. La route était dégagée. Elle montait, descendait, virait légèrement à droite et à gauche, évitant tout accident géologique plus gros qu'un frigo. Du génie civil à la petite semaine, ni aplani ni réaligné depuis l'époque où il n'était qu'un chemin de terre.

Un kilomètre et demi plus loin, une voiture de police émergea d'une rue transversale.

Impossible de s'y tromper. Une Crown Victoria blanc et or, pare-chocs noir renforcé à l'avant, lumières sur le toit, antennes fixées sur le coffre. Elle avança, marqua un temps d'arrêt et tourna à gauche.

Vers l'ouest.

Droit sur Reacher.

Celui-ci vérifia sa vitesse. Il était à quatre-vingts, impossible d'aller plus vite sans forcer. Il n'avait aucune idée du maximum autorisé à Despair. Il descendit à soixante et poursuivit sa route. Le flic n'était plus qu'à un kilomètre et demi et il allait vite. Vitesse de rapprochement entre les deux véhicules : plus de cent soixante. Temps avant contact : trente-cinq secondes environ.

Reacher continua à rouler.

Le soleil était dans son dos, donc dans les yeux du flic : un bon point. Le vieux pick-up Chevrolet avait un pare-brise ordinaire non teinté : un mauvais point. Dix secondes avant le contact, Reacher leva sa main gauche du volant et la porta à son front, comme s'il se massait les tempes pour chasser une migraine. Il conserva une vitesse constante, les yeux fixés droit devant lui.

La voiture de police le dépassa à pleine vitesse.

Reacher reposa la main sur le volant et regarda dans le rétro.

Le flic venait de freiner sèchement.

Tout en conservant un œil sur le rétro, Reacher fit un rapide calcul. Il lui restait peut-être vingt-quatre kilomètres avant d'atteindre la ligne de démarcation avec Hope, et ce pick-up fatigué ne dépasserait pas les cent dix kilomètres à l'heure maximum. La Crown Victoria n'était pas un véhicule extraordinairement puissant, mais la version Interception pour la police offrait un rapport d'axe bas, pour une meilleure accélération, et un double pot pour améliorer l'échappement. Elle ferait facilement du cent quarante. Elle le rattraperait donc en trois minutes, pratiquement au niveau du motel abandonné, juste avant les dix-neuf kilomètres de route en rase campagne.

Rien de bon.

Derrière lui, la Crown Victoria effectua un demi-tour sur les chapeaux de roue.

Pourquoi donc ?

Despair était à la botte d'une seule entreprise, mais ses routes appartenaient au domaine public. N'importe quel citoyen de Hope les empruntait pour rentrer chez lui en venant de l'I-70. Certains résidents du Kansas en faisaient autant. Les véhicules étrangers à Despair ne pouvaient pas être considérés comme des raretés.

Reacher regarda encore dans le rétro. La Crown Victoria le poursuivait, pleins gaz. Nez relevé, arrière baissé.

L'agent de sécurité du Tahoe l'avait peut-être signalé. Il avait peut-être vu et reconnu les traits de Reacher. Les adjoints qui l'avaient coincé au restaurant se relayaient peut-être à cette fonction.

Reacher continua sa route. Il atteignit le premier quartier du centre-ville.

Dix pâtés de maisons plus loin, une seconde Crown Victoria apparut.

Pour s'immobiliser en plein milieu de la route.

Reacher écrasa le frein, s'accrocha au volant et braqua sec à droite, dans les rues adjacentes en damier. Une manœuvre désespérée. Il était le dernier au monde à pouvoir l'emporter dans une course-poursuite en voiture. Il n'était pas un conducteur d'exception. Il avait suivi, comme une simple échappatoire, le cours de conduite à Fort Rucker durant ses classes d'officier de police militaire, et il n'avait impressionné personne. On lui avait tout juste donné le certificat, surtout par charité. Un an plus tard, le centre de formation était transféré à Fort Leonard Wood, sur un parcours plus délicat, et il savait qu'il y aurait échoué. La chance, le bon moment. Parfois, ça aide.

Et parfois, ça vous rend vulnérable.

Il croisa trois carrefours de suite et tourna à gauche, à droite, à gauche, sans s'arrêter ni réfléchir. Les rues étaient sans cachet, étroites, coincées entre des bâtiments tristounets, mais son sens de l'orientation dépassait ses talents de conducteur et il savait qu'il se dirigeait toujours plein est, parallèlement à Main Street, deux pâtés de maisons au sud. La circulation en ville était clairsemée. Il fut retardé par une femme qui se traînait dans une vieille Pontiac, mais les pâtés de maisons étaient peu étendus, et il résolut ce problème en enchaînant un virage à droite, un autre à gauche, pour la contourner par le sud.

Ses poursuivants étaient invisibles derrière lui. Les statistiques jouaient en sa faveur. Il se dit que le centre-ville formait un carré d'environ douze pâtés de maisons, ce qui donnait deux cent quatre-vingt-huit tronçons de rues différents entre les changements de direction possibles, ses chances de tomber sur ses ennemis étaient donc faibles s'il allait toujours de l'avant.

Mais ses chances d'échapper à ce labyrinthe l'étaient tout autant. Tant que le second flic bloquait Main Street à sa sortie est, Hope était rayé de la liste des destinations. Et on pouvait aussi supposer que les Tahoe autour de l'usine étaient en état d'alerte à l'ouest. Et Despair devait aussi compter nombre de bons citoyens avec des 4 × 4 plus rapides que le vieux pick-up de Vaughan en terrain découvert. Ça pouvait faire une vraie petite troupe au total.

Reacher donna un coup de volant à gauche, au hasard, histoire d'avancer. La voiture qui le poursuivait traversa l'intersection juste devant lui. Elle passa de gauche à droite et disparut. Reacher prit à gauche dans la même rue et la vit dans son rétro s'éloigner en sens opposé. Il se dirigeait maintenant vers l'ouest. Sa jauge d'essence était au-delà du quart. Il bifurqua à droite au carrefour suivant et prit plein nord en direction de Main Street. Là, il tourna vers l'est et fit le point.

La seconde Crown Victoria était toujours positionnée en travers de la route et barrait les deux voies, dix mètres à l'est du dernier pâté de maisons habitées, juste derrière l'épicerie. Ses lumières rouges clignotaient sur le toit pour prévenir les véhicules arrivant en ville. Une grosse voiture, près de cinq mètres et demi de long, une des dernières berlines américaines de bonne taille, qui laissait quand même un espace libre d'un mètre vingt entre le bout de son capot et le trottoir, et quatre-vingt-dix centimètres entre son coffre et le trottoir d'en face.

Pas moyen. Le pick-up Chevrolet de Vaughan approchait le mètre quatre-vingts de large.

À Fort Rucker, les as de la fuite au volant avaient pour devise : « Ne mourez pas sur la route, roulez sur les trottoirs. » Reacher en avait la possibilité. Il pouvait contourner le flic, deux roues sur le trottoir. Et alors ? Il se ferait courser sur dix-neuf kilomètres dans un véhicule qui n'avançait pas.

Pas moyen.

Il prit la suivante à droite et s'enfonça de nouveau dans le labyrinthe des petites rues du centre-ville. Et il revit la première Crown Vic lui filer devant, d'est en ouest, cette fois, trois carrefours plus loin. Il tourna à gauche pour s'en éloigner. Il ralentit et se mit à l'affût d'un marchand de voitures d'occasion. Dans les films, on se gare au bout d'une rangée d'occasions du même modèle et les flics passent devant sans vous voir.

Il n'en trouva aucun.

À vrai dire, il ne croisa pas grand-chose. En tout cas, rien d'utile. Il passa devant le poste de police deux fois, devant l'épicerie, le coiffeur, le bar, la pension et le vieil hôtel déjà repérés en allant au restaurant dont on l'avait expulsé. Il remarqua une façade d'église. Une confession marginale en rapport avec la fin du monde. La seule en ville, selon Vaughan, là où officiait comme prédicateur laïc le seigneur de la cité. Un affreux bâtiment de plain-pied, en brique, avec un clocheton trapu pour dominer le voisinage. Le clocheton était équipé d'un paratonnerre en cuivre dont la gaine, qui descendait jusqu'à la rue, avait viré au vert-de-gris. La seule ligne de couleur à Despair : une fine barre verticale qui tranchait ferme sur la grisaille ambiante.

Il roula, écarquillant les yeux, sans rien noter d'autre d'intéressant. Il aurait bien aimé voir un vendeur de pneus, peut-être, pour y monter le vieux pick-up de Vaughan sur un pont, à l'abri des regards. Il aurait pu en profiter pour refaire équilibrer l'ensemble du train.

Il n'en trouva aucun.

Il roula, tourna à droite, à gauche, au hasard. Il revit passer la première Crown Victoria, trois fois en trois minutes : deux fois devant, une fois derrière, dans le rétro. La quatrième, une minute plus tard. Reacher s'arrêta à un carrefour et l'autre déboucha sur sa droite, s'arrêta en même temps que lui. Reacher et le flic se retrouvèrent à angle droit, les capots en chevron, à trois mètres l'un de l'autre, immobiles. Le flic était celui qui l'avait arrêté. Grand, carré, le teint mat. Veston fauve. Il lui décocha un sourire. Lui fit signe d'y aller, comme s'il lui cédait le passage, question de priorité.

Reacher était un piètre conducteur, mais pas stupide à ce point. Pas question de laisser ce flic le suivre. Il passa sèchement la marche arrière et recula. Le flic accéléra d'un coup et tourna comme pour le suivre. Reacher attendit qu'il ait entamé la manœuvre pour repasser la première et se faufiler entre le mur et lui, flanc contre flanc. Il enchaîna alors un virage à gauche, à droite, puis de nouveau à gauche pour s'assurer qu'il l'avait semé.

Puis il roula sans s'arrêter. Il conclut que ses virages à l'aveuglette ne servaient à rien. Il avait autant de chances de se jeter dans la gueule du loup que de lui échapper. Il se contenta donc d'aller pratiquement tout droit jusqu'au bout de la rue.

Puis il tourna. Il finit par décrire une suite de grands cercles concentriques à vitesse relativement réduite, pour ne prendre aucun risque, mais assez rapide pour écraser le champignon, si nécessaire, sans épuiser le moteur.

Il repassa trois fois devant l'église, le bar, l'épicerie et le vieil hôtel décrépit. Puis devant la pension. Dont la porte s'ouvrit derrière son épaule. Du coin de l'œil, il vit un type en sortir.

Jeune.

Costaud.

Grand, blond, carré. Un athlète. Des yeux bleus, les cheveux en brosse, un beau bronzage. En jeans et tee-shirt sous un polo en V.

Reacher écrasa le frein et tourna la tête. Mais l'autre avait vite disparu au coin de la rue. Reacher passa la marche arrière et recula. Un klaxon retentit et un vieux 4 × 4 fit une embardée. Reacher ne s'arrêta pas. Il retraversa le croisement en marche arrière et balaya du regard les trottoirs.

Personne. Rien que des trottoirs vides. Dans le rétro, Reacher reconnut son poursuivant, trois pâtés de maisons plus à l'ouest. Il repassa en première et roula, tourna à gauche, à droite, et décrivit d'autres grands cercles sans but précis.

Il ne revit pas ce jeune homme.

Mais il revit deux fois le flic. Il allait d'un croisement à l'autre, au loin, comme s'il avait tout son temps. Ce qui était le cas. Deux heures et demie de l'après-midi, une moitié de la population au travail à l'usine, l'autre à faire le ménage, de la pâtisserie, un semblant de sieste, affalé dans un fauteuil à regarder la télé, l'unique route de la ville verrouillée aux deux bouts. Le flic s'amusait. Il avait coincé Reacher et il le savait.

Reacher aussi.

Aucune sortie de secours.

Il était temps de se battre.

VINGT-TROIS

Un crétin d'instructeur du centre de formation de la police militaire de Fort Rucker avait un jour rabâché la vieille scie suivant laquelle : « Supposer, c'était poser ce qui n'était pas su. » Il l'avait montré au tableau noir en écrivant : su, (p)poser. Dans l'ensemble, Reacher était d'accord, même si l'autre était un crétin. Mais il fallait bien parfois émettre des hypothèses, et, en la circonstance, il décida de supposer que, même s'ils étaient piètrement formés, les flics de Despair ne risqueraient pas un coup de feu avec des passants dans leur ligne de tir. Il se gara donc contre le trottoir en face du restaurant, sortit du pick-up de Vaughan, traversa la rue et s'installa devant la vitrine.

Dans son dos, l'affluence était raisonnable. La même serveuse officiait. Neuf clients finissaient un déjeuner tardif. Un groupe de trois personnes, un couple et quatre célibataires répartis dans la salle.

Autant de dommages collatéraux en puissance.

La vitrine était froide contre l'épaule de Reacher. Il le sentit malgré sa chemise. Le soleil brillait toujours, mais il avait baissé et les rues étaient à l'ombre. Une légère bise s'était levée. De petits tas de poussière volaient ici et là sur le trottoir. Reacher déboutonna ses manches et les retroussa sur ses avant-bras. Il cambra l'échine pour lutter contre la crampe qui menaçait après être resté si longtemps assis dans l'habitacle étriqué du pick-up. Il ouvrit, ferma les mains et décrivit plusieurs cercles avec la tête pour se détendre le cou.

Puis il attendit.

Le flic se pointa, deux minutes et quarante secondes plus tard. La Crown Victoria arriva par l'ouest, stoppa deux carrefours plus loin et marqua un temps d'arrêt, comme si l'homme à l'intérieur avait du mal à appréhender ce qu'il avait sous les yeux. Pick-up garé, suspect debout, en attente. Puis la voiture bondit en avant, traversa les carrefours et vint se coller derrière le pick-up, sur le trottoir de droite, face à l'est, le pare-chocs avant à moins de deux mètres cinquante de Reacher. Le flic laissa tourner le moteur, ouvrit sa porte et sortit sur la route. Encore une impression de déjà-vu. Un grand type, la quarantaine, cheveux noirs, cou de taureau. Veste et pantalon marron, la marque du chapeau sur le front. Il tira son Glock de sa ceinture et le tendit droit devant lui, à deux mains, les cuisses écartées appuyées sur le côté du pare-chocs, et dévisagea Reacher de l'autre côté du capot.

Bonne approche, si l'on oubliait les innocents derrière la vitrine.

« On ne bouge plus, hurla le flic.

– Je n'ai pas l'intention de m'en aller, fit Reacher. Pas encore.

– Monte dans la voiture.

– Venez me chercher.

– Je vais tirer.

– Vous ne le ferez pas. »

L'autre marqua un temps d'arrêt et se concentra sur ce qui se passait dans le restaurant, derrière la tête de Reacher. Celui-ci était absolument certain que la police de Despair n'était pas formée à l'usage des armes à feu et n'en connaissait pas le protocole, l'hésitation du type relevait alors juste du bon sens. À moins que certains membres de sa famille n'aient l'habitude de s'attarder au déjeuner.

« Monte dans la voiture, répéta le policier.

– Je n'en ferai rien », répliqua Reacher.

Il sentit le froid contre ses omoplates, mais resta tranquillement adossé à la vitrine, l'air inoffensif.

« Je vais tirer, répéta le flic.

– Vous ne pouvez pas. Vous allez avoir besoin de renforts. »

Le flic marqua un autre temps d'arrêt. Puis il se coula sur la gauche, vers la portière, côté conducteur. L'arme et les yeux toujours braqués sur Reacher, il tâtonna d'une main à travers la vitre ouverte, attrapa son micro Motorola et en tendit le fil jusqu'au bout. Il le porta à sa bouche et appuya sur le bouton.

« Au restau, frérot. Tout de suite », dit-il.

Il coupa la communication et jeta le micro sur le siège, puis il reposa les deux mains sur son arme et reprit sa position derrière le pare-chocs.

Le compte à rebours démarra.

Un seul homme, ce serait facile.

Deux, sans doute plus dur.

Il fallait que le second se bouge, mais Reacher ne pouvait se permettre d'attendre qu'il débarque.

Pas un bruit, hormis ceux du moteur au ralenti de la voiture de police et des assiettes qui s'entrechoquaient au loin dans la cuisine du restaurant.

« Lavette, lança Reacher. Une affaire comme celle-là, tu aurais dû t'en débrouiller tout seul. »

Le flic serra les dents et se rapprocha du capot de son véhicule, l'arme en avant, ajustant sa visée. Il atteignit le pare-chocs, le tâta des genoux. En fit le tour, se rapprocha.

Il enjamba le caniveau et s'avança davantage.

Reacher attendit. Le flic était désormais sur sa droite, Reacher fit donc un pas sur la gauche pour que l'autre ait toujours la même ligne de tir, dangereuse, neutralisante. Le Glock suivit son mouvement, fermement tenu à deux mains.

« Monte dans la voiture », répéta encore le flic.

Il fit un pas en avant.

Il était maintenant à un mètre cinquante, à un carré de béton du trottoir.

Toujours adossé à la vitrine, Reacher appuya son talon droit contre le bas du mur.

Le flic se rapprocha.

Le canon du Glock se trouvait à présent à trente centimètres de la gorge de Reacher. Ce flic était grand, les deux bras tendus, les deux pieds bien écartés en position de combat.

Parfait, s'il était décidé à tirer.

Mais il ne l'était pas.

S'emparer de l'arme d'un homme disposé à s'en servir n'était pas nécessairement difficile. S'emparer de celle d'un type qui savait qu'il ne ferait pas feu tenait presque du jeu d'enfant. Le flic détacha la main gauche de son arme, prêt à saisir Reacher par le col. Reacher glissa sur la droite, le dos fermement appuyé à la vitrine, nettoya sa chemise contre le verre propre, sans frotter, et se posta à l'intérieur de la ligne de tir. Il leva l'avant-bras gauche et l'abattit dans un même geste rapide, un, deux, et serra sa main droite sur celle du flic et sur le Glock. Le flic était massif et avait de grandes mains, mais celles de Reacher l'étaient plus encore. Il poussa vers le bas, serra fort et fit pointer l'arme vers le sol en un seul geste. Puis il serra encore plus fort pour paralyser le doigt du flic sur la détente, regarda celui-ci droit dans les yeux, lui sourit brièvement et, prenant impulsion sur son talon appuyé au mur, jaillit en avant et délivra un coup de boule magistral en plein sur le nez de l'autre.

Le flic recula, les jambes en coton.

Reacher reprit la main qui tenait l'arme et flanqua un coup de genou dans l'entrejambe de son adversaire. Le flic s'effondra plus ou moins à la verticale, mais Reacher lui maintint la main tordue vers le haut pour que son épaule se déboîte sous son propre poids en tombant. Le type hurla de douleur et le Glock ne tarda pas à se libérer.

Il s'agissait alors de se préparer en vitesse.

Reacher contourna rapidement le capot de la Crown Victoria et ouvrit la portière à la volée. Il jeta le Glock à l'intérieur, se glissa sur le siège et boucla sa ceinture de sécurité, serrée mais confortable. Le siège avait conservé la chaleur du flic et la voiture sentait la transpiration. Reacher passa la marche arrière, s'écarta du pick-up Chevrolet, fit demi-tour, revint se placer bord à bord à côté de lui, sur la mauvaise file, nez vers l'est, et attendit.

VINGT-QUATRE

La deuxième voiture de patrouille arriva moins d'une minute plus tard, juste au bon moment. Reacher devina l'éclat du gyrophare rouge une seconde avant que la Crown Victoria ne tourne au loin à vive allure. Elle dérapa un peu, redressa sa trajectoire et accéléra dans la rue étroite qui menait au restaurant, avec détermination et douceur.

Reacher la laissa traverser une intersection, une deuxième, puis, lorsqu'elle fut à trente mètres de lui, il écrasa l'accélérateur, fondit sur sa cible et la percuta de plein fouet. Les deux voitures se rentrèrent dedans, pare-chocs contre pare-chocs, leurs essieux arrière se soulevèrent, les tôles se froissèrent, les capots volèrent, du verre éclata, les airbags se gonflèrent d'un coup et des jets de vapeur fusèrent de partout. Reacher fut projeté en avant contre sa ceinture. Il avait écarté les mains du volant et levé les coudes pour amortir l'impact de l'airbag. Celui-ci se gonfla et Reacher fut rejeté contre l'appui-tête. L'arrière de son véhicule retomba brutalement, rebondit une fois et s'immobilisa en biais. Il tira le fusil à pompe Mossberg de son étui derrière le siège, força la portière à s'ouvrir contre le pare-chocs tordu et s'extirpa de la voiture.

L'autre conducteur n'avait pas sa ceinture attachée.

Il avait pris l'impact de l'airbag en plein visage et gisait sur les deux sièges avant, des filets de sang sous le nez et dans les oreilles. Les deux véhicules étaient en piètre état. Les habitacles étaient toutefois épargnés pour l'essentiel. Des grosses berlines avec cinq étoiles aux crash tests. Reacher était quasiment certain qu'elles ne pouvaient plus rouler, mais, n'étant pas un expert en automobiles, il s'en assura en armant par deux fois le Mossberg et en lâchant deux bruyants coups de fusil dans les jupes d'aile pour démolir les pneus et quelques petites pièces essentielles. Il jeta ensuite le fusil à pompe par la vitre ouverte de la première Crown Victoria, s'écarta, monta dans le pick-up Chevrolet de Vaughan et s'éloigna en marche arrière du monceau de tôles. La serveuse et ses neuf clients écarquillaient les yeux derrière la vitrine du restaurant, bouche bée sous le choc. Deux hommes sortirent leur portable.

Reacher sourit. Qui allaient-ils appeler ?

Il fit demi-tour, prit à droite, avança plein nord vers Main Street, tourna de nouveau à droite et roula en direction de l'est à quatre-vingts kilomètres à l'heure. Arrivé sur la route désertique, après la station-service, il monta à cent en gardant un œil sur le rétroviseur. Personne ne le suivait. Il sentit la voie rugueuse sous ses pneus, mais moins fort que les fois précédentes. L'airbag et les deux détonations du Mossberg l'avaient rendu un peu sourd.

Vingt minutes plus tard, il passa sur le joint de dilatation et roula tranquillement jusqu'au centre de Hope. Il était quinze heures tapantes.

Il ignorait combien de temps dormirait Vaughan. Il se dit qu'elle avait dû poser la tête sur l'oreiller vers neuf heures du matin, soit six heures auparavant. Un repos de huit heures la mènerait jusqu'à cinq heures, une heure de lever raisonnable pour être sur le pont à sept heures du soir. À moins qu'elle ne fût déjà debout. Certains dorment moins bien le jour que la nuit. Une question d'habitude, de degré d'accoutumance, de rythme circadien. Il décida de se rendre à la cafétéria. Si elle n'y était pas, il laisserait ses clés à la caissière.

Elle y était déjà.

Il se gara contre le trottoir et la vit, seule dans le box qu'ils occupaient le matin même. Elle était en uniforme, quatre heures avant le début de son service. Devant elle, une assiette vide et une tasse de café pleine.

Il ferma le pick-up, entra et s'assit en face d'elle. De près, elle avait les traits tirés.

« Pas dormi ? demanda-t-il.

– Ça se voit tant que ça ?

– J'ai un aveu à vous faire.

– Vous êtes entré dans Despair. Avec mon pick-up. Je le savais.

– J'ai dû y aller.

– C'est ça.

– Quand avez-vous emprunté la route de l'ouest pour la dernière fois ?

– Il y a des années. Pour ne pas dire jamais. J'essaie d'éviter Despair.

– Il y a une base militaire, juste à l'entrée de leur juridiction. Plutôt récente. Pourquoi ?

– Des bases militaires, il y en a partout.

– Il s'agit d'une unité de combat de la police militaire.

– Il faut bien les mettre quelque part.

– À l'étranger, c'est là qu'on en a besoin. L'armée manque cruellement d'hommes, aujourd'hui. Elle ne peut pas se permettre de gâcher des bonnes unités au milieu de nulle part.

– Ce n'en est peut-être pas une.

– Ça l'était.

– Elle est peut-être en attente de déploiement.

– Elle vient de rentrer. Elle a passé un an sous un soleil de plomb. Le type à qui j'ai causé avait des rides autour des yeux comme vous n'imaginez pas. Son équipement était râpé par le sable.

– On en a ici, du sable.

– Pas le même.

– Que voulez-vous dire ? »

La serveuse s'approcha et Reacher commanda du café. La tasse de Vaughan était encore pleine.

« Je me demande pourquoi on a retiré une bonne unité du Moyen-Orient pour la poster ici, dit-il.

– Je n'en sais rien. Le Pentagone ne donne pas d'explications aux polices locales. »

La serveuse apporta une tasse à Reacher, qu'elle remplit avec sa Thermos.

« Quel est exactement le rôle d'une unité combattante de police militaire ? » demanda Vaughan.

Reacher avala une gorgée de café.

« Un rôle de protection. Convois, installations. Elle assure la sécurité et repousse les assauts.

– Engagement au combat ?

– Si nécessaire.

– Ça vous est arrivé ?

– Quelquefois. »

Vaughan ouvrit la bouche puis la referma, alors même que son cerveau lui apportait une réponse à la question qu'elle allait poser.

– Précisément, fit Reacher. Qu'y a-t-il à protéger à Despair ?

– Êtes-vous en train de me dire que ces policiers militaires vous ont obligé à entrer dans Despair ?

– C'était le moins risqué. Autrement, ils auraient vérifié l'immatriculation de votre véhicule.

– Avez-vous traversé la ville sans problème ?

– Votre pick-up est intact. Même s'il n'est pas exactement à votre nom, n'est-ce pas ?

– Que voulez-vous dire ?

– Qui est David Robert Vaughan ? »

Elle le regarda un moment sans répondre. Puis elle répliqua :

« Vous avez regardé dans la boîte à gants. Les papiers.

– Un homme armé voulait les voir.

– Bonne raison.

– Bon, qui est David Robert ?

– Mon mari. »

VINGT-CINQ

« Je ne savais pas que vous étiez mariée », dit Reacher.

Vaughan regarda son café tiède et prit son temps pour répondre.

– Parce que je ne vous en ai pas parlé. Vous pensiez que je vous le dirais ?

– Pas vraiment, j'imagine.

– Ai-je l'air d'une femme mariée ?

– Pas le moins du monde.

– Vous pouvez l'affirmer d'un simple coup d'œil ?

– Oui, en général.

– Comment ?

– Quatrième doigt, main gauche, pour commencer.

– Lucy Anderson ne porte pas d'alliance, elle non plus. »

Reacher acquiesça.

« Je pense avoir vu son mari, aujourd'hui.

– À Despair ?

– Il sortait de cette pension qui a des chambres à louer.

– C'est à l'écart de Main Street.

– Je jouais au chat et à la souris avec les barrages.

– Super.

– Ce n'est pas mon talent le plus impressionnant.

– Comment leur avez-vous échappé, alors ? On ne peut entrer et sortir de Despair que par une seule route.

– C'est une longue histoire, fit Reacher.

– Et ?

– La police de Despair manque temporairement de personnel.

– Vous en avez mis un hors service ?

– Les deux. Plus leurs véhicules.

– Vous alors, vous êtes incroyable.

– Non, mais j'ai une règle d'or. Quand les gens ne me cherchent pas, je les laisse tranquilles. Dans le cas contraire, ils me trouvent.

– Ils viendront vous chercher ici.

– Sans aucun doute. Mais pas tout de suite.

– Dans combien de temps ?

– Ils panseront leurs blessures, un jour ou deux. Après, ils se remettront en selle. »

Reacher la laissa avec ses clés de voiture devant elle, sur la table, descendit Third Street, acheta des chaussettes, des sous-vêtements et un T-shirt à un dollar dans un magasin de confection à l'ancienne, à côté d'un supermarché. Il s'arrêta dans une pharmacie, en ressortit avec de quoi se raser, puis se dirigea vers la quincaillerie à l'extrémité ouest de Main Street. Il se faufila entre les échelles et les brouettes et parcourut des allées chargées de panoplies d'outillage pour tomber sur un portant de pantalons de grosse toile et de chemises en flanelle. Des vêtements américains traditionnels, fabriqués en Chine et au Cambodge. Il choisit un pantalon vert olive foncé et une chemise à carreaux couleur terre. Pas aussi bon marché qu'il l'aurait voulu, mais pas non plus hors de prix. Le vendeur les plia dans un sac en papier marron et Reacher rentra avec au motel, se rasa, prit une longue douche, se sécha et enfila ses habits neufs. Il fourra son vieil uniforme gris d'homme de maintenance dans la poubelle.

C'était mieux que laver son linge.

Ses vêtements neufs étaient raides comme du carton, au point qu'il avait du mal à bouger dedans. Visiblement, en Extrême-Orient, l'industrie textile prenait la résistance de ses produits très au sérieux. Il s'accroupit plusieurs fois, replia les biceps pour faire craquer l'apprêt, puis sortit et alla frapper chez

Lucy Anderson, quelques portes plus loin. Une minute plus tard, elle ouvrit. Elle n'avait pas changé. Longues jambes, short riquiqui, sweat-shirt bleu uni. Jeune, vulnérable. Et méfiante, hostile.

« Je vous ai dit de me laisser tranquille.

– Je suis presque sûr d'avoir aperçu votre mari, aujourd'hui. »

Ses traits se détendirent l'espace d'un instant.

« Où ça ?

– À Despair. On dirait qu'il y loue une chambre.

– Il allait bien ?

– Il avait l'air.

– Qu'est-ce que vous comptez faire avec lui ?

– Qu'est-ce que vous voudriez que je fasse ? »

Elle reprit son expression renfermée.

« Vous devriez le laisser tranquille. »

– C'est ce que je vais faire. Je ne suis plus flic, je vous l'ai dit. Juste un vagabond, comme vous.

– Pourquoi êtes-vous retourné à Despair, alors ?

– Une longue histoire. Il fallait que j'y aille.

– Je ne crois pas. Vous êtes un flic.

– Vous avez vu ce que contenaient mes poches.

– Vous aviez laissé votre insigne à l'hôtel.

– Non. Vous voulez vérifier ? Ma chambre est juste à côté. »

Elle eut un air affolé et s'accrocha des deux mains au chambranle de la porte, comme s'il allait la saisir par la taille et l'emmener de force dans ses quartiers. La gérante du motel sortit de son bureau, une douzaine de mètres sur la gauche de Reacher. C'était une femme imposante d'une cinquantaine d'années. Elle regarda Reacher et la fille et s'arrêta pour mieux les observer. Puis elle repartit mais changea de direction pour se rapprocher d'eux. Pour ce qu'en avait vu Reacher, les employés de motel étaient soit curieux, soit totalement détachés en ce qui concernait leurs clients. Il se dit que celle-ci faisait partie de la catégorie des curieux. Il recula d'un pas pour laisser respirer Lucy Anderson et leva les mains, paumes à l'extérieur, un geste amical rassurant.

« Du calme, fit-il. Si je vous voulais du mal, je vous en aurais déjà fait, non ? À vous et à votre mari. »

Elle ne répondit pas. Elle tourna juste la tête, vit approcher la gérante, recula dans l'ombre et ferma la porte, le tout en un geste souple. Reacher s'écarta, mais comprit qu'il ne s'en tirerait pas à temps. Il était à portée de voix de l'employée.

« Excusez-moi », lui lança-t-elle.

Reacher s'arrêta et se retourna, sans un mot.

« Vous devriez laisser cette jeune fille tranquille.

– Vraiment ?

– Si vous voulez rester ici.

– Serait-ce une menace ?

– J'essaie de faire respecter certaines règles.

– J'essaie de l'aider.

– Elle pense exactement le contraire.

– Vous lui avez parlé ?

– J'entends des choses, ici et là.

– Je ne suis pas flic.

– Vous avez l'air d'en être un.

– Je n'y suis pour rien.

– Vous devriez enquêter sur de vrais délits.

– Je n'enquête sur rien du tout. Je vous l'ai dit. Je ne suis pas flic. »

La femme ne répondit pas.

« Quels vrais délits ? demanda Reacher.

– Des infractions.

– Où ça ?

– À l'usine de métaux de Despair.

– Quel type d'infractions ?

– Toutes sortes.

– Je me fiche de ces infractions. Je ne suis pas un inspecteur des services de protection de l'environnement. Je ne suis pas inspecteur du tout.

– Alors, demandez-vous pourquoi cet avion décolle toutes les nuits », répliqua la femme.

VINGT-SIX

Reacher était à mi-chemin de sa chambre quand il vit le vieux pick-up de Vaughan tourner dans la rue. Il allait vite. Il rebondit en montant sur le trottoir et traversa le parking pour filer droit sur lui. Vaughan était au volant, en uniforme de police. Bizarre. Et apparemment urgent. Elle n'avait pas pris le temps de récupérer son véhicule officiel. Elle freina sèchement et s'arrêta, la calandre à trois centimètres de lui. Elle passa la tête à la vitre.

« Montez immédiatement.

– Pourquoi ?

– Sans discuter.

– Ai-je le choix ?

– Non.

– Vraiment ?

– Je ne blague pas.

– Est-ce que vous m'arrêtez ?

– S'il le faut. Je me servirai de mon arme et de mes menottes au besoin. Montez, c'est tout. »

Reacher la dévisagea un bon moment à travers le pare-brise. Elle était tracassée. Et décidée. Aucun doute. Il en avait la preuve sous les yeux, à la manière dont elle serrait la mâchoire. Il fit donc le tour du capot jusqu'au côté passager et monta. Vaughan attendit qu'il ait refermé sa portière pour demander :

« Avez-vous déjà accompagné un flic dans son service ? Toute une nuit ? Pendant tout son service ?

– Pourquoi cette question ? J'ai été moi-même flic.
– Eh bien, quoi qu'il en soit, c'est ce que vous ferez cette nuit.
– Pourquoi ?
– Despair nous a appelés, par politesse. Vous êtes recherché. Ils viennent vous arrêter. Donc, cette nuit, je vous garde tout le temps à l'œil.
– Impossible qu'ils viennent m'arrêter. Ils ne se sont même pas réveillés.
– Ils envoient les adjoints. Les quatre.
– Vraiment ?
– C'est à ça que servent les adjoints. À remplacer.
– Alors, je vais me planquer dans votre voiture de patrouille ? Toute la nuit ?
– Oh ! que oui.
– Vous croyez que j'ai besoin de protection ?
– Ma ville en a besoin. Je ne veux pas de problèmes ici.
– Ces quatre-là n'en causeront aucun. L'un d'entre eux est déjà amoché, un autre est malade, enfin, la dernière fois que je l'ai vu en tout cas.
– Donc, vous pourriez vous les faire ?
– Avec une main dans le dos et la tête dans un sac.
– Précisément. Je suis flic. J'ai des responsabilités. Pas de bagarre dans mes rues. Ça fait désordre. »
Elle accéléra, effectua un demi-tour serré sur le parking du motel et repartit d'où elle était venue.
« À quelle heure ils arrivent ? demanda Reacher.
– L'usine ferme à six heures. J'imagine qu'ils viendront directement ici après.
– Combien de temps vont-ils rester ?
– L'usine rouvre demain matin à six heures.
– Vous ne voulez pas de moi dans votre voiture toute la nuit.
– Je ferai tout ce qu'il faut. Comme je vous l'ai dit. C'est une bonne petite ville. Je ne vais pas vous laisser la transformer en champ de bataille, au propre ou au figuré. »

Reacher se tut un moment puis déclara :

« Je pourrais quitter la ville.

– Et ne plus y revenir ?

– Temporairement.

– Et vous iriez où ?

– À Despair, évidemment. Rien ne peut m'arriver là-bas, non ? Leur police est toujours à l'hôpital et ses adjoints resteront ici toute la nuit. »

Vaughan ne répondit pas.

« À vous de choisir, reprit Reacher. Mais votre Crown Victoria est bien confortable. Je risque de m'y endormir et de ronfler la bouche ouverte. »

Vaughan tourna à droite, à gauche, et descendit Second Street en direction de la cafétéria. Elle garda le silence un instant avant de dire :

« Il y en a une autre en ville depuis aujourd'hui.

– Une autre quoi ?

– Une autre fille. Comme Lucy Anderson. Le teint mat et les cheveux noirs, pas une blonde. Elle est arrivée cet après-midi et attend en regardant l'ouest comme si elle était à l'affût d'un signe en provenance de Despair.

– Un signe de son copain ou de son mari.

– Possible.

– Possible que ce soit un copain ou un mari décédé, de race caucasienne, la vingtaine, un mètre soixante-seize, soixante-dix kilos.

– Possible.

– Il faut que j'y retourne. »

Vaughan dépassa la cafétéria sans s'y arrêter. Elle tourna à gauche presque au bout de la ville, descendit plein sud sur deux pâtés de maisons et entra dans Fourth Street, à l'est. Sans vraie raison. Juste pour rouler. Le trottoir nord de Fourth Street était bordé d'arbres et de magasins, le sud d'arbres et de pavillons coquets. De petits jardins, des barrières en bois, des plantations anciennes, des boîtes aux lettres sur des poteaux qui pointaient dans toutes les directions, sauf à la verticale.

« Il faut que j'y retourne », répéta Reacher.

Vaughan hocha la tête.

« Attendez que les adjoints soient arrivés ici. Il ne faut pas que vous les croisiez sur la route.

– D'accord.

– Et ne les laissez pas vous voir quitter la ville.

– D'accord.

– Et ne causez aucun problème là-bas.

– Je ne suis pas sûr qu'il reste quelqu'un à qui je pourrais en causer. À moins de croiser leur juge. »

VINGT-SEPT

Pour la seconde fois ce jour-là, Vaughan laissa son pick-up et rentra chez elle à pied pour récupérer sa voiture de patrouille. Reacher emmena le véhicule dans une rue transversale tranquille, proche de la limite ouest de la ville, et le gara face au nord, à l'ombre d'un arbre, pour surveiller la circulation dans First Street juste en face de lui. Il disposait d'une perspective limitée. Environ trente mètres de gauche à droite, d'ouest en est. Pas fameux, comme angle de vision. Mais, de toute façon, il n'y avait pas grand-chose à voir. Dix minutes pouvaient s'écouler sans qu'il observe la moindre activité. Les habitants qui rentraient du Kansas s'étaient éparpillés dans la ville en empruntant les rues situées plus bas. Et personne de sain d'esprit ne revenait de Despair ou n'allait s'y rendre. Le jour baissait rapidement. Le monde virait au gris et à la nature morte. L'horloge tournait dans la tête de Reacher, inexorablement.

Lorsqu'elle indiqua six heures trente-deux, il vit passer rapidement dans son champ de vision un vieux pick-up crew cab. Venant de la gauche, il se dirigeait vers l'est. Il roulait à bonne allure en provenance de Despair. Un conducteur et trois passagers. Des costauds, serrés dans la voiture. Ils remplissaient cet habitacle étroit pour eux, épaule contre épaule.

Reacher reconnut le véhicule.

Il reconnut le chauffeur.

Il reconnut les passagers.

Les adjoints de Despair, pile à l'heure.

Il attendit un moment, démarra le moteur du Chevrolet et quitta sa place. Il roula doucement vers le nord, jusqu'à First Street, où il prit à gauche. Le vieux crew cab était déjà cent mètres plus loin dans la direction opposée et ralentissait pour tourner. Devant Reacher, la route était déserte. Il passa devant la quincaillerie, accéléra et obligea le Chevrolet à tenir les cent kilomètres à l'heure. Cinq minutes plus tard, il sentit le passage du joint de dilatation et se cala pour un bruyant trajet en direction de l'ouest.

Dix-neuf kilomètres plus loin, il ralentit, dépassa le terrain vague, l'ancien motel, la station-service et l'épicerie, puis il s'engagea à gauche dans le labyrinthe des petites rues du centre-ville. Sa première escale fut le poste de police. Il voulait s'assurer qu'aucune guérison miraculeuse n'était intervenue, qu'aucun remplacement de personnel n'avait été effectué.

Négatif sur le premier point, négatif sur le second.

L'intérieur du bâtiment était dans le noir et les abords tranquilles. Aucune lumière, aucune activité. Aucun véhicule garé sur le trottoir. Pas la moindre voiture de patrouille de la police d'État pour les suppléer, ni le moindre pick-up d'adjoints récemment recrutés, ni la moindre berline ordinaire avec des autocollants « Police » plaqués sur les portières.

Rien.

Hormis le silence.

Reacher sourit. *Chasse ouverte et police aux abonnés absents*, pensa-t-il. Telle une vision noire de l'avenir, au cinéma. Exactement ce qu'il aimait. Il fit demi-tour sur les places de parking désertées et se dirigea vers la pension. Il se gara le long du trottoir juste devant, coupa le moteur et descendit la vitre. Et il entendit le petit avion pousser son moteur au loin, en pleine ascension. Sept heures du soir. Le Cessna, Beechcraft ou Piper décollait, une fois de plus. Demandez-vous pourquoi cet avion décolle toutes les nuits, lui avait dit la gérante du motel.

Je le ferai sans doute, se dit Reacher. Un autre jour.

Il descendit du pick-up et se tint un moment sur le trottoir. L'immeuble de la pension était bâti en brique terne, au coin d'une rue. Deux étages, des fenêtres étroites, un toit en terrasse, un perron de quatre marches en pierre menant à un porche décentré. Il y avait un panneau en bois sur le mur près de la porte, sous une lampe à col de cygne, à l'ampoule blafarde. La pancarte avait été peinte en marron, il y a des lustres, et les mots « Chambres à louer » s'y détachaient en blanc, soigneusement peints par un amateur. Un signal clair et simple. Pas le genre d'endroit au goût de Reacher. Ces établissements-là exigeaient des durées de séjour plus longues que celles qui l'intéressaient. En général, ils proposaient des locations à la semaine et mettaient à disposition des plaques électriques pour cuisiner dans les chambres. Et pourquoi pas faire le ménage aussi ?

Il gravit les marches en pierre et poussa la porte d'entrée. Elle était ouverte et donnait sur un hall carré sans aucune décoration, du lino par terre, un escalier raide sur la droite. Les murs étaient peints en marron avec une sorte d'effet pour s'accorder aux vagues du lino. Une ampoule nue brûlait faiblement, trente centimètres sous le plafond. Une odeur de chou et de poussière flottait dans l'air. Quatre portes ouvraient sur le hall, peintes en vert terne, toutes fermées. Deux sur l'arrière, deux sur la façade : une au pied de l'escalier, et l'autre à l'opposé. Une des deux pièces sur rue devait être occupée par le propriétaire ou le gardien. D'expérience, Reacher savait que les propriétaires ou les gardiens se choisissaient toujours un appartement au rez-de-chaussée pour surveiller les allées et venues. Les pensionnaires clandestins et les occupations de chambres à plusieurs devaient être découragés, et il était connu que des locataires avaient tenté de s'éclipser en douce, juste avant le paiement promis-juré d'un loyer très en retard.

Il choisit de commencer par la porte au pied de l'escalier. Un meilleur potentiel en termes de surveillance. Il frappa et attendit. Un bon moment plus tard, la porte s'ouvrit sur un homme mince en chemise blanche et cravate noire. Le type avait près de soixante-dix ans et ses cheveux étaient de la même couleur que sa chemise. Qui n'était pas propre. Sa cravate non plus, mais elle était soigneusement nouée.

« Je peux vous aider ? demanda le vieux.

– Cet établissement est à vous ? »

Le vieux hocha la tête.

« Et à ma mère avant moi. Dans la famille depuis près de cinquante ans.

– Je recherche un de mes amis, dit Reacher. Un Californien. On m'a dit qu'il habitait ici. »

Aucune réponse du vieil homme.

« Un jeune, fit Reacher. La vingtaine. Très costaud. Bronzé, les cheveux courts.

– Personne qui y ressemble.

– Vous êtes sûr ?

– Il n'y a absolument personne.

– On l'a vu sortir d'ici, cet après-midi.

– Il venait peut-être voir quelqu'un.

– Voir qui, s'il n'y a personne ?

– Moi, fit le vieux.

– Il vous a rendu visite ?

– Je n'en sais rien. J'étais sorti. Il est peut-être venu et, comme on ne répondait pas, il est reparti.

– Pourquoi serait-il venu vous voir ? »

Le vieil homme réfléchit un moment avant de répondre.

« Il est peut-être à l'hôtel et il veut dépenser moins. Il a pu entendre dire que les tarifs sont plus bas ici.

– Et un autre gars : plus petit, sec, à peu près du même âge ?

– Y a personne ici, grand ou petit.

– Vous êtes sûr ?

– C'est chez moi. Je sais qui y séjourne.

– Depuis combien de temps n'y a-t-il personne ?

– Il y a quelqu'un. J'y habite.

– À quand remonte votre dernier locataire ? »

Le vieux réfléchit de nouveau un bon moment.

« Longtemps, finit-il par dire.
– Combien de temps ?
– Des années.
– Comment en vivez-vous, alors ?
– Je n'en vis pas.
– Vous êtes le propriétaire de cette maison.
– Je la loue. Comme le faisait ma mère. Depuis près de cinquante ans.
– Puis-je voir les chambres ?
– Lesquelles ?
– Toutes.
– Pourquoi ?
– Parce que je ne vous crois pas. Je pense qu'il y a des gens ici.
– Vous croyez que je mens ?
– Je suis un type méfiant.
– Je devrais appeler la police.
– Allez-y donc. »

Le vieux recula dans la pénombre et décrocha le téléphone. Reacher traversa le hall et essaya d'ouvrir la porte d'en face. Elle était fermée à clé. Il revint sur ses pas et le vieux lui dit :

« Ça ne répond pas au poste de police.
– On est donc entre nous, fit Reacher. Mieux vaudrait me prêter votre passe. Ça vous épargnerait d'avoir à réparer les serrures. »

Le vieux se résigna à l'inévitable. Il prit une clé dans sa poche et la lui tendit. Une clé en cuivre avec un morceau de cordelette pelucheuse attachée au trou. Celle-ci se terminait par un vieil œillet métallique, comme si c'était tout ce qui restait d'une étiquette en papier.

Il y avait trois chambres à louer au rez-de-chaussée, quatre au premier, quatre au second. Onze en tout. Toutes identiques. Toutes vides. Chaque chambre avait un lit étroit collé au mur, rappelant ceux des hôpitaux de quarantaine ou ceux des anciennes casernes. Tous les lits étaient faits, recouverts de draps légers et de fines couvertures. Les draps avaient subi tant de lavages qu'on voyait presque au travers. Les couvertures, autrefois rêches et épaisses, s'étaient affinées et adoucies sous le coup de l'usure. En face du lit, on avait disposé une commode et un portant à serviettes. Celles-ci étaient aussi fines que les draps. Au pied du lit, il y avait une table de cuisine en pin et deux plaques électriques reliées à une prise de courant par des fils électriques fatigués. Au bout du palier, à chaque étage, on trouvait une salle de bains commune au carrelage noir et blanc, avec une baignoire sabot, des toilettes et un ballon d'eau chaude fixé en haut de la paroi.

Des logements basiques, certainement, mais en bon état et joliment bien tenus. Les équipements de la salle de bains étaient marqués de taches dues à l'âge et non à la crasse. Les sols étaient briqués. Les lits, bien faits, les draps, tendus. Une pièce de vingt-cinq cents lâchée dessus aurait rebondi de cinquante centimètres sur la couverture. Les serviettes sur leur portant étaient parfaitement pliées et alignées. Les plaques électriques immaculées. Aucune miette, aucun liquide renversé, aucune tache de sauce industrielle séchée.

Reacher vérifia partout, puis il se posta à l'entrée de chaque chambre avant de l'abandonner, huma l'air pour saisir les échos d'un départ récent et précipité. Il ne trouva rien, ne sentit rien, onze fois de suite. Il redescendit donc, rendit la clé et s'excusa auprès du vieux.

« Y a-t-il une ambulance en ville ? demanda-t-il.

– Vous êtes blessé ?

– Imaginons que je le sois. Qui viendrait me chercher ?

– Blessé comment ?

– Imaginons que je ne puisse pas marcher. Imaginons qu'il me faille un brancard.

– Il y a un poste de secours à l'usine. Et aussi une infirmerie. Au cas où quelqu'un se blesse au travail. Ils ont un véhicule. Et un brancard.

– Merci », fit Reacher.

Reacher descendit la rue à bord du pick-up de Vaughan. Il s'arrêta un instant devant la façade de l'église. Une phrase peinte courait sur toute la largeur du bâtiment : Congrégation de la Fin des Temps. Il y avait une affiche derrière une vitrine, avec la même typographie que celle d'un supermarché vantant une poitrine de bœuf à trois dollars la livre. *L'heure arrive.* Une citation du livre des Révélations. Chapitre 1, verset 3. Reacher la reconnut. L'autre vitrine avait une affiche du même genre : *La fin est proche.* L'intérieur était aussi sombre et sinistre que les messages en vitrine. Des rangées de chaises métalliques, un plancher de bois, une estrade basse, un pupitre. D'autres affiches prédisant toutes avec la même certitude que le temps était compté. Reacher les lut, l'une après l'autre, puis s'en alla à l'hôtel. Il faisait complètement noir quand il y arriva. Il se souvint combien l'endroit lui avait paru sans charme et fatigué en plein jour, et c'était pire de nuit. C'était un sinistre cube de brique repoussant. Il aurait pu s'agir d'une vieille prison à Prague, Varsovie ou Leningrad. Les murs maussades n'étaient pas décorés, et les fenêtres, sombres et nues. À l'intérieur, sur la gauche, une salle à manger vide peu engageante, et, sur la droite, un bar désert. Droit dans l'axe du hall d'entrée, un comptoir de réception sans personnel. Derrière la réception, une version miniature et affaissée d'un escalier monumental. Il était recouvert de moquette feutrée. Il n'y avait pas d'ascenseur.

Les lois fédérales, celles des États, ainsi que les assurances imposent aux hôtels de tenir à jour un registre exact de leurs clients. En cas d'incendie, de tremblement de terre ou de tornade, il est dans l'intérêt de tous de savoir qui résidait dans les lieux à ce moment précis, et qui n'y était pas. En conséquence, Reacher avait depuis longtemps appris qu'une fouille d'hôtel commence d'abord par son registre. Rendue plus difficile au fil des années avec les ordinateurs. Il faut taper sur toutes sortes de touches de fonction et trouver les mots de passe. Mais Despair était à la traîne dans son ensemble, et l'hôtel ne faisait pas exception. Le registre était un gros volume carré relié en vieux cuir rouge. Facile à tourner, facile à ouvrir, facile à lire.

L'hôtel n'avait aucun client.

Selon les dernières écritures, à la main, la dernière location de chambre remontait à sept mois plus tôt : un couple californien, arrivé avec leur voiture, qui était resté deux nuits. Depuis, aucun mouvement. Rien. Aucun nom qui aurait pu appartenir à un jeune homme de vingt ans, athlétique ou non. Pas de nom du tout.

Reacher quitta l'hôtel sans être vu de quiconque et remonta dans le pick-up. Le prochain arrêt se trouvait deux pâtés de maisons plus loin, au bar de la ville, ce qui impliquait de se mélanger aux autochtones.

VINGT-HUIT

Le bar occupait la moitié du rez-de-chaussée d'un autre cube de brique tristounet. Une salle longue et étroite. Elle courait sur la largeur du bâtiment et disposait d'un petit couloir, qui menait aux toilettes, et d'une sortie de secours sur l'arrière. Le bar lui-même se trouvait à gauche, les tables et les chaises à droite. Un éclairage faiblard. Aucune musique. Pas de télévision. Pas de table de billard, pas de jeux vidéo. Environ un tiers des tabourets étaient pris au bar, plus un quart des chaises. Une clientèle de sortie de boulot. Mais pas vraiment un « happy hour ». Tous les consommateurs étaient de sexe masculin. Tous fatigués, tous crasseux, tous en chemise de travail, tous à siroter une bière dans de grands verres ou des bouteilles à long goulot. Reacher n'avait jamais croisé l'un d'entre eux.

Il entra dans la pénombre sans faire de bruit. Toutes les têtes se tournèrent et tous les yeux se braquèrent sur lui. Une sorte de radar universel particulier aux bars. *Un étranger parmi nous.* Reacher se figea et leur laissa le temps de le détailler. *Un étranger, certainement, mais pas quelqu'un à qui l'on cherche des crosses.* Puis il avança, s'assit sur un tabouret et posa les coudes sur le bar. Il y avait deux sièges vides entre lui et son plus proche voisin de gauche, un siège vide entre lui et celui de droite. Les tabourets avaient un socle en fonte, une grosse colonne de même métal et une assise façonnée en acajou qui tournait plus ou moins. Le bar était dans un acajou qui n'allait pas avec les murs lambrissés en pin. Des glaces couvraient les murs, leur tain uniforme renvoyait des sérigraphies de publicités de bière. Elles étaient encadrées de bois rustique et embuées après des années passées sous les effluves d'alcool et la fumée de cigarettes.

Le barman était un homme corpulent d'une quarantaine d'années au teint blafard. Il n'avait l'air ni aimable ni intelligent. Il était à trois mètres et demi de Reacher, son gros cul appuyé en arrière contre le tiroir-caisse. Immobile. Et pas disposé à se bouger. C'était clair. Reacher haussa le sourcil et il l'invita à approcher sans ouvrir la bouche, ce qui n'amena aucune réaction.

Une ville à la botte d'une entreprise.

Il fit tourner son tabouret face à la salle.

« Écoutez, les gars, lança-t-il. Je ne suis pas métallo et je ne cherche pas de travail. »

Pas de réaction.

« On ne me paiera jamais assez cher pour que je travaille ici. Ça ne m'intéresse pas. Je suis seulement un type de passage qui veut boire une bière. »

Pas de réaction. Juste des regards torves, hostiles, et des bouteilles et des verres suspendus entre tables et lèvres.

« Le premier qui me cause, je règle son ardoise. »

Pas de réaction.

« Pendant toute une semaine. »

Pas de réaction.

Reacher se retourna face au bar. Le barman n'avait pas bougé. Reacher le regarda droit dans les yeux et dit : « Sers-moi une bière ou je vais tout casser. »

Le barman se bougea. Il ne se dirigea pas vers ses placards réfrigérés ou ses pompes à pression. Mais vers son téléphone. C'était un vieux modèle, posé à côté de la caisse. Le type décrocha et composa un long numéro. Reacher attendit. L'autre écouta sonner longuement à l'autre bout du fil, faillit dire quelque chose, puis se ravisa et reposa le téléphone.

« Répondeur, dit-il.

– Il n'y a personne, fit Reacher. On est donc entre nous. Je prendrai une Budweiser, en bouteille. »

L'homme vérifia par-dessus l'épaule de Reacher si des groupes se formaient pour faire face à la situation et lui donner un coup de main. Ce n'était pas le cas. Reacher contrôlait déjà ce qui se passait dans une glace sans éclat en face de lui. Le barman décida de ne pas jouer les héros. Il haussa les épaules, changea d'attitude, ses traits se radoucirent un peu, et il se baissa pour prendre une bouteille fraîche sous le bar. Il l'ouvrit et la posa sur une serviette en papier. La mousse jaillit du goulot, déborda sur les flancs de la bouteille et trempa le papier. Reacher sortit un billet de dix dollars de sa poche, le plia dans le sens de la longueur pour l'empêcher de rebiquer et le posa à plat devant lui.

« Je cherche un type, fit-il

– Quelle sorte de type ? dit le barman.

– Un jeune. La vingtaine. Bronzé. Les cheveux courts. Carré comme moi.

– Personne qui ressemble à ça, ici.

– Je l'ai vu cet après-midi. En ville. Il sortait de la pension de famille.

– Allez demander là-bas.

– C'est fait.

– Je peux rien pour vous.

– Si, probablement. Ce gars a l'air d'un athlète universitaire. Les athlètes aiment siffler une bière de temps à autre. Il est probablement venu une fois ou deux ici.

– Non.

– Et il y en a un autre. Même âge, mais plus petit. Sec. Un mètre soixante-seize, soixante-dix kilos.

– Pas vu.

– Vous êtes sûr ?

– Certain.

– Vous avez déjà travaillé à l'usine ?

– Deux ou trois ans, ça fait un bail.

– Et alors ?

– Il m’a muté ici.
– Qui ça ?
– Monsieur Thurman. Le propriétaire de l’usine.
– Et ce bar ?
– Tout lui appartient.
– Alors, il vous a muté. Il s’occupe des détails, votre patron.
– Il s’est dit que je ferais du meilleur boulot ici que là-bas.
– Et c’est le cas ?
– Ce n’est pas à moi de juger. »

Reacher but une longue gorgée à sa bouteille, puis demanda :

« Monsieur Thurman vous paie-t-il bien ?
– Je n’ai pas à me plaindre.
– Est-ce l’avion de monsieur Thurman que l’on entend voler toutes les nuits ?
– Personne d’autre n’a d’avion, par ici.
– Où va-t-il ?
– Je ne lui ai pas demandé.
– Des rumeurs ?
– Non.
– Vous êtes sûr de n’avoir vu aucun jeune dans le coin ?
– J’en suis sûr.
– Et si je vous proposais cent dollars ? »

Le type hésita un instant et prit un air un peu mélancolique, comme si cent dollars lui auraient bien changé la vie. Mais, au final, il se contenta de hausser les épaules et de répondre : « J’en serais toujours aussi certain. »

Reacher sirota un peu sa bière. Elle se réchauffait légèrement et prenait un goût métallique et savonneux. Le barman demeurait près de lui. Reacher jeta un coup d’œil dans les glaces. Personne ne bougeait dans la salle.

« Que fait-on des morts, ici ? dit-il.
– Comment ça ?
– Vous avez des pompes funèbres en ville ? »

Le barman fit non de la tête.

« Soixante kilomètres à l'ouest. Il y a une morgue et une entreprise de pompes funèbres. Aucune terre consacrée à Despair.

– Le plus petit est mort.

– Quel plus petit ?

– Celui sur lequel je vous ai posé des questions.

– Je n'ai vu aucun petit, mort ou vif. »

Reacher se tut de nouveau et le barman reprit : « Comme ça, vous êtes de passage ? » Une remarque pour ne rien dire, pour entretenir la conversation, qui confirma ce que Reacher savait déjà. *Qu'ils viennent*, pensa-t-il. Il regarda l'issue de secours au fond et vérifia le reflet de la porte d'entrée dans les glaces.

« Oui, je suis seulement de passage.

– Il n'y a pas grand-chose à voir, ici.

– En fait, je trouve cet endroit plutôt intéressant.

– Vous trouvez ?

– Qui embauche la police, dans cette ville ?

– Le maire.

– Qui est-ce ?

– Monsieur Thurman.

– Quelle grande surprise.

– La ville lui appartient.

– J'aimerais le rencontrer.

– C'est un homme difficilement accessible, répliqua le barman.

– C'était une simple remarque. Je ne veux pas de rendez-vous. »

Six minutes, se dit Reacher. *Je suis sur cette bière depuis six minutes. Encore dix, peut-être.*

« Connaissez-vous le juge ? demanda-t-il.

– Il ne fréquente pas le bar.

– Je ne demandais pas ce qu'il fréquentait.

– Il est l'avocat de monsieur Thurman à l'usine.

– Je croyais que c'était une fonction élective.

– C'est le cas. On a tous voté pour lui.

– Combien d'autres candidats ?
– Aucun.
– Comment s'appelle-t-il, ce juge ?
– C'est le juge Gardner.
– Habite-t-il en ville, ce juge Gardner ?
– Bien entendu. Si vous travaillez pour monsieur Thurman, vous devez habiter en ville.
– Vous connaissez l'adresse du juge Gardner ?
– La grande maison sur Nickel Street.
– Nickel Street ?
– Toutes les voies résidentielles portent des noms de métaux. »

Reacher hocha la tête. Pas si différent des rues dans les bases militaires, baptisées du nom de généraux ou de récipiendaires de la *Medal of Honor*. Il garda de nouveau le silence, attendant que le barman le rompe, comme il se devait de le faire. Ainsi qu'on le lui avait ordonné.

« Il y a un peu plus de cent ans, il n'existait que huit kilomètres de routes pavées dans tous les États-Unis. »

Reacher ne répondit pas.

« Hormis dans le centre des villes, bien entendu, qui, eux, l'étaient, avec de vrais pavés. Pas asphaltés, comme aujourd'hui. Puis on a construit des routes locales, des routes à l'intérieur des États, puis les autoroutes. Des villes se sont retrouvées contournées. Autrefois, nous étions sur la route principale pour Denver. Plus tant de nos jours. Aujourd'hui, les gens prennent l'I-70.
– D'où le motel fermé, ajouta Reacher.
– Exactement.
– Et cette sensation générale d'isolement.
– Oui, j'imagine.
– Je sais que ces deux jeunes gens sont passés par ici. C'est seulement une question de temps avant que je découvre leur identité et la raison de leur venue.
– Je ne peux rien pour vous à ce sujet.
– L'un des deux est mort.

– Vous me l'avez déjà dit. Et je n'en sais toujours pas davantage là-dessus. »

Onze minutes, compta Reacher. *Encore cinq.*

« Est-ce le seul bar en ville ? demanda-t-il.

– Un seul nous suffit.

– Un cinéma ?

– Non.

– Que font les gens alors pour se distraire ?

– Ils regardent la télévision par satellite.

– J'ai entendu dire qu'il y a un poste de premiers secours à l'usine.

– C'est exact.

– Avec son propre véhicule.

– Une vieille ambulance. C'est une grosse usine. Elle s'étend sur une grande surface.

– Il y a beaucoup d'accidents ?

– C'est une usine. Il y a parfois des pépins.

– L'entreprise verse-t-elle des pensions d'invalidité ?

– Monsieur Thurman ne laisse pas tomber les gens s'ils se blessent au travail. »

Reacher hocha la tête et se tut. Retourna à sa bière. Et regarda les autres clients siroter la leur, en vision directe et dans les miroirs. *Trois minutes*, se dit-il.

À moins qu'ils ne soient en avance.

Ils l'étaient.

Reacher regarda à sa droite et vit deux adjoints déboucher de la sortie de secours. Il regarda dans la glace et vit les deux autres émerger de l'entrée principale.

VINGT-NEUF

Le téléphone. Une invention utile et révélatrice, selon la manière dont on l'utilise. Ou non. Quatre adjoints de la police qui se rendraient dans l'est pour effectuer une arrestation-surprise n'annonceraient pas leur intention à l'avance en passant poliment un coup de téléphone. Pas dans la réalité. Ils chercheraient à fondre sur leur proie à l'improviste. Leur appel n'était donc qu'un leurre. Un coup dans un jeu plus complexe. Une manœuvre destinée à attirer Reacher à l'ouest, sur un terrain plus propice. Il s'agissait d'une invitation.

Et Reacher l'avait bien saisi.

Et accepté.

De plus, le barman n'avait pas appelé le poste de police. Ni écouté un message. Il avait composé trop de chiffres. Il avait appelé le portable d'un adjoint et dit juste ce qu'il fallait pour que celui-ci comprenne qui il était, et donc où se trouvait Reacher. Dès lors, il avait changé d'attitude et s'était montré bavard et avenant pour que Reacher ne bouge pas. Comme on le lui avait demandé, si l'occasion se présentait.

Voilà pourquoi Reacher n'avait pas quitté le bar. Si ce type voulait jouer un rôle, il était le bienvenu. Il pourrait le jouer en nettoyant la casse.

Et de la casse, il y en aurait.

Sûr et certain.

Les adjoints qui étaient entrés par-derrière franchirent le petit couloir et s'arrêtèrent, là où il s'ouvrait sur la grande salle. Reacher ne les quittait pas des yeux. Sans tourner la tête. Une attaque à deux de front n'avait pas grand sens dans une pièce chargée de miroirs. Il voyait assez clairement les deux autres types, plus petits qu'en réalité et à l'envers. Ils s'étaient arrêtés un mètre après la porte principale et attendaient, épaule contre épaule.

Le grand type malade la veille au soir était l'un des deux à l'avant du bar. À ses côtés se trouvait l'homme castagné par Reacher devant le restaurant. Ni l'un ni l'autre n'avaient l'air en grande forme. Les deux entrés par la sortie de secours semblaient costauds et en bonne santé, mais possibles à battre. Quatre contre un, et pourtant rien de vraiment inquiétant. Reacher s'était battu à un contre quatre pour la première fois à l'âge de cinq ans, ses adversaires en avaient alors sept, c'était sur la base où travaillait son père aux Philippines. Il l'avait emporté aisément et s'attendait aujourd'hui à l'emporter de la même façon.

Mais la situation prit une tout autre tournure.

Deux types se levèrent dans la salle. Ils posèrent leurs verres, s'essuyèrent les lèvres avec leur serviette en papier, repoussèrent leurs chaises en faisant grincer le parquet, et se séparèrent. L'un alla à droite, l'autre à gauche. L'un rejoignit ceux à l'arrière, l'autre ceux à l'avant. Les nouveaux venus ne faisaient pas partie des hommes les plus imposants jamais vus par Reacher, mais pas non plus des plus petits. Ils auraient pu être les cousins ou les frères des adjoints. C'était sans doute le cas. Habillés de la même façon, ils leur ressemblaient et étaient charpentés pareil.

Donc, lors des treize minutes qui avaient précédé, le barman n'avait pas jeté un coup d'œil sur l'assistance pour qu'on vienne lui donner un coup de main. Mais son regard disait aux acolytes : *Ne bougez pas. Les autres arrivent.* Reacher serra les dents. Erreur. Grosse erreur. Il avait été malin, mais pas suffisamment.

Et il allait le payer cash.

Six contre un.

Six cents kilos contre cent vingt-cinq.

Des chances pas terribles.

Il prit conscience qu'il retenait sa respiration. Il souffla lentement, longtemps. Car : *Dum spiro spero*. Tant qu'il y a de la vie, il y a de l'espoir. Un aphorisme que n'aurait pas approuvé Zénon de Citium. Il parlait grec, non latin, et aurait préféré la résignation passive à l'optimisme irréfléchi. Mais ce dicton-là marchait plutôt bien pour Reacher quand tout le reste l'abandonnait. Il but une dernière gorgée de sa bière et reposa la bouteille sur la serviette. Il tourna son tabouret et fit face à la salle. Dans son dos, il sentit le barman s'écarter pour se mettre à l'abri près de sa caisse. Devant lui, il vit les autres clients de la salle se reculer contre le mur, verres et bouteilles à la main, serrés les uns contre les autres, tapis en retrait. Les types assis au comptoir quittèrent leurs tabourets et traversèrent la salle pour se fondre dans la masse, en sécurité.

Il y eut du mouvement des deux côtés du bar.

Les deux équipes de trois firent quelques grands pas en avant.

Ils formaient maintenant les bords d'un rectangle vide. Rien dedans, sinon Reacher, tout seul sur son tabouret, et le plancher.

Les six individus n'étaient pas armés. Reacher en était quasiment certain. Les adjoints n'avaient pas d'armes de service. Vaughan avait dit que, dans le Colorado, les adjoints de police étaient confinés à un statut civil. Et les deux nouveaux n'étaient que des gars ordinaires. Bien des gars ordinaires possédaient des armes au Colorado, évidemment, mais, en général, on dégainait son arme au début de la bagarre, pas après. On voulait la montrer. L'exhiber. Intimider d'entrée. D'après l'expérience personnelle de Reacher, personne n'avait jamais attendu pour sortir son arme.

Donc, combat à mains nues, à six contre un.

Le grand type ouvrit la bouche, à deux mètres de la porte.

« Tu es dans un tel pétrin que tu ne t'en sortirais pas même avec une pelleteuse. »

– C'est à moi que tu causes ? dit Reacher.

– Et comment.
– Alors, arrête.
– Tu es venu ici une fois de trop, mon pote.
– Garde ta salive. Va vomir dehors. Ça, tu sais faire.
– On ne sortira pas d'ici. Et toi non plus.
– On est dans un pays libre.
– Plus pour toi. C'est terminé. »

Reacher ne bougea pas de son tabouret, remonté et prêt à en découdre, sans que cela soit visible. En apparence, il était toujours calme et détendu. Son frère Joe, de deux ans son aîné, avait un physique très voisin du sien, mais un tempérament très différent. Joe rentrait dans la bagarre progressivement. Il ne répondait à la surenchère de violence qu'avec réticence, lentement, rationnellement, patiemment et avec un peu de tristesse. En conséquence, il était frustrant comme adversaire. En conséquence, suivant la logique particulière aux jeunes garçons de cette époque-là, ses ennemis s'étaient retournés contre Reacher, le petit frère. La première fois, confronté à quatre gamins de sept ans qui voulaient en découdre, le petit Reacher âgé de cinq ans avait ressenti une décharge de pure terreur. Celle-ci avait fait de grosses étincelles dans son cerveau et déclenché une profonde agressivité. Il s'était déchaîné et la bagarre s'était terminée avant même que ses quatre assaillants aient décidé de l'entamer. Quand ils avaient émergé des urgences pédiatriques, ils les avaient évités soigneusement, lui et son frère, à jamais. Et, avec tout son sérieux d'enfant, Reacher avait réfléchi à cette expérience et en avait tiré une précieuse leçon. Des années plus tard, vers la fin de ses classes d'officier, la leçon avait été confirmée. Sur le plan stratégique, elle avait même un titre ronflant : « la force écrasante ». Sur le plan individuel, dans des gymnases puant la sueur, les brutes qui faisaient office d'instructeurs avaient insisté sur le fait que les gentlemen qui se comportaient honorablement n'étaient plus là pour assurer l'entraînement. Ils étaient déjà morts. En conséquence : frapper tôt, frapper fort.

Reacher appelait ça : « Prends ta revanche d'abord. »

Reacher glissa de son tabouret, se tourna en se penchant, agrippa la colonne d'acier, puis se retourna d'un bond et balança son siège à toute volée sur les trois types au fond de la salle, à hauteur de tête. Sans attendre qu'il ait atteint une cible, Reacher fonça de l'autre côté et chargea le voisin de l'homme à la mâchoire abîmée. Coude dressé, il le lui écrasa sur l'arête du nez. L'autre s'écroula comme un arbre et, avant qu'il ne s'affaisse sur le plancher, Reacher pivota le torse d'un coup sec, écrasant le même coude dans l'oreille du grand type. Puis, rebondissant sous l'impact, il recula dans l'homme à la mâchoire cassée et lui planta profondément ce coude dans le ventre. L'homme se plia en deux et Reacher lui appuya le plat de sa main à l'arrière de la tête, qu'il poussa contre son genou, ensuite il le balança sur le côté et se retourna prestement.

Le tabouret avait touché au cou un adjoint et l'autre nouveau venu. Du bois et de la fonte lancés à toute volée et tourbillonnant à l'horizontale. Ils avaient peut-être instinctivement levé les mains et s'étaient brisé les poignets, à moins qu'ils n'aient pas été assez rapides et se soient pris le tabouret de plein fouet. Reacher n'en était pas sûr. Dans tous les cas, les deux types étaient hors service pour le moment. Ils étaient de dos, pliés en deux et accroupis, alors que le tabouret roulait encore bruyamment à leurs pieds.

L'autre adjoint était indemne. Il avança, un rictus sauvage aux lèvres. Reacher exécuta deux pas de danse, encaissa un crochet dans l'épaule et lui planta un direct en plein dans le rictus. Alors que l'autre reculait en titubant et en secouant la tête, Reacher sentit ses bras enserrés par-derrière. Le grand, sans doute. Reacher le força à reculer, ramena son menton sur la poitrine et lui décocha un coup de boule à l'envers, assez bien visé. Pas autant qu'un coup en pleine face, mais bien utile. Puis Reacher recula de toutes ses forces et lui coupa le souffle en le plaquant contre le mur. Un miroir se décrocha, l'étreinte se desserra, Reacher se dégagea et alla trouver l'adjoint au centre de la salle, dont il évita une droite avant de lui en coller une dans la mâchoire. Un coup sans trop de puissance, mais suffisant pour secouer le type et permettre à une gauche monumentale d'atteindre sa gorge et de le laisser au tapis.

Huit coups portés, un encaissé, un type par terre compté jusqu'à sept, quatre comptés jusqu'à huit, le grand plus ou moins en état.

Pas efficace.

Le moment de passer aux choses sérieuses.

Le barman avait dit : « Monsieur Thurman ne laisse pas tomber les gens s'ils se blessent au travail », se rappela Reacher. On allait voir sur pièces. Ces types agissaient sur ordre de Thurman. Visiblement, rien ne se passait ici sans l'aval de cet homme.

L'adjoint au fond de la salle se roulait par terre en serrant sa gorge à deux mains. Reacher s'avança et le frappa dans les côtes, assez fort pour lui en casser une ou deux, puis il lui souleva l'avant-bras d'un pied et le lui écrasa de l'autre. Il s'occupa ensuite des deux qu'il avait atteints avec le tabouret. Le second adjoint et le nouveau venu. L'un était penché en avant, accroupi, et se tenait l'avant-bras. Il avait du mal à respirer. Reacher le fit tomber d'un coup dans les jambes puis le frappa à la tête. Il se retourna à temps pour éviter un crochet droit du grand, qu'il prit dans l'épaule. Et attendit la suite. Mais le grand n'était pas bien sur ses jambes. L'espace au sol était limité par les assaillants inertes. Le grand lui décocha un direct du gauche, que Reacher para en se dégageant un passage jusqu'au centre de la salle.

L'autre le suivit de près. Et envoya un direct du droit. Reacher pencha la tête et prit le coup dans l'omoplate. Un coup sans force. L'homme était pâle. II envoya un grand coup essoufflé dans le vide et Reacher se recula, hors de portée, jetant un œil autour de lui.

Un tabouret endommagé, un miroir cassé, cinq types par terre, vingt spectateurs toujours passifs. Jusque-là, ça allait.

Le grand recula, se redressa comme s'ils prenaient un temps mort, et lui lança :

« Comme tu le disais, il en restera toujours un debout parmi nous pour te régler ton compte.

– Tu ne me régleras pas mon compte. Pas le moins du monde. »

Ce qui l'étonnait, tout au fond de lui. Il était sur le point de gagner une bagarre à six contre un dans un bar et il ne comptait que deux bleus aux épaules et des phalanges douloureuses. Ça s'était bien mieux déroulé qu'il n'aurait pu l'espérer.

Les choses commencèrent alors vraiment à mal tourner.

Le grand dit : « Réfléchis », et fourra les mains dans ses poches de pantalon pour en tirer deux couteaux à cran d'arrêt. Des manches en bois lisse, des ferrures en métal plaqué, idem pour les boutons. Droit sur ses jambes, dans cette atmosphère poussiéreuse essoufflée, il sortit la première lame dans un « clic » parfait, puis attendit une seconde et sortit l'autre.

TRENTE

Les deux clics émis par les lames en sortant de leur manche n'étaient pas doux aux oreilles. L'estomac de Reacher se serra. Il détestait les armes blanches. Il aurait préféré que l'autre dégaine une paire de six-coups. Les armes à feu peuvent rater leur cible. À vrai dire, c'est souvent le cas, à cause du stress, de la pression, des tremblements et de la confusion ambiante. Les rapports *a posteriori* le prouvent. Les journaux sont remplis d'histoires de types morts avant d'arriver à l'hôpital, avec sept balles dans le corps, ce qui paraissait radical, en apparence, jusqu'à ce qu'on lise le paragraphe trois et qu'on apprenne que cent cinquante coups avaient été effectivement tirés.

Les lames ne ratent pas leur cible. Elles vous touchent, elles vous taillent. Les seuls adversaires que craignait vraiment Reacher étaient les petits bonshommes rapides aux mains agiles et aux couteaux affûtés. Le grand adjoint n'était ni rapide ni agile, mais les lames entre ses mains signifiaient que les coups esquivés ne se solderaient pas par des bleus aux épaules. Mais par des plaies ouvertes pissant le sang, des ligaments et des artères tranchés.

Rien de bon.

Reacher éjecta un spectateur de son siège, empoigna la chaise, la brandit devant lui comme un dresseur de lions. La meilleure défense contre les armes blanches est la distance. La meilleure contre-attaque, empêtrer l'ennemi. Une couverture ou un filet jeté dessus s'avère souvent efficace. La lame se prendrait dedans. Mais Reacher ne disposait d'aucun filet, manteau ou couverture. Une forêt de quatre pieds de chaise à l'horizontale était tout ce qu'il avait sous la main. Il les pointa plusieurs fois devant lui, comme un escrimeur, puis recula et écarta un autre homme de sa chaise. Il attrapa alors la chaise vide et la balança par-dessus son épaule, à la tête du grand adjoint. Celui-ci se tourna, leva instinctivement la main gauche pour se protéger la figure et prit la chaise sur l'avant-bras. Reacher revint à l'assaut et poussa fort. Il enfonça un pied de chaise dans le plexus de son adversaire et un autre dans son ventre. Le type recula, reprit sa respiration, chargea, battant des bras, et ses lames fendirent l'air en lançant des reflets.

Reacher recula d'un pas souple et pointa sa chaise en avant. Il toucha l'autre en haut du bras gauche. Celui-ci pivota d'un côté, puis de l'autre. Reacher se repositionna sur la gauche et attaqua encore. Il réussit alors à toucher son adversaire derrière le crâne avec un pied de chaise. L'homme trébucha un peu, puis revint à la charge, les mains basses, écartées, et décrivit de petits cercles assassins avec la pointe de ses lames.

Reacher battit en retraite. Il chassa de son siège un troisième spectateur et lança la chaise vide à toute volée. Le grand adjoint s'écarta d'un bond, leva le bras, et la chaise lui rebondit sur l'épaule. Reacher était prêt. Il avança, tenant sa chaise avec force devant lui et toucha l'adjoint au flanc, sous les côtes, juste au-dessus de la taille : cent vingt-cinq kilos de poussée, concentrée au bout d'un pied de chaise, sur des tissus mous.

Le grand type cessa le combat.

Il se figea et ses traits se décomposèrent. Il lâcha ses couteaux et serra les mains sous son estomac. Il resta un long moment raide comme une statue, puis un spasme le plia en deux vers l'avant et il vomit par terre un long jet de sang et de mucus. Il recula, s'accroupit en titubant et tomba à genoux. Ses épaules s'affaissèrent et ses traits prirent un teint cireux, blafard. Son estomac se souleva et il dégueula encore. Davantage de sang, davantage de mucus. Il écarta les doigts de chaque côté de la mare de vomi et essaya de se mettre debout. Mais il n'y arriva pas. À demi relevé, il s'effondra sur le côté comme une masse. Il leva les yeux au ciel, roula sur le dos et respira par saccades. Il reposa une main sur son estomac et frappa le plancher de l'autre. Il vomit encore, à la verticale, une fontaine de sang dans les airs. Puis il roula sur lui-même et se recroquevilla en position fœtale.

Fin de partie.

Le bar était silencieux. Pas un bruit, hormis des respirations saccadées. L'air était saturé de poussière et puait le sang et le vomi. Reacher tremblait sous l'excès d'adrénaline. Il se força à reprendre le contrôle de ses membres, reposa doucement la chaise et se baissa pour ramasser les couteaux. Il fit rentrer les lames dans leur manche en les pointant contre l'acajou du bar et rangea les deux couteaux dans une poche. Le premier homme qu'il avait frappé était dans les pommes, sur le dos. Le coup de coude sur l'arête nasale avait toujours la même efficacité. Trop fort, il peut faire glisser des éclats d'os dans les lobes frontaux. Mal orienté, il peut en projeter des éclats dans les globes oculaires. Mais celui-ci avait été parfaitement dosé. L'autre serait patraque et mettrait une semaine à s'en remettre, mais il se rétablirait.

Celui qui avait entamé la soirée avec une mâchoire démolie y avait ajouté un nez cassé et une belle migraine. Le nouveau venu au fond de la salle avait le bras brisé par le tabouret, et peut-être aussi une commotion pour s'être cogné dans le mur tête la première. Son voisin était inconscient après le coup encaissé sur la tête. L'adjoint qui avait évité le tabouret s'en tirait avec des côtes brisées, un poignet fracturé et le larynx fêlé.

De la vraie casse, mais ils la cherchaient tous depuis le départ.

Donc, cinq sur cinq, plus un bref examen médical pour le sixième. Le grand adjoint, toujours en position fœtale, avait l'air très faible et très pâle. Comme si son mal le vidait. Reacher se pencha, vérifia son pouls à la carotide et le trouva léger, sur le fil du rasoir. Il le fouilla et découvrit une étoile à cinq branches dans sa poche de poitrine. Un insigne officiel. Il était en étain et deux lignes étaient gravées au milieu : *Ville de Despair, Adjoint de police.* Reacher l'empocha. Il découvrit aussi un jeu de clés et une maigre liasse de billets retenus par une pince en cuivre. Il prit les clés et laissa l'argent. Puis il se redressa et fit le tour de la pièce des yeux, à la recherche du barman. L'homme se trouvait là où il était au tout début, son gros cul adossé contre le tiroir-caisse.

« Appelez l'usine, fit Reacher. Faites venir l'ambulance. Attention au grand. Il n'a pas l'air bien. »

Puis il avança vers le bar et trouva sa bouteille. Elle était là où il l'avait laissée, au garde-à-vous sur sa serviette en papier. Il en vida le restant d'une traite, la reposa et sortit dans la nuit.

TRENTE ET UN

Il dut errer dix minutes en voiture au sud de Main Street avant de tomber sur Nickel Street. Les panneaux étaient petits, délavés, et les phares du vieux pick-up de Vaughan faibles et réglés vers la chaussée. Il déchiffra Iron, Chromium, Vanadium et Molybdene, puis il perdit complètement les métaux et traversa une suite de voies numérotées avant de retrouver Steel, Platinum et Gold. Nickel Street était une voie sans issue qui débouchait dans Gold Street. Elle abritait seize maisons, deux lignes de huit, face à face : quinze petites, une grande.

Le juriste favori de Thurman, le juge Gardner, habitait la grande maison de Nickel Street, avait dit le barman. Reacher s'arrêta le long du trottoir, vérifia le nom sur la boîte aux lettres, puis engagea le pick-up dans l'allée devant la maison et coupa le contact. Il descendit de voiture et marcha vers la véranda. La maison était une sorte d'ancien corps de ferme de taille moyenne, relativement belle, comparée à ses voisines, mais il ne faisait aucun doute que Gardner aurait été plus à l'aise s'il avait quitté la ville et rejoint la Cour suprême à Washington, ou la cour d'appel fédérale dont dépendait le Colorado, quelle qu'elle soit, voire le moindre tribunal de permanence la nuit, à Denver. Le toit de la véranda s'affaissait sur des fondations pourrissantes et la poussière avait terni la peinture sur les planches de bois, au fil des ans. Des pièces de menuiserie desséchées s'étaient fendues. Il y avait deux pilastres jumeaux en haut des marches de la véranda.

Deux sphères décoratives étaient sculptées au sommet, toutes deux fendues dans le sens du fil du bois, comme si on les avait attaquées au hachoir.

Reacher trouva la sonnette et appuya deux fois dessus, phalanges repliées. Une vieille habitude : ne pas laisser d'empreintes, sauf nécessité. Puis il attendit. D'après son expérience, le temps moyen qui s'écoule après avoir frappé à la porte d'une maison de banlieue en pleine soirée est d'une vingtaine de secondes. Les couples lèvent les yeux de leur télé, se regardent en se demandant : « Qui ça peut être ? À cette heure-ci ? » Puis, après un échange muet d'offre et de contre-offre de service, ils finissent par décider qui s'y collera pour aller ouvrir. Avant neuf heures, c'est généralement la femme. Après neuf heures, le mari.

Ce fut madame Gardner qui ouvrit. Après une attente de vingt-trois secondes. Elle ressemblait à son mari, massive, la soixantaine bien sonnée, une crinière blanche. Seul le volume de ses cheveux et la coupe de ses vêtements distinguaient son sexe. Sa coiffure bouclée ressemblait à celles que se font les femmes avec de gros rouleaux chauffants, et elle portait une robe grise informe qui lui tombait aux chevilles. Elle se tenait, silhouette informe, derrière une porte grillagée.

« Que puis-je pour vous ? dit-elle.

– Il faut que je voie le juge.

– Il est affreusement tard », fit madame Gardner.

Une contre-vérité.

D'après une horloge ancienne, posée dans l'entrée, derrière elle, il était huit heures vingt-neuf, et d'après celle dans la tête de Reacher, huit heures trente et une, mais cette femme voulait dire : « Vous êtes un visiteur bien inquiétant. » Reacher sourit. *Regardez-vous*, lui avait dit Vaughan. *Qu'est-ce que vous voyez ?* Reacher savait qu'il n'était pas le visiteur nocturne idéal. Seuls les missionnaires mormons étaient moins bien reçus que lui. Neuf fois sur dix.

« C'est urgent », reprit-il.

La femme ne bougea pas et n'ouvrit pas la bouche. La vie avait appris à Reacher que le mari se montrerait à la porte si l'échange durait plus de trente secondes. Il allait passer la tête par la porte du salon et demander : « Qui est-ce, chérie ? » Et Reacher souhaitait que la porte grillagée s'ouvre bien avant. Il voulait pouvoir la bloquer, si nécessaire, avant qu'elle ne se referme.

« C'est urgent », répéta-t-il en tirant vers lui la porte grillagée qui grinça sur ses gonds fatigués.

La femme fit un pas en arrière, mais ne tenta pas de lui claquer la porte d'entrée au nez. Reacher entra. Le vestibule mêlait des odeurs de cuisine et de renfermé. Reacher se retourna, referma doucement la porte d'entrée et fit cliquer le pêne dans la serrure. À cet instant, les trente secondes s'étaient écoulées dans sa tête et le juge fit son apparition.

Le vieux bonhomme portait le même pantalon gris que Reacher lui connaissait, mais sans la veste de costume, et sa cravate était dénouée. Il se figea un moment, à l'évidence pour fouiller dans sa mémoire, car, au bout de dix longues secondes, l'étonnement laissa place à une tout autre émotion et il dit : « Vous ? »

Reacher hocha la tête.

« En personne.

– Que voulez-vous ? Qu'est-ce que vous cherchez en venant ici ?

– Je suis venu vous parler.

– Je voulais dire, à Despair. On vous en a banni.

– C'est raté, dit Reacher. Faites-moi un procès.

– Je vais appeler la police.

– Je vous en prie. Mais ils ne répondront pas, comme vous le savez certainement. Les adjoints non plus.

– Où sont-ils ?

– En route pour le poste de secours.

– Qu'est-ce qui leur est arrivé ?

– Moi. »

Le juge se tut.

Reacher reprit :

« Et monsieur Thurman est là-haut dans son petit avion. Pas moyen de le contacter pendant les cinq heures à venir. Vous voilà donc tout seul. C'est le moment pour le juge Gardner de prendre une initiative.

– Que voulez-vous ?

– Je veux que vous m'invitiez dans votre salon. Que vous m'invitiez à m'asseoir et que vous me demandiez si je prends du lait et du sucre dans mon café, ce qui, d'ailleurs, n'est pas le cas. Parce que, jusqu'à maintenant, je suis chez vous avec votre permission tacite, et par conséquent je ne viole aucun domicile. J'aimerais qu'il en reste ainsi.

– Non seulement il y a violation de domicile, mais également d'arrêté municipal.

– C'est ce dont je voudrais discuter. J'aimerais que vous reveniez sur votre décision. Comme si je faisais appel, en quelque sorte.

– Êtes-vous cinglé ?

– Un peu non conformiste, je l'admets. Mais je ne suis pas armé et je ne profère aucune menace. Je veux juste parler.

– Allez vous faire voir.

– D'un autre côté, je suis un étranger baraqué qui n'a rien à perdre. Dans une ville momentanément dépourvue de forces de l'ordre en état de marche.

– J'ai une arme.

– J'en suis certain. Je suis même sûr que vous en avez plusieurs. Mais vous ne vous servirez d'aucune.

– Vous ne le croyez pas ?

– Vous êtes un homme de loi. Vous connaissez les problèmes que leur usage engendre. Je ne pense pas que vous voudriez y être confronté.

– Vous prenez un risque.

– Se lever chaque matin en est un. »

Le juge ne répondit rien. Ne céda rien. N'accorda rien. L'impasse. Reacher se tourna vers la femme et toute amabilité s'évanouit de ses traits, remplacée par le regard distant qu'il utilisait, des années auparavant, avec des témoins récalcitrants.

« Qu'en pensez-vous, madame Gardner ? » demanda-t-il.

Elle s'y reprit à deux fois, mais aucun son ne sortit de sa gorge sèche. Finalement, elle articula : « Je crois que nous ferions bien d'aller tous nous asseoir et causer. » Pourtant, son usage du conditionnel montrait qu'elle n'était pas totalement effrayée. C'était une vieille dure à cuire. Probablement par nécessité, pour survivre soixante ans à Despair et à un mariage avec le larbin du patron.

Son mari renifla un coup puis il tourna les talons et les conduisit dans le salon. C'était une pièce carrée de taille respectable, meublée de manière traditionnelle. Un canapé, un fauteuil, un autre avec un levier sur le côté, à dossier inclinable. Il y avait une table basse et un téléviseur grand modèle connecté à un décodeur satellite. Les meubles étaient recouverts d'un tissu à fleurs dont les motifs se répétaient sur les rideaux. Ceux-ci étaient fermés et avaient une cantonnière assortie. Reacher soupçonnait madame Gardner d'avoir effectué toute cette couture elle-même.

« Asseyez-vous donc, dit le juge.

– Je ne vais pas préparer de café. Je pense que ce serait un peu incongru, vu les circonstances, déclara madame Gardner.

– À vous de voir, rétorqua Reacher. Mais je dois vous dire que j'apprécierais beaucoup d'en prendre un. »

Il fit une pause puis s'assit dans le fauteuil ordinaire. Gardner s'installa dans l'inclinable. Sa femme resta plantée là un moment, puis elle soupira et sortit de la pièce. Une minute plus tard, Reacher entendit couler de l'eau et le léger bruit métallique d'un filtre à percolateur qu'on rinçait.

« Il n'y a aucun moyen d'appel, reprit Gardner.

– Il doit y en avoir un, fit Reacher. Il s'agit d'un problème constitutionnel. Le cinquième et le quatorzième amendement garantissent le respect de la légalité. Pour le moins, il doit y avoir une possibilité de contrôle de légalité.

– Êtes-vous sérieux ?

– Totalement.

– Vous voudriez contester un arrêté municipal sur le vagabondage devant une cour fédérale ?

– J'aimerais mieux que vous admettiez qu'une erreur a été commise, avant de déchirer les quelques traces papier qu'elle a générées.

– Il n'y a pas eu d'erreur. Vous êtes bien un vagabond au regard de la définition.

– J'aimerais que vous reveniez là-dessus.

– Pourquoi ?

– Pourquoi pas ?

– J'aimerais comprendre pourquoi c'est si important pour vous de circuler librement dans notre ville.

– Moi, j'aimerais comprendre pourquoi c'est si important pour vous de m'en tenir à l'écart.

– Quel est votre préjudice ? Il n'y a pas grand-chose à y voir.

– C'est une question de principe. »

Garner ne répondit pas. Un instant plus tard, sa femme revint, une seule grande tasse de café à la main. Elle la déposa soigneusement sur la table devant le fauteuil de Reacher, puis elle recula et s'assit sur le canapé. Reacher saisit la tasse et en but un peu du bout des lèvres. Le café était chaud, fort et onctueux. La tasse était de forme cylindrique, étroite vu sa hauteur, sa porcelaine fine et son rebord mince.

« Excellent, dit Reacher. Merci beaucoup. Je vous en suis très reconnaissant. »

Madame Gardner marqua un temps d'arrêt avant de répondre :

« Mais de rien, vraiment.

– Et vous avez aussi fait du beau travail avec ces rideaux. »

Madame Gardner ne répliqua pas.

« Je ne peux rien pour vous. Il n'existe aucune disposition d'appel. Intentez un procès à la ville, s'il le faut, poursuivit le juge.

– Vous m'avez dit que je serais accueilli les bras ouverts, si j'avais du travail. »

Le juge acquiesça.

« Ça lèverait alors la présomption de vagabondage.

– Et voilà.

– Avez-vous trouvé du travail ?

– J'ai des pistes. Un autre sujet dont il faut qu'on discute. Il n'est pas sain pour cette ville de n'avoir aucun effectif de police en état de servir. Je voudrais donc que vous me nommiez adjoint. »

Il y eut un silence. Reacher sortit l'étoile d'étain de sa poche de chemise.

« J'ai déjà l'insigne. Et aussi pas mal d'expérience.

– Vous êtes fou.

– Je comble un manque, c'est tout.

– Vous êtes complètement malade.

– J'offre mes services.

– Finissez votre café et sortez de chez moi.

– Ce café est chaud et il est très bon. Je ne peux pas l'avaler d'une traite.

– Laissez-le, alors. Fichez le camp, tout de suite.

– Vous refusez donc de me nommer adjoint ? »

Le juge se leva, pieds écartés bien à plat, et se redressa de toute sa hauteur, soit un bon mètre quatre-vingts. Il plissa les yeux en évaluant dans sa tête le rapport entre les dangers du présent et les contingences futures. Il demeura un long moment silencieux à réfléchir, puis il dit : « Je préférerais nommer adjoint toute la population. Chaque homme, femme et enfant de Despair. En fait, c'est mon intention. Deux mille six cents personnes. Vous croyez pouvoir tous les écarter ? Moi, je ne le crois pas. Nous voulons vous éloigner, mon bon monsieur, et nous arriverons à nos fins. Soyez-en convaincu. Vous pouvez parier là-dessus. »

TRENTE-DEUX

Reacher roula sur le joint de dilatation à vingt et une heures trente et se gara devant la cafétéria moins de cinq minutes plus tard. Il se dit que Vaughan repasserait par là en coup de vent, au cours de la nuit. Il pensa que, s'il laissait son pick-up le long du trottoir, elle serait rassurée sur son sort à lui. Du moins sur celui de son véhicule.

Il entra, déposa les clés à la caisse et vit Lucy Anderson toute seule dans un box. Short ras des fesses, sweat-shirt bleu, socquettes, grosses baskets. De longues jambes nues. Elle regardait dans le vide en souriant. La première fois qu'il l'avait vue, il ne l'aurait pas dite cent pour cent jolie. Là, elle était fichtrement superbe. Elle semblait rayonnante, plus grande, plus droite. On aurait dit une tout autre personne.

Elle avait changé.

Avant, elle était minée par les soucis.

Là, elle était heureuse.

Il s'arrêta un moment à la caisse ; elle le remarqua et lui sourit en levant les yeux. Un étrange sourire. Il exprimait une bonne dose de satisfaction, plus une légère note de triomphe. Un peu de supériorité. Comme si elle venait de remporter une belle victoire à ses dépens.

Il confia les clés de Vaughan à la caissière.

« Dînez-vous chez nous, ce soir ? »

Il y réfléchit. Son estomac s'était remis. L'adrénaline avait reflué. Il se rendit compte qu'il avait faim. Rien dans le ventre depuis le petit déjeuner, sinon du café et les calories inutiles de sa Bud au bar. Et il en avait brûlé, des calories, dans ce bar. Pas de doute. Il se retrouvait en déficit énergétique.

« Oui, j'imagine que je suis prêt pour dîner », répondit-il.

Il alla jusqu'au box de Lucy et se coula sur la banquette opposée. Elle lui décocha un regard de l'autre côté de la table et lui offrit le même grand sourire. Satisfaction, triomphe, supériorité, victoire. De près, il était bien plus large et produisait encore plus d'effet. Un vrai sourire atomique. Elle avait de belles dents. Ses yeux bleus brillaient fort.

« Cet après-midi, vous ressembliez à Lucy. Et maintenant, à Lucky, dit-il.

– Là, je me sens Lucky.

– Qu'est-ce qui a changé ?

– D'après vous ?

– Vous avez eu des nouvelles de votre mari. »

Elle lui sourit de nouveau, heureuse à cent pour cent.

« Plutôt deux fois qu'une, dit-elle.

– Il a quitté Despair.

– Plutôt deux fois qu'une. Et vous ne l'attraperez plus jamais.

– Ça n'a jamais été mon intention. Je n'en avais jamais entendu parler avant de vous croiser.

– Vraiment », fit-elle avec le ton sarcastique exagéré que Reacher avait déjà entendu chez des jeunes prononçant ce mot. Pour autant qu'il sache, c'était une manière de dire : Vous me prenez vraiment pour un triple idiot ?

« Vous me prenez pour un autre.

– Vraiment. »

Regardez-vous. Qu'est-ce que vous voyez ?

« Je ne suis pas flic, dit Reacher. Je l'ai été et il se peut que j'aie toujours l'air d'en être un à vos yeux, mais je n'en suis plus un. »

Elle ne répondit pas. Mais il sentit qu'elle n'était pas convaincue.

« Votre mari est certainement parti cet après-midi. Il était à Despair à trois heures et n'y était plus un peu avant sept heures.

– Vous êtes retourné là-bas.

– J'y suis allé deux fois, aujourd'hui.

– Ce qui prouve que vous le cherchiez.

– Possible. Mais seulement pour vous.

– Vraiment.

– Qu'a-t-il fait ?

– Vous le savez déjà.

– Si je le savais, il n'y aurait aucun mal à me le redire, non ?

– Je ne suis pas idiote. Je suis censée n'être au courant de rien. Autrement, vous me diriez complice. On a des avocats, vous savez.

– Qui ça, "on" ?

– Les gens dans notre situation. Dont vous savez tout.

– Je ne suis pas un flic, Lucky. Je suis juste un étranger de passage. Je ne sais rien sur rien. »

Elle lui sourit de nouveau. Bonheur, triomphe et victoire.

« Où est-il allé ? demanda Reacher.

– Comme si j'allais vous le dire !

– Quand le rejoindrez-vous, où qu'il soit ?

– Dans deux ou trois jours.

– Je pourrais vous filer. »

Elle lui sourit de nouveau, sûre d'elle.

« Ça ne vous avancerait à rien. »

La serveuse approcha et Reacher commanda un steak et du café. Lorsqu'elle se fut éloignée, il regarda Lucy Anderson droit dans les yeux.

« Il y en a d'autres qui se trouvent dans la situation où vous vous trouviez hier. En ce moment même, il y a une fille qui attend en ville, comme vous.

– J'espère que nous sommes nombreuses.

– Je crois qu'elle risque d'attendre en vain. Je sais qu'un jeune homme est mort là-bas, il y a un ou deux jours. »

Lucy fit non de la tête.

« Impossible, dit-elle. Je suis sûre que personne parmi nous n'est mort. J'en aurais entendu parler.

– Nous ?

– Les gens dans notre situation.

– Quelqu'un est bien mort.

– Des gens meurent tous les jours.

– Des jeunes gens ? Sans raison apparente ? »

Elle ne répliqua pas et il devina qu'elle ne le ferait jamais. La serveuse apporta son café. Il en but une gorgée. Pas mauvais, mais moins bon que celui de madame Garner en termes de goût ou de tasse. Il le reposa et regarda de nouveau la fille avant de dire :

« En tout cas, Lucy, je ne vous souhaite que du bonheur, quoi que vous fassiez et où que vous alliez.

– C'est tout. Plus de questions ?

– Je suis juste venu dîner. »

Il mangea seul. Lucy Anderson s'était éclipsée avant que son steak arrive. Elle était restée un moment sans ouvrir la bouche puis elle était sortie du box et s'en était allée. Plus précisément, elle avait filé d'un bond, pleine d'énergie. Elle avait poussé la porte et, au lieu de se pelotonner dans son sweat-shirt contre le froid, s'était redressée, avait levé les yeux et humé l'air de la nuit comme si elle se trouvait dans une forêt enchantée. Reacher l'avait regardée jusqu'à ce qu'elle soit hors de sa vue, puis avait attendu son repas, les yeux dans le vide.

Il finit son dîner sur le coup de dix heures et demie et rentra au motel. Il s'arrêta à l'accueil pour régler la nuit à venir. Il louait toujours sa chambre une nuit à la fois, même quand il savait qu'il y resterait davantage. Une manière de se rassurer. Un rite réconfortant destiné à renforcer sa totale liberté d'aller où bon lui semblait. La gérante de jour était encore de service. La grosse dame. La fouineuse. Il réunit un paquet de petits billets, patienta pour sa monnaie.

« Bon, que vouliez-vous me dire sur cette usine de métaux ?

– À propos de quoi ?

– Des vrais délits. Des infractions. Vous vous intéressiez aux raisons pour lesquelles cet avion décolle toutes les nuits.

– Donc, vous êtes bien flic.

– Je l'ai été. Il m'en reste peut-être de vieilles habitudes. »

La femme haussa les épaules et prit un petit air gêné. Peut-être même rougit-elle un peu.

« Ce sont juste des réflexions idiotes d'amateur, fit-elle. Voilà ce que vous allez vous dire.

– D'amateur ?

– Je boursicote. Je fais des recherches sur mon ordinateur. Je réfléchissais à cette usine.

– Et alors ?

– Ils gagnent beaucoup trop d'argent, on dirait. Mais qui suis-je pour l'affirmer ? Pas une pro. Ni courtière en Bourse, ni expert-comptable, ni rien d'équivalent.

– Racontez-moi ça dans le détail.

– Chaque secteur d'activité traverse des hauts et des bas. Il y a des cycles, soumis aux prix des matières premières, à l'offre et à la demande et aux conditions du marché. En ce moment, le prix des métaux recyclés dans leur ensemble est en recul. Pourtant, cette usine est pleine aux as.

– Comment le savez-vous ?

– L'emploi y grimpe en flèche.

– C'est un peu vague.

– Même s'il s'agit d'une entreprise privée, elle doit publier ses résultats auprès de l'État et au niveau fédéral. J'ai regardé leurs comptes, histoire de passer le temps. »

Et parce que tu es une fouineuse, se dit Reacher.

« Et alors ? demanda-t-il.

– Elle publie de gros bénéfices. Si on pouvait en acheter des actions, j'en prendrais un gros paquet. Enfin, si j'avais l'argent. Si je n'étais pas gérante de motel.

– D'accord.

– Et ils ne sont pas cotés en Bourse. Ils n'ont pas ouvert leur capital au public. Par conséquent, ils ramassent sans doute plus que ce qu'ils publient.

– Vous pensez donc qu'ils rognent sur tout ce qu'ils peuvent. En violant les règlements environnementaux ?

– Je n'en serais pas surprise.

– Quelle différence ça ferait-il ? Je croyais que ces règles étaient désormais plutôt souples, non ?

– Peut-être.

– Et cet avion ? »

La femme détourna les yeux.

« Juste des idées en l'air.

– Dites-moi.

– Bon, je me disais que, si l'activité apparente ne justifie pas les bénéfices et s'ils ne violent pas les règles environnementales, il y a peut-être autre chose.

– Quoi, par exemple ?

– Cet avion ramène peut-être des choses, la nuit. Des choses qui se vendent. En contrebande.

– Quoi donc ?

– Pas du métal.

– D'où ça ?

– Je n'en sais rien. »

Reacher se tut.

« Vous voyez ? Qu'en saurais-je ? J'ai trop de temps libre, voilà tout. Bien trop. Et une connexion Internet à haut débit. Ça suffit à mettre des drôles d'idées dans la tête de n'importe qui. »

Elle se retourna et se plongea dans un registre. Reacher rangea sa monnaie dans sa poche. Avant de sortir, il jeta un coup d'œil à la rangée de crochets derrière l'épaule de la gérante et vit qu'il manquait quatre clés. La sienne, celle de Lucy Anderson, celle de la femme aux amples sous-vêtements et celle de la fille nouvellement arrivée, sans doute. Cette fille au teint mat qu'il n'avait pas encore croisée, mais qu'il pourrait bientôt rencontrer. Il soupçonna qu'elle resterait plus longtemps que Lucy Anderson et que, à la fin de son séjour, elle ne filerait pas le sourire aux lèvres.

Il rentra dans sa chambre et prit une douche, mais il était trop énervé pour se coucher. Alors, débarrassé de la vilaine odeur de bagarre du bar, il se rhabilla et sortit pour marcher un peu. Sur un coup de tête, il s'arrêta à une cabine téléphonique sous un lampadaire, ouvrit le Bottin et y chercha Robert David Vaughan. Il y était en toutes lettres. Vaughan, D.R., avec une adresse sur Fifth Street à Hope, dans l'État du Colorado.

Deux pâtés de maisons plus au sud.

Il avait vu Fourth Street. Pourquoi ne pas jeter aussi un coup d'œil à Fifth Street ? Par pure curiosité.

TRENTE-TROIS

Fifth Street traversait la ville d'est en ouest. C'était presque la copie conforme de Fourth Street, à ceci près que des maisons la bordaient des deux côtés. Des arbres, des barrières en bois, des boîtes aux lettres, de jolies petites maisons tranquilles sous la lune. Un endroit agréable à vivre, probablement. La maison de Vaughan se situait près de l'extrémité est. Plus proche du Kansas que de Despair. Une grosse boîte aux lettres en aluminium sans fioriture trônait sur un piquet en bois acheté dans le commerce. Le piquet avait subi un traitement antipourriture. Le nom Vaughan se détachait des deux côtés de la boîte, en lettres autocollantes et en italique. On les avait collées avec soin et parfaitement alignées. Une exception, d'après Reacher. La plupart des gens semblent avoir des difficultés avec les lettres autocollantes. Selon lui, la colle était trop forte pour permettre toute rectification en cas d'erreur. Arriver à aligner exactement sept lettres côte à côte signifiait une préparation méticuleuse. On avait peut-être scotché préalablement une sorte de règle, avant de l'enlever, l'opération terminée.

La maison et le jardin affichaient également un haut degré d'entretien. Sans être un expert, Reacher savait reconnaître la différence entre le soin et l'abandon. Il n'y avait pas de pelouse dans le jardin. Il était recouvert d'un gravier doré, avec des buissons et des arbustes qui poussaient au milieu. L'allée devant la maison était pavée de petites plaques d'une couleur apparemment identique à celle du gravier. D'autres étaient disposées ici et là au milieu des cailloux, comme pour former un chemin. Buissons et arbustes étaient soigneusement taillés. Certains portaient de petites fleurs, toutes refermées pour se protéger de la fraîcheur nocturne.

La maison elle-même était un pavillon de plain-pied, pas très haut, qui datait d'une cinquantaine d'années. Un garage pour une seule voiture y était rattaché sur la droite et une excroissance en T sur la gauche abritait peut-être les chambres. Reacher se dit que la cuisine devait être attenante au garage, et le salon, se trouver entre la cuisine et les chambres. Elle avait une cheminée. Les tuiles et bardeaux sur le toit n'étaient pas neufs, mais on les avait remplacés depuis moins de trois générations. Ils étaient correctement posés et affichaient une agréable patine.

Une jolie maison.

Sombre et silencieuse. Quelques rideaux étaient à moitié ouverts, et d'autres, complètement. Aucune lumière n'y brillait, hormis une petite lueur verte à une fenêtre. La cuisine, sans doute, et l'horloge numérique d'un four à micro-ondes. Sinon, pas d'autre signe de vie. Rien. Ni bruit, ni ronronnement sourd, ni vibration. Autrefois, le métier de Reacher consistait à investir les bâtiments dans le noir, et, en plusieurs occasions, décider s'il y avait quelqu'un dedans avait été une question de vie ou de mort. Il avait développé un sixième sens et celui-ci lui disait que la maison de Vaughan était vide.

Où était donc David Robert ?

Au travail, peut-être. Peut-être assuraient-ils tous deux un service de nuit. Certains couples choisissent d'accorder ainsi leurs horaires. David Robert pouvait être infirmier, médecin ou ouvrier sur les chantiers de maintenance nocturnes des autoroutes. À moins qu'il ne soit journaliste ou employé dans une imprimerie qui tirait des journaux. Ou encore dans les produits frais, à préparer des expéditions pour les marchés du lendemain. Ou animateur dans l'une de ces grosses radios qui émettaient toute la nuit sur les grandes ondes. Ou chauffeur routier, acteur ou musicien, avec de longues tournées. Peut-être des mois durant. Ou marin ou pilote de ligne.

Ou encore membre de la police de l'État du Colorado.

Vaughan lui avait demandé : « Ai-je l'air mariée ? »

Non, se dit Reacher. *Vous n'en avez pas l'air. Pas comme d'autres.*

Il tomba sur une rue perpendiculaire bordée d'arbres et remonta vers Second Street, au nord. Il jeta un coup d'œil à l'ouest et vit le pick-up de Vaughan, garé là où il l'avait laissé. Les lumières de la cafétéria s'y reflétaient partout. Il continua un pâté de maisons plus loin et atteignit First Street. Aucun nuage dans le ciel. Et une lune omniprésente. Sur sa droite, une plaine argentée s'étendait jusqu'au Kansas. Sur sa gauche, on distinguait vaguement les Rocheuses, des masses floues, bleutées, dont les neiges, face au nord, prenaient des airs de lames fantomatiques d'une hauteur incroyable. Pas encore onze heures du soir et personne dehors. Aucune circulation. Aucun mouvement.

Reacher n'était pas insomniaque et il n'avait pourtant pas envie de dormir. Trop tôt. Trop de questions. Il avança jusqu'au prochain pâté de maisons sur First Street, puis reprit plein sud, en direction de la cafétéria. Il n'était pas accro à la compagnie, mais il avait besoin de voir des gens et il se dit que, s'il devait en croiser, ce serait là.

Il en trouva quatre. La serveuse étudiante, un vieux bonhomme qui arborait une casquette au logo d'une marque de graines et dînait seul au comptoir, un type d'une cinquantaine d'années installé dans un box, des catalogues de tracteurs ouverts devant lui, et une jeune Hispanique à l'air effrayé, toute seule dans un box, sans rien sur sa table.

« Le teint mat et les cheveux noirs, pas une blonde, avait dit Vaughan. Elle regarde l'ouest comme si elle attendait un signe de Despair. »

La fille était petite. Elle avait entre dix-huit et dix-neuf ans. De longs cheveux noir de jais avec une raie au milieu encadraient son visage au front haut et aux yeux démesurés. Ils étaient marron et ressemblaient à deux mares pleines de terreur et de tragédie. Dessous, un petit nez, une petite bouche. Reacher se dit qu'elle devait avoir un joli sourire, mais qu'elle l'affichait rarement et certainement pas depuis plusieurs semaines. Elle avait le teint moyennement mat et ne bronchait pas d'un poil. Ses mains demeuraient invisibles sous la table, mais Reacher était certain qu'elle les gardait croisées sur les genoux. Elle portait une veste chaude aux couleurs des San Diego Padres sur un tee-shirt bleu à col rond. Il n'y avait rien sur sa table. Ni tasse ni assiette. Toutefois elle ne venait pas juste d'arriver. Vu sa position, elle était sans doute assise depuis une dizaine ou une quinzaine de minutes au minimum. Personne ne peut se figer ainsi comme une statue en moins de temps.

Reacher alla à l'autre bout du comptoir et la serveuse étudiante le rejoignit. Il pencha un peu la tête, signe universel pour dire : *Il faut que je vous parle en privé*. La serveuse s'approcha et elle pencha aussi la tête, complice.

« Cette fille, lui dit Reacher. A-t-elle commandé ?

– Elle n'a pas un sou, lui chuchota la serveuse.

– Demandez-lui ce qu'elle veut. C'est moi qui paie. »

Il alla s'installer dans un box d'où il pouvait observer la fille sans que ce fût trop évident. Il vit la serveuse s'approcher d'elle, lut la surprise sur ses traits, puis le doute et enfin le refus. La serveuse alla voir Reacher dans son box et murmura :

« Elle dit qu'elle ne peut pas accepter.

– Retournez lui dire que je n'y mets aucune condition. Dites-lui que je ne la drague pas. Dites-lui que je ne veux même pas lui parler. Dites-lui que je sais ce que c'est d'être sans le sou et le ventre vide. »

La serveuse fit demi-tour. Cette fois, la fille céda. Elle désigna deux ou trois choses sur le menu. Reacher était sûr qu'elles étaient parmi les moins chères. La serveuse alla transmettre la commande à la cuisine et la fille se retourna un peu sur sa banquette, fit un petit hochement de tête poli, très digne, et les commissures de ses lèvres se relevèrent dans un semblant de sourire. Puis elle se retourna et reprit sa pose de statue.

La serveuse revint voir Reacher et il lui commanda du café.

« Son addition se monte à neuf dollars cinquante. La vôtre, à un dollar cinquante. »

Reacher tira de la liasse dans sa poche un billet de dix dollars et trois de un et les poussa sur la table. La serveuse les prit, le remercia pour le pourboire et lui demanda :

« Comme ça, vous savez ce que c'est d'être sans le sou et le ventre vide ?

– Pas du tout, dit Reacher. Toute ma vie, l'armée m'a fourni mes trois repas par jour. Depuis que je l'ai quittée, j'ai toujours de l'argent en poche.

– Vous avez donc fait ça pour qu'elle se sente mieux.

– Parfois, il le faut, pour convaincre.

– Vous êtes un type bien, fit la serveuse.

– Tout le monde n'est pas d'accord là-dessus.

– Certains le pensent.

– Vraiment ?

– C'est ce que j'ai entendu dire.

– Comment ça ? »

La fille se contenta de sourire et de tourner les talons.

Toujours à distance respectable, Reacher observa la jeune Hispanique manger un sandwich à la crème de thon et boire un milk-shake au chocolat. Un bon choix, sur le plan nutritif. Un excellent rapport qualité prix pour Reacher. Des protéines, des graisses, des glucides et un peu de sucre. Si elle suivait le même régime tous les jours, elle pèserait ses cent kilos avant l'âge de trente ans, mais, en état de manque pressant sur la route, il était sage de faire le plein. Quand elle eut terminé, elle se tamponna les lèvres avec sa serviette en papier, repoussa son verre, son assiette, et reprit sa pose de statue muette. L'horloge dans la tête de Reacher sonna minuit et celle de la pendule au mur l'imita une minute plus tard. Le vieux à la casquette sortit péniblement, la démarche alourdie par l'arthrose, et le représentant en tracteurs ramassa ses papiers, héla la serveuse et lui redemanda du café.

La jeune Hispanique ne bougea pas. Reacher avait vu des tas de gens agir ainsi dans des cafés et des restaurants proches des gares routières et ferroviaires. Elle économisait son énergie et passait le temps, au chaud. Elle faisait durer. Il la regarda de profil et se dit qu'elle répondait bien davantage que lui à l'idéal décrit par Zénon : l'acceptation aveugle du destin. Elle avait l'air d'une patience et d'un calme infinis.

Le vendeur de tracteurs termina son dernier fond de tasse, rassembla ses affaires et sortit. La serveuse se cala dans un coin et prit un livre de poche. Reacher serra la main autour de sa tasse pour la garder chaude.

La jeune Hispanique ne broncha pas.

Puis elle se décida. Elle se coula doucement hors de la banquette en vinyle et se releva dans le même mouvement élégant. Elle était toute petite. Pas beaucoup plus d'un mètre cinquante, guère davantage que quarante-cinq kilos. Elle s'arrêta un moment à la porte, puis se retourna vers le box de Reacher. Ses traits n'exprimaient que solitude et timidité. Elle eut l'air d'arriver à une sorte de décision, avança, s'immobilisa à un mètre de lui et dit : « Vous pouvez me parler, si vous le voulez vraiment. »

Reacher secoua la tête.

« Ce n'étaient pas des propos en l'air.

– Merci pour le dîner. »

Sa voix allait bien avec son physique. Une petite voix fluette. Avec un léger accent, mais l'anglais était probablement sa première langue. Elle venait sans aucun doute du sud de la Californie. Les Padres étaient certainement son équipe de base-ball.

« D'accord pour le petit déjeuner, demain ? » demanda Reacher.

Elle ne bougea pas en essayant de ravaler sa fierté, puis elle fit non de la tête.

« Et le déjeuner, demain ? Et le dîner ? »

Elle fit encore non de la tête.

« Vous êtes bien installée, au motel ?

– C'est à cause de ça. J'ai payé trois nuits d'avance. Tout mon argent y est passé.

– Il faut bien que vous mangiez. »

La fille ne répondit pas. Reacher calcula : *à dix dollars par repas, ça fait trente par jour, trois fois trois jours égalent quatre-vingt-dix dollars, plus dix pour les urgences ou les coups de fil, ça fait cent dollars*. Il compta dans sa liasse cinq billets de vingt dollars tout neufs, tirés au distributeur de la banque, et il les étala sur la table.

« Je ne peux pas prendre votre argent. Je n'aurais aucun moyen de vous le rendre, dit la fille.

– Rendez-le par procuration. »

La fille ne réagit pas.

« Vous voyez ce que veut dire "rendre par procuration" ?

– Je n'en suis pas certaine.

– Ça signifie que, dans des années, quand vous vous trouverez dans une cafétéria et que vous verrez quelqu'un qui a besoin d'un coup de main, vous l'aiderez. »

La fille hocha la tête.

« Ça, je le pourrai, fit-elle.

– Alors, prenez cet argent. »

Elle s'approcha et saisit les billets.

« Merci, dit-elle.

– Ne me remerciez pas moi, mais plutôt celui qui m'a aidé autrefois. Et celui qui en a fait autant pour lui avant. Et ainsi de suite.

– Êtes-vous déjà allé à Despair ?

– Quatre fois, en deux jours.

– Y avez-vous vu des gens ?

– Des tas. C'est une assez grande ville. »

Elle se rapprocha encore et colla ses hanches fines contre le bord de sa table. Elle souleva un petit sac en vinyle bon marché, le posa sur le rebord stratifié tout contre son ventre, et en ouvrit le fermoir. Elle baissa la tête et ses cheveux tombèrent devant. Elle avait de petites mains brunes sans bagues aux doigts, ni vernis aux ongles. Elle fouilla un moment dans son sac et en sortit une enveloppe. Celle-ci était épaisse et presque carrée. Sans doute avait-elle contenu une carte de vœux. Elle détacha le rabat et en tira une photo. Elle la tint délicatement entre le pouce et l'index, posa son petit poing sur la table et le tourna jusqu'à ce que Reacher ait un angle de vue correct sur la photo.

« Avez-vous vu cet homme ? » demanda-t-elle.

Encore une photo standard 10 × 13 développée en une heure. Papier brillant, sans marge. Tirage d'une pellicule Fuji, supposa Reacher. À l'époque où ça comptait encore dans une expertise judiciaire, il était devenu assez fort pour reconnaître les différentes pellicules à partir de leurs choix colorimétriques. Cette épreuve présentait des verts appuyés, une caractéristique des films Fuji. Les produits Kodak préféraient les rouges et les tons chauds. L'appareil était un bon boîtier avec un vrai objectif. On voyait de nombreux détails sur la photo. La mise au point n'était pas parfaite. Le choix du diaphragme pas des plus inspirés. La profondeur de champ ni réduite ni importante. *Un vieux reflex à objectif fixe*, se dit Reacher, donc acquis d'occasion ou emprunté à une personne plus âgée. Il n'existait plus de marché pour les bons appareils à pellicule. Tout le monde avait adopté le numérique. La photo entre les doigts de cette fille était récente, de toute évidence, mais on l'aurait dite d'une époque depuis longtemps révolue. C'était une bonne image, mais rien d'exceptionnel, prise par un amateur avec un vieux reflex et un film Fuji.

Il prit le cliché des mains de la jeune fille et le tint entre le pouce et l'index. Les verts pétants de la photo étaient ceux d'une surface herbeuse en arrière-plan et d'un tee-shirt au premier plan. L'herbe avait l'air bien arrosée, soignée aux engrais et bien coupée, sans doute celle d'un parc urbain. Le tee-shirt, en coton bon marché, était celui d'un gars plutôt maigre entre dix-neuf et vingt ans. L'appareil le prenait en contre-plongée, comme si le cliché était l'œuvre d'une personne bien plus petite. Le gars avait une pose un peu guindée et paraissait mal à l'aise. On ne trouvait aucune spontanéité dans son attitude. Peut-être une suite d'erreurs de réglage sur l'appareil l'avait-elle contraint à garder la pose un peu trop longtemps. Son sourire était naturel mais un peu figé. Dents blanches et traits mats. Il paraissait jeune, aimable, sympathique, de compagnie agréable et totalement inoffensif.

Pas maigre, tout compte fait.

Plutôt sec et mince.

Ni grand ni petit. Du point de vue de la taille.

Il faisait environ un mètre soixante-seize.

Il devait peser dans les soixante-dix kilos.

Il était hispanique, mais avec autant de traits mayas ou aztèques qu'espagnols. Il avait son content de sang purement indien. Sans aucune hésitation. Ce gars avait les cheveux noirs luisants, ébouriffés, d'une longueur de trois à cinq centimètres, avec une tendance assez nette à onduler.

Il avait les pommettes saillantes.

Il était vêtu simplement, sans chichi.

Il ne s'était pas rasé.

Son menton et sa lèvre supérieure avaient une barbe piquante.

Les joues et la gorge étaient plus lisses.

Un homme jeune, à peine sorti de l'adolescence.

« L'avez-vous vu ? demanda la fille.

– Comment vous appelez-vous ?

– Mon nom à moi ?

– Oui.

– Maria.

– Et le sien ?
– Raphael Martinez.
– C'est votre ami ?
– Oui.
– Quel âge a-t-il ?
– Vingt ans.
– Avez-vous pris cette photo ?
– Oui.
– Dans un parc à San Diego ?
– Oui.
– Avec l'appareil photo de votre père ?
– Celui de mon oncle, dit la fille. Comment avez-vous deviné ? »

Reacher se tut. Il détailla de nouveau Raphael Martinez sur la photo. L'ami de Maria. Un mètre soixante-seize, soixante-dix kilos. Sa silhouette. Ses cheveux, ses pommettes. Son début de barbe.

La fille redemanda : « L'avez-vous vu ?
– Non, dit-il en secouant la tête. Je ne l'ai pas vu. »

TRENTE-QUATRE

La fille quitta la cafétéria. Reacher la regarda s'éloigner. Il se dit qu'offrir de la raccompagner au motel risquerait d'être mal interprété, comme s'il voulait obtenir quelque chose de plus concret que la fierté d'une bonne action, pour ses cent dollars. De toute façon, elle n'était nullement en danger. Hope semblait être une petite ville assez sûre. Peu probable qu'elle croise des bandes de malfaiteurs dans les rues, vu que personne n'y traînait. C'était la pleine nuit dans une bourgade tranquille et sans histoire, au milieu de nulle part. Reacher la laissa donc partir, resta tout seul dans son box et réveilla un peu l'étudiante pour se faire servir un autre café.

« Vous n'arriverez jamais à dormir, commenta-t-elle.

– Combien de fois l'officier de police Vaughan repasse-t-elle ici dans la nuit ? » demanda-t-il.

La serveuse lui adressa le même sourire qu'en lui disant : *C'est ce que j'ai entendu dire*.

« Au moins une, répondit-elle, sans cesser de sourire.

– Elle est mariée.

– Je sais. »

Elle remporta la Thermos et retourna à son livre, laissant Reacher avec sa grosse tasse fumante. Il baissa la tête et huma l'arôme. Lorsqu'il la redressa, il vit la voiture de patrouille passer lentement dehors. Elle ralentit, comme pour bien noter que le pick-up était de retour à sa place. Mais elle ne s'arrêta pas pour autant. Elle fila. Longea la vitrine de la cafétéria et continua vers Second Street.

Reacher quitta l'établissement à une heure du matin et rentra à pied au motel. La lune brillait toujours. La ville était toujours calme. Une petite lumière brûlait à l'accueil du motel. Les chambres étaient dans le noir. Il s'assit sur une chaise de jardin en plastique devant sa porte, étira les jambes, croisa les mains derrière la tête et écouta le silence, les yeux grands ouverts, droit sur la lune.

Sans aucun effet. Il n'arriva pas à se détendre.

Vous n'arriverez jamais à dormir, avait remarqué la serveuse.

Pourtant, le café n'y est pour rien, se dit-il.

Il se releva et se remit en marche. Pour retourner tout droit à la cafétéria. Aucun client ne s'y trouvait. Reacher tira la porte, se dirigea directement à la caisse et récupéra sur le comptoir les clés du pick-up de Vaughan. La serveuse leva les yeux sans rien dire. Reacher retourna à la porte et la franchit avant qu'elle ne se referme. Il se dirigea vers le véhicule de l'autre côté du trottoir. L'ouvrit, monta, démarra. Il décolla du trottoir, prit à gauche, puis encore à gauche et se retrouva sur First Street, face à l'ouest. Cinq minutes plus tard, il sentit la ligne de démarcation sous ses roues et entra sur le territoire de Despair.

Les vingt premiers kilomètres furent tranquilles, comme prévu. La ville l'était également. Reacher ralentit à l'approche de la station-service, réduisit sa vitesse à trente à l'heure et ouvrit grands les yeux. Tous les bâtiments qu'il croisa étaient fermés et totalement dans le noir. Main Street était vide et silencieuse. Il vira à gauche et entra dans le labyrinthe du centre-ville. Il tourna au hasard et traversa une douzaine de pâtés de maisons sans voir une seule lumière aux fenêtres ni une seule porte ouverte. Aucune voiture dans les rues, personne sur les trottoirs. Le poste de police était dans le noir. Tout comme la pension de famille. Le bar était fermé, les volets clos. L'hôtel n'était que façade amorphe, porte d'entrée fermée, fenêtres sombres. L'église était vide et silencieuse. Le câble vert du paratonnerre courant au sol était gris sous la lune.

Il trouva une rue perpendiculaire pour le mener vers le sud, au quartier résidentiel. Dans le noir, sans un bruit d'un bout à l'autre. Aucune lumière chez le juge Gardner. Aucune ailleurs. Aucun signe de vie. Les voitures étaient garées, formes basses inertes sur lesquelles perlait la condensation du froid nocturne. Il avança jusqu'à ce que la rue se perde dans une portion de désert à demi colonisé. Il décrivit une large courbe sur le sable tassé, s'arrêta et laissa tourner le moteur, la ville entière sous ses yeux, au nord. Elle prenait des reflets d'argent sous la lune. Recroquevillée sur elle-même, muette, déserte, insignifiante au milieu de l'immensité.

Il se faufila dans les rues étroites jusqu'à Main Street. Puis il tourna à gauche et continua plein ouest, vers l'usine de recyclage de métaux.

Elle était fermée et dans le noir. Muette, immobile. Le mur d'enceinte jetait des reflets blancs fantomatiques sous la lune. L'entrée du personnel était close. Les hectares de parking, déserts. Reacher suivit le mur et zigzagua de droite à gauche, jusqu'à ce qu'il accroche les traces des Tahoe dans le faisceau des mauvais phares du pick-up. Il suivit leur immense tracé en huit tout autour de l'usine, jusqu'à l'enclave résidentielle. Pas un signe de vie dans l'une comme dans l'autre. Aucune lumière dans la maison. Aucune sur le terrain alentour. Arbres et buissons se détachaient en masses sombres. Les manches à air pendaient, inertes au bout de leur mât. L'entrée pour les camions, à l'usine, était fermée. Reacher la dépassa lentement, monta sur la route goudronnée, la traversa, en redescendit, décrivit un nouveau quart de cercle dans le désert, s'arrêta au croisement des deux boucles du huit, juste dans le goulot entre les parois métalliques du mur d'enceinte de l'usine et celles en pierre du domaine habité. Il coupa les phares, le moteur, descendit les vitres et attendit.

Il entendit l'avion à deux heures cinq du matin. Un bruit de monomoteur, par intermittence, lointain, en pleine descente. Il tendit le cou et devina une lumière tout là-bas au sud. Des feux d'atterrissage. Ils semblaient immobiles, accrochés aux cieux pour toujours. Puis ils se firent imperceptiblement plus distincts et se mirent à osciller légèrement de droite à gauche et de haut en bas, surtout vers le bas. Un petit avion, en phase d'approche. Ballotté par les courants nocturnes ascendants, compensés par une main ferme sur des commandes sensibles. Son bruit se rapprocha, mais il baissa d'intensité tandis que le pilote réduisait les gaz et cherchait la bonne trajectoire pour atterrir en douceur.

Des lampes s'allumèrent de l'autre côté du mur en pierre, projetant un pâle reflet. *Des balises de piste,* se dit Reacher, une à chaque extrémité. Il vit l'avion en l'air changer de cap, virer à gauche, corriger sur la droite, s'aligner sur les balises. Il approcha sur la gauche de Reacher. Lorsqu'il ne fut plus qu'à trois cents mètres, Reacher vit qu'il s'agissait d'un petit monoplan aux ailes basses. Peint en blanc. Puis, à deux cents mètres, il découvrit un train d'atterrissage fixe avec des carénages autour des trois roues : des jupes, en termes d'aéronautique. À cent mètres, il reconnut un Piper, probablement une variante du Cherokee : quatre places, robuste, fiable, assez commun et populaire. Sinon, il n'en tira aucune information. Il s'y connaissait un peu en aviation légère, mais pas énormément.

L'appareil traversa de gauche à droite devant lui, à basse altitude, dans un déferlement de bruit, de vent et de lumière. Il passa deux mètres au-dessus du mur et disparut de l'autre côté. Le moteur toussa, se mit en drapeau puis vrombit, une minute plus tard, de manière agressive. Reacher imagina l'avion : il roulait en se pavanant comme un insecte gonflé de son importance, tout blanc sous la lune, cahotait sur le sol inégal, tournant sèchement sur son faible empattement et se dirigeant vers son écurie. Puis il l'entendit s'arrêter et le silence retomba, plus assourdissant qu'avant.

Les balises de piste s'éteignirent.

Il ne vit ni n'entendit plus rien.

Il attendit dix minutes, par sécurité, puis remit le pick-up en marche, recula, fit demi-tour, s'éloigna en suivant l'angle mort, séparé de la maison par la masse de l'usine. Il roula en cahotant sur des hectares de parking avant de retrouver la route. Il tourna à gauche, contourna le petit côté de l'usine et atteignit la voie empruntée par les camions. Il alluma les phares, se cala confortablement dans son siège, adopta une bonne vitesse de croisière sur ce large revêtement régulier et se dirigea vers l'ouest, hors des limites de la ville, en direction du poste de la police militaire et des soixante kilomètres au-delà.

TRENTE-CINQ

Les militaires dormaient tous, à l'exception des deux sentinelles de garde dans la guérite. Reacher les vit en passant, deux silhouettes massives dans la pénombre, un gilet sur leur treillis couleur sable, sans casque et avec le brassard de la police militaire. Une veilleuse orange brûlait près du sol pour qu'ils puissent tout de même voir dans la nuit. Debout, dos à dos, ils surveillaient l'un les abords à l'est, l'autre ceux à l'ouest. Reacher ralentit et leur fit un signe en passant, puis il remit les gaz et fila.

Près de cinquante kilomètres plus loin, la belle route empruntée par les camions bifurquait brutalement sur la droite et se dirigeait au nord vers l'autoroute. Mais l'ancienne voie sur laquelle elle avait été construite continuait tout droit, plus étroite, sans aucun panneau, apparemment vers nulle part. Reacher la suivit. Il sentit sous ses roues qu'il quittait le solide macadam noir et régulier pour une surface aussi mauvaise que la route de Despair. Bosselée, inégale, avec un revêtement de piètre qualité de goudron et de gravier. Il passa entre deux fermes en ruine et entra dans un univers fantomatique où rien ne se détachait ni à gauche, ni à droite, ni devant lui, hormis un serpentin de route grise et le reflet argenté des lointaines montagnes, sous la lune, à l'horizon. Ce fut ainsi sur une demi-douzaine de kilomètres. On aurait dit qu'il ne progressait pas du tout à l'intérieur du paysage. Puis il dépassa un panneau isolé au bord de la chaussée sur lequel il lut : « Route locale 37, comté de Halfway ». Un kilomètre et demi plus loin, il vit flotter un halo de lumière. Il monta une longue côte, puis la route franchit un col, redescendit à mi-distance, et soudain devant lui apparut un beau damier de rues éclairées et bordées de bâtiments blafards. Après un nouveau kilomètre et demi, il passa devant un panneau qui annonçait : « Municipalité de Halfway ». Il ralentit, regarda dans ses rétroviseurs, et se gara sur l'accotement.

La ville qu'il avait sous les yeux portait bien son nom. La lune éclairait les Rocheuses qui semblaient plus proches qu'en réalité. Un nouveau caprice topographique… Elles n'étaient pas à portée de main, mais certainement plus près qu'auparavant. Les âmes bien trempées, celles qui avaient repris leur marche après Despair, avaient été récompensées, soixante kilomètres plus loin, par une avancée d'apparemment cent soixante kilomètres à vol d'oiseau. Mais, sages ou échaudées, elles ne s'étaient pas laissé emporter par leur enthousiasme et avaient donné à leur ville, étape suivante, le nom prudent qui s'imposait à elles, Halfway : à mi-parcours. Sans doute dans le secret espoir que modestie et humilité seraient récompensées, plus tard, en découvrant qu'elles avaient couvert plus de la moitié de chemin au final. *Ce n'était pas le cas,* se dit Reacher. Soixante kilomètres n'en faisaient pas davantage, illusion d'optique ou non. Elles n'avaient effectué qu'un cinquième du voyage. Mais les chariots qui étaient partis de Despair ne comptaient que des optimistes à leur bord, et la ville de Halfway reflétait l'état d'esprit de ses pères fondateurs. Elle avait l'air plus tonique, plus dynamique, plus vivante en pleine nuit que ne l'était Despair en plein jour. Elle avait été reconstruite, sans doute à plusieurs reprises. On n'y voyait rien d'apparemment ancien. Les architectures que devinait Reacher sentaient le stuc des années soixante-dix, le verre des années quatre-vingt, et non la brique du dix-neuvième siècle. À une époque où les moyens de transport étaient rapides, il n'y avait pas de raison valable de choisir d'investir dans une petite ville plutôt que dans sa voisine, sinon en raison d'un dynamisme et d'une vigueur qui remontaient aux origines. Despair avait souffert, Halfway avait prospéré et les optimistes l'avaient emporté, comme ils le méritent parfois.

Reacher reprit la route et descendit la côte jusqu'à la ville. Il était trois heures et quart du matin. Même si de nombreux endroits étaient éclairés, peu d'entre eux étaient ouverts. À première vue, rien d'autre qu'une station-service et une cafétéria. Mais cette ville et son comté partageaient le même nom, ce qui signifiait, selon l'expérience de Reacher, que certains services étaient accessibles vingt-quatre heures sur vingt-quatre. La police du comté, par exemple. Elle devait avoir un poste tenu toute la nuit par un policier. Également un hôpital, avec un service d'urgence ouvert à toute heure, sept jours sur sept. Et pour servir la zone grise entre les deux, où la police du comté pouvait probablement être concernée et où les urgences avaient échoué, on trouverait une morgue. Ouverte jour et nuit. Le siège d'un comté dont dépendait un réseau de petites villes tout autour se devait de fournir certains services de base. Il n'y avait aucune morgue à Hope comme à Despair, par exemple. *Pas même une chambre froide,* avait dit Vaughan. On présumait sans risque qu'il en allait de même pour d'autres villes voisines. Il y avait parfois de la casse et il fallait bien que les ambulances aillent quelque part. On ne laisse pas les morts dans la rue en attendant le lendemain. En général.

Reacher évita le centre-ville. Les morgues se situaient normalement près des hôpitaux et le siège d'un comté rénové disposait en général d'un nouvel hôpital, les nouveaux hôpitaux étant habituellement construits en périphérie, là où les terrains étaient disponibles et moins coûteux. Halfway était desservi par une route à l'est, plus un réseau de quatre autres au nord et à l'ouest, et Reacher tomba sur l'hôpital après huit cents mètres sur la seconde route qu'il tenta. Il couvrait la surface d'un campus universitaire, avec des bâtiments qui couraient sur toute la longueur et toute la largeur du terrain, pareils à de chalets. Il avait l'air paisible et accueillant, comme si la mort et la maladie n'étaient pas si graves que ça. Il disposait d'un vaste parking, vide, à l'exception d'un groupe de vieilles guimbardes autour de l'entrée de service et d'une berline rutilante, seule dans un carré délimité par des panneaux férocement dissuasifs : « Strictement réservé aux médecins ». De la vapeur s'échappait des conduits d'aération d'un bâtiment sur l'arrière. *La laverie,* supposa Reacher, où draps et serviettes étaient nettoyés la nuit par les propriétaires des guimbardes, tandis que le type à l'auto rutilante faisait son possible pour maintenir les patients en vie, afin qu'ils puissent se coucher dans ces draps, le lendemain matin.

Reacher évita le hall d'accueil. Il cherchait des morts, non des malades, et il savait comment les trouver. Il avait parcouru bien plus de morgues que de services de soins au cours de son existence. En général, on s'attache à les cacher aux yeux du public. Une affaire de sensibilité. Souvent, aucune pancarte ne les signale ou alors en termes neutres, comme : « Services particuliers ». Mais elles sont toujours faciles d'accès. Les ambulances doivent pouvoir y amener leur cargaison et en repartir sans encombre.

Il trouva la morgue du comté d'Halfway à l'arrière, près de la laverie de l'hôpital. *Bien vu,* se dit Reacher. La fumée dégagée par la laverie camouflait celle de la cheminée du crématorium. La morgue se présentait comme les autres services : un gros pavillon en forme de chalet. Une haute barrière en acier, une grille coulissante, une guérite à l'entrée.

La barrière était solide, la grille fermée, et il y avait un gardien dans la guérite.

Reacher se gara au bout du parking, descendit de son véhicule, s'étira. Le garde le regarda faire. Reacher termina ses étirements et jeta un œil autour de lui, comme s'il prenait ses repères, puis se dirigea droit sur la guérite. Le garde releva la partie inférieure de sa vitre et baissa la tête, comme s'il avait besoin de mettre son oreille au niveau de l'ouverture pour entendre correctement. C'était un type d'une cinquantaine d'années, mince, probablement compétent mais sans ambition. Un agent de sécurité lambda. Il portait un uniforme sombre banal sur lequel il y avait un insigne en plastique moulé pareil à ceux vendus dans les magasins de jouets. On y lisait : « Sécurité ». Rien de plus. Il aurait pu assurer le service de jour dans un centre commercial. Peut-être était-ce le cas. Peut-être qu'il devait cumuler deux boulots pour joindre les deux bouts.

Reacher baissa aussi la tête en direction de la moitié de vitre ouverte.

« J'ai des choses à vérifier sur le type amené hier matin par Despair.

– Le personnel est à l'intérieur », répondit le garde.

Reacher acquiesça, comme si on lui avait transmis une information intéressante, puis il attendit que l'autre appuie sur le bouton et ouvre la grille.

Le type n'en fit rien.

« Étiez-vous de service, hier matin ? demanda Reacher.

– Après minuit, c'est le matin.

– Une fois le jour levé.

– Alors, ce n'était pas moi. Je débauche à six heures.

– Pouvez-vous me laisser entrer, alors ? Et vérifier auprès du personnel de la morgue.

– Eux aussi, ils terminent à six heures.

– Ils doivent bien avoir de la paperasse là-dessus.

– Je ne peux pas, répliqua le garde.

– Quoi donc ?

– Vous laisser entrer. Seulement les forces de l'ordre. Plus les ambulanciers qui apportent la viande fraîche.

– Je suis dans les forces de l'ordre. Je travaille pour la police de Despair. Il faut qu'on vérifie un point, précisa Reacher.

– J'ai besoin d'une pièce justificative.

– On ne nous donne presque rien. Je suis juste un adjoint.

– Il faut me montrer quelque chose. »

Reacher hocha la tête et sortit de sa poche de poitrine l'étoile en étain prise au grand adjoint. Le garde l'inspecta attentivement. *Ville de Despair, Adjoint de police*.

« C'est tout ce qu'on nous donne, répéta Reacher.

– Ça me suffit », dit l'autre, qui appuya sur le bouton.

Un moteur se mit en marche et une crémaillère fit coulisser la grille sur un rail bien graissé. Dès qu'elle fut ouverte d'un mètre, Reacher la franchit et traversa une cour baignée d'une lumière jaune au soufre jusqu'à une entrée réservée au personnel arborant un écriteau : « Accueil ». Il passa la porte sans s'arrêter et se retrouva dans une salle d'attente, pareille aux millions d'autres qu'il avait fréquentées. Un bureau, un ordinateur, des écritoires à pince, des montagnes de papier, des panneaux d'affichage, des fauteuils bas recouverts de laine et de tweed. L'ensemble paraissait raisonnablement neuf, mais déjà fatigué. Malgré le chauffage en marche, il faisait froid. Une autre porte, fermée, menait plus loin à l'intérieur, mais Reacher sentit les effluves des produits chimiques agressifs qui en sortaient. Deux types étaient assis. Deux jeunes hommes blancs et minces. Ils avaient autant l'air de travailleurs manuels que d'employés de bureau. Ils semblaient las et un peu insolents, tels exactement à ce qu'attendait Reacher d'hommes travaillant de nuit près d'une chambre froide pleine de cadavres. Ils levèrent les yeux dans sa direction, légèrement agacés par cette intrusion dans leur monde, légèrement satisfaits de ce changement inopiné dans leur petite routine.

« On peut vous aider ? » lança l'un des deux.

Reacher tendit de nouveau son étoile grise.

« Il faut que je vérifie un détail sur le type qu'on vous a amené hier matin. »

L'employé qui lui avait adressé la parole fronça les sourcils devant l'étoile.

« Despair ? »

Reacher hocha la tête.

« Un jeune type, pas bien gros, décédé avant d'arriver à l'hôpital. »

Un des deux employés se souleva de son siège, se laissa tomber derrière le bureau et tapota sur quelques touches pour réveiller l'écran d'ordinateur. L'autre fit pivoter son fauteuil, attrapa une écritoire à pince, humecta son pouce et feuilleta une liasse de paperasse. Ils arrivèrent l'un et l'autre en même temps à une conclusion identique. Ils se regardèrent, et celui qui avait déjà ouvert la bouche répondit :

« On n'a rien reçu de Despair, hier.

– Vous en êtes certains ?

– C'est vous-même qui l'avez amené ?

– Non.

– Vous êtes sûr qu'il était bien mort ? On l'a peut-être envoyé en soins intensifs.

– Il était bien mort. Aucun doute.

– Eh bien, il n'est pas chez nous.

– Impossible qu'il y ait une erreur ?

– Impossible.

– Vos paperasses sont toujours fiables à cent pour cent ?

– Obligé. Quand on prend notre service, on passe en revue toutes les étiquettes aux orteils et on les coche sur la liste. La procédure. Les gens sont chatouilleux quand on égare leurs chers disparus, ce genre de conneries.

– On peut les comprendre, j'imagine.

– Cette nuit, on en a cinq sur la liste et cinq au frigo. Deux femmes, trois hommes. Aucun jeune dans le lot. Et aucun de Despair.

– Ils auraient pu l'emmener ailleurs ?

– Nulle part dans ce comté. Et personne ne l'aurait accepté autre part. Le gars tapa sur quelques autres touches et un autre écran s'afficha : Au jour précis d'aujourd'hui, le dernier macchabée qu'on a reçu de Despair remonte à plus d'un an. Un accident dans leur usine de recyclage de métaux. Un type en morceaux, pour autant que je m'en souvienne, découpé par une machine. Pas beau à voir. Il était si déchiqueté qu'on a dû le répartir dans deux tiroirs. »

Reacher acquiesça et l'autre pivota sur sa chaise, se colla contre le bureau, mit les pieds dessus et croisa les mains derrière la tête.

« Désolé », fit-il.

Reacher hocha encore la tête et sortit dans la cour baignée de lumière soufrée. La porte montée sur ressort se referma toute seule derrière lui dans un bruit de courant d'air. *Supposer, c'est poser ce qui n'est pas su.* L'idiot qui enseignait à Fort Rucker avait ajouté : *Vous devez impérativement vérifier.* Reacher retraversa la cour en ciment, attendit que la grille s'ouvre d'un mètre pour la franchir et remonta dans le pick-up de Vaughan.

Il avait vérifié.

Dans les moindres détails.

TRENTE-SIX

Reacher s'arrêta un kilomètre et demi plus loin à la cafétéria de Halfway, ouverte à toute heure. Il y avala un cheeseburger et descendit trois tasses de café. Le burger était spongieux, à peine cuit, et le café presque aussi bon qu'à Hope. La tasse était un peu moins bien, mais acceptable. Il lut un exemplaire fatigué du journal de la veille, de la première à la dernière page, puis se cala dans un coin de son box et sommeilla une petite heure. Il quitta les lieux à cinq heures du matin quand les premiers clients du petit déjeuner firent leur apparition et le dérangèrent avec leur bavardage animé et leur odeur de douche fraîche. Il fit le plein du véhicule de Vaughan à la station-service de nuit et quitta la ville, plein est, par la mauvaise route qu'il avait empruntée pour s'y rendre, les montagnes loin dans son dos, l'aube prête à poindre devant lui.

Il maintint l'aiguille du compteur sur soixante et repassa devant le poste de la police militaire cinquante-deux minutes plus tard. Les lieux étaient tranquilles. Les deux hommes, dans leur guérite, l'un regardant à l'est, l'autre à l'ouest. Leur veilleuse était encore allumée. Il estima que le réveil était à six heures trente, et la bouffe à sept. La garde de nuit prendrait son dîner et celle de jour son petit déjeuner à la même heure. Sans doute un menu identique. Les unités combattantes nouvellement rapatriées bénéficiaient de peu de confort. Il leur fit un signe et continua, toujours à soixante, pour arriver aux abords de l'usine de recyclage à six heures du matin précises.

L'heure de l'embauche.

Les projecteurs de stade étaient déjà allumés et les lieux radieusement éclairés, comme en plein jour. Le parking se remplissait rapidement. Des flots de phares automobiles affluaient de l'est, de la ville, plongeaient, balayaient le sol rugueux, s'arrêtaient, s'éteignaient. Reacher ralentit, tourna le volant, vira pour quitter la route en cahotant pour aller se garer proprement entre une Chrysler aux amortisseurs fatigués et un pick-up Ford cabossé. Il sortit, ferma la voiture, mit les clés dans sa poche et rejoignit une foule d'hommes qui convergeaient en traînant les pieds vers l'entrée du personnel. Un sentiment de malaise. L'impression de pénétrer dans un stade de base-ball en portant les couleurs du club visiteur. Un étranger parmi nous. Tout autour, les types lui décochaient des regards curieux et lui laissaient plus d'espace qu'ils ne le faisaient entre eux. Mais aucun mot ne fut échangé. Aucune hostilité patente. Juste de la méfiance et un examen en douce tandis que la foule avançait, lentement, dans les premières lueurs avant l'aube, mètre après mètre.

La porte de l'entrée du personnel était formée par un double panneau de l'enceinte métallique, s'ouvrant grâce à un jeu de gonds suffisamment compliqué pour épouser la structure du mur en patchwork. Le sentier de terre battue qui la traversait avait été foulé par un million de pieds. À l'approche de l'entrée, il n'y avait aucune bousculade. Aucune impatience. Les hommes faisaient un pas sur la gauche, sur la droite, s'alignaient parfaitement, comme des automates, sans empressement, sans délai, résignés. Il leur fallait tous pointer, mais, visiblement, aucun n'y tenait.

La queue avança doucement d'un mètre, de deux, de trois.

L'ouvrier devant Reacher franchit la porte.

Reacher la franchit.

Juste derrière, d'autres cloisons en métal à hauteur d'homme, rappelant celles pour trier le bétail, séparaient la foule en deux. L'allée de droite menait à un enclos où, selon Reacher, les ouvriers à temps partiel attendaient qu'on les appelle. Il était déjà au quart rempli d'hommes qui patientaient debout en silence. Ceux prenant à gauche ne leur jetaient même pas un regard.

Reacher prit à gauche.

L'allée fit tout de suite un coude et se rétrécit à un mètre vingt de large. Elle menait la procession au pas traînant devant une vieille pointeuse à aiguille, au milieu d'un tableau géant de fiches horaires. Chaque homme prenait sa fiche, la présentait à la machine, attendait le bruit sourd du tampon, la remettait à sa place. Un rythme lent, ininterrompu. Frottement du carton sur le métal, coup sourd du tampon, clic de la fiche de retour dans sa fente. L'horloge affichait six heures quatorze, précisément la même heure que dans la tête de Reacher.

Reacher passa devant sans s'arrêter. L'allée tourna de nouveau et il suivit le type devant lui sur une trentaine de pas, puis il émergea dans l'angle nord-est de l'arène. Elle était immense. Tout bonnement énorme, à couper le souffle. Les lumières au sommet du mur d'enceinte opposé couraient sur un kilomètre et demi, jusqu'à se fondre en un tout petit point unique dans l'angle sud-ouest, au loin. Le mur lui-même était au moins à huit cents mètres. Une superficie totale dans les cent cinquante hectares. Soit trois cents terrains de football.

Incroyable.

Reacher s'écarta pour laisser passer la longue colonne derrière lui. Ici et là, dans cette immensité, de petits essaims s'agitaient déjà. Des grues et des camions se mettaient en mouvement. Ils projetaient des ombres nettes sous les lumières du stade. Certaines grues étaient plus grosses que toutes celles que Reacher avait vues sur les docks. Certains camions, aussi imposants que des engins de pelletage. Il vit des presses gigantesques montées sur d'énormes socles en béton. Ces presses avaient des pistons hydrauliques brillants de graisse plus gros que des troncs de séquoia. Il vit des creusets de la taille d'un voilier et des cornues hautes comme des maisons. Des montagnes d'épaves de voitures, hautes de dix étages. Le sol était saturé d'huile et de mares de diesel aux reflets arc-en-ciel, couvert de limaille de fer racornie, et, là où il était sec, une poussière luisante jetait quelques éclats. Vapeur, fumée, émanations de gaz et relents agressifs de produits chimiques flottaient partout. Les rugissements des machines et les coups de boutoir allaient rebondir en vagues contre l'enceinte de métal qui en retournait l'écho. Des flammes vives dansaient derrière les portes ouvertes des fournaises.

On se serait cru en enfer.

Certains ouvriers semblaient se diriger vers des tâches déjà affectées, tandis que d'autres formaient des petits groupes, comme s'ils attendaient des instructions. Reacher les contourna par l'arrière et longea la paroi nord. Minuscule, insignifiant dans tout ce chaos. Devant lui, au loin, dans l'angle nord-ouest, on ouvrait la porte aux camions. Cinq semi-remorques patientaient à la queue leu leu, prêts à sortir. Une fois sur la route, ils paraîtraient lourds et imposants. À l'intérieur de cette usine, on aurait dit des jouets. Les deux 4 × 4 Tahoe de la sécurité étaient garés côte à côte : deux petits points blancs au milieu de nulle part. À proximité, une pile de conteneurs de quinze mètres de long. Sur cinq étages. Pris séparément, ils avaient l'air minuscules.

Au sud de l'entrée des camions, une longue rangée de préfabriqués métalliques abritait des bureaux. On les avait montés sur vérins pour les mettre d'aplomb. De la lumière brillait à l'intérieur. À l'extrémité gauche de la rangée, il y en avait deux peints en blanc, une croix rouge sur la porte. Le poste de secours. Assez important pour abriter une infirmerie permanente. Un véhicule blanc était garé à côté. L'ambulance. Derrière elle, un long alignement de cuves d'essence et de produits chimiques. Au-delà, une escouade aux airs sinistres portait d'épais tabliers et des masques de soudure noirs. Ils découpaient au chalumeau une pile de ferraille tordue. Des flammes bleues projetaient des ombres affreuses. Reacher avança en rasant le mur nord. Les hommes lui lancèrent un regard puis détournèrent les yeux. Au quart du chemin, une pyramide de bidons lui barra la route. Peints en rouge délavé, ils étaient empilés sur dix étages, avec autant de marches. Reacher s'arrêta, regarda autour de lui et se hissa sur la base. Il jeta un nouveau coup d'œil, grimpa la moitié de la pyramide, se retourna en équilibre précaire, s'accrocha et se servit de la hauteur pour avoir une vue d'ensemble.

Il n'avait pas tout vu.

Pas encore.

Il y avait davantage.

Bien davantage.

Ce qu'il avait d'abord pris pour la limite sud n'était en fait qu'une sorte de cloison. Même hauteur que le mur d'enceinte. Même couleur. Même structure : une paroi lisse surmontée du même cylindre couché. Même fonction : une barrière infranchissable. Mais il ne s'agissait que d'une cloison intérieure fermée par une porte close. Une autre cinquantaine d'hectares s'étendaient entre elle et le mur extérieur. Une autre centaine de terrains de foot. La porte était assez large pour laisser passer des gros camions. De profondes traces de pneus étaient creusées dans le chemin qui y conduisait. Derrière cette cloison, de grosses grues et de hautes piles de conteneurs disposées en chevrons. Les conteneurs paraissaient placés au hasard, mais on avait fait en sorte qu'ils cachent ce qui se passait au niveau du sol, d'où que l'on regarde.

Devant la porte, à l'intérieur, il y avait une sorte de poste de contrôle. Reacher distingua deux petites silhouettes qui tournaient en rond en faisant les cent pas, l'air de s'ennuyer, les mains dans les poches. Il les observa une minute puis jeta encore un œil derrière la cloison intérieure. Des grues, des écrans. De la fumée, quelques étincelles. Mais rien d'autre à voir. Plein les oreilles, mais rien d'utile. Impossible de dire d'où provenaient ces bruits. Il attendit encore une minute pour détailler le trafic à l'intérieur de l'usine. Beaucoup de mouvement, mais rien en direction du poste de contrôle intérieur. Cette porte resterait fermée. Il leva les yeux au ciel vers l'est. L'aube se levait.

Il se retourna, assura son équilibre et descendit les bidons en gradin. Il posa le pied sur le sol inégal et une voix lança dans son dos : « Qui donc es-tu, toi ? »

TRENTE-SEPT

Reacher se retourna lentement et vit deux hommes. Un costaud et un géant. Le costaud avait un talkie-walkie dans les mains et le géant une clé à deux têtes, longue comme une batte de base-ball et sans doute lourde comme dix. Le type faisait facilement deux mètres et cent soixante kilos. Visiblement, il n'avait pas besoin d'outils pour démonter une épave de voiture.

« Qui donc es-tu, toi ? redemanda-t-il.

– L'inspecteur de la protection de l'environnement », fit Reacher.

Aucune réaction.

« Je blaguais, ajouta Reacher.

– Ça vaut mieux pour ton matricule.

– J'en ai un.

– Bon, qui es-tu ?

– Toi d'abord. Qui es-tu ?

– Le contremaître de cette usine. Alors, et toi ? »

Reacher tira l'étoile en étain de sa poche.

« Je travaille pour la police. Leur nouvel adjoint. Je me familiarise avec votre petite société.

– Personne ne nous a parlé de nouveaux adjoints.

– Ça a été décidé d'un coup. »

L'homme porta le talkie à sa bouche, appuya sur un bouton et débita rapidement quelques mots à voix basse. Des noms, des codes, des ordres. Reacher ne les comprit pas, sans en être surpris. Chaque organisation a son jargon. Mais il en reconnut le ton et en devina la teneur générale. Il se retourna, jeta un coup d'œil à l'ouest et vit les Tahoe reculer et se préparer à approcher. Un coup d'œil au sud : quelques groupes avaient arrêté le travail et étaient comme figés, prêts à agir.

« Allons visiter le bureau de la sécurité », dit le contremaître.

Reacher ne bougea pas.

« Un nouvel adjoint aimerait voir le service de sécurité. Y rencontrer des gens utiles. Établir le contact. Si du moins tu en es un. »

Reacher ne broncha pas. Il regarda de nouveau à l'ouest et vit que les Tahoe avaient couvert la moitié des huit cents mètres jusqu'à lui. Côté sud il vit plusieurs groupes en rangs serrés se diriger dans sa direction. L'équipe en tablier et masque de soudure faisait partie du lot. Dix bonshommes qui avançaient lourdement avec leurs grosses bottes anti-étincelles. Il en arrivait d'autres, un bon nombre, de partout. Au total, ils étaient peut-être deux cents à converger ainsi. Encore cinq minutes et il y aurait foule autour des bidons. Le géant à la grosse clé fit un pas en avant. Reacher ne céda pas d'un pouce et le regarda droit dans les yeux, puis il vérifia ce qui se passait à l'ouest et au sud. Les Tahoe tout proches ralentissaient déjà. Les ouvriers continuaient de converger. Ils se rapprochaient en groupes, épaule contre épaule. Ils étaient assez près pour que Reacher devine les outils dans leurs mains. Des marteaux, des pieds-de-biche, des chalumeaux coupeurs, des burins de un mètre de long.

« Tu ne peux pas tous te les faire », dit le contremaître.

Reacher hocha la tête. Le géant à lui tout seul était difficile à maîtriser, mais ce n'était pas impossible s'il manquait son premier coup de clé. Il pouvait s'en sortir à quatre contre un, voire à six contre un. Mais pas à deux cents contre un. Pas moyen. Pas avec cent vingt-cinq kilos contre vingt tonnes de muscles. Il avait toujours en poche les deux crans d'arrêt confisqués, mais ils seraient d'une utilité réduite contre une ou deux tonnes d'armes improvisées.

Rien de bon.

« Bon, allons-y. Je vous accorde cinq minutes, dit Reacher.

– Tu nous accorderas le temps qu'on voudra », répliqua le contremaître.

Il fit un signe au Tahoe le plus proche qui vira tout près. Reacher entendit les cailloux imbibés d'huile et quelques fragments métalliques crisser sous les pneus. Le géant ouvrit la porte arrière et l'invita d'un grand geste avec sa clé : Monte donc. Reacher s'installa sur la banquette arrière. Le véhicule avait un équipement intérieur sans fioriture, purement utilitaire. Plastique et tissus. Ni bois, ni cuir, ni accessoires superflus. Le géant monta après lui et le poussa contre la porte opposée. Le contremaître s'assit à côté du chauffeur et referma la porte d'un coup sec, puis la voiture repartit, fit demi-tour et se dirigea vers la rangée de bureaux au sud de l'entrée des camions. Elle traversa en son milieu la foule qui s'avançait lentement, et Reacher vit des visages le détailler derrière les vitres, le gris de leur peau maculée de graisse, le blanc de leurs yeux écarquillés, fascinés.

Le service de sécurité avait son bureau à l'extrémité nord de l'alignement, au plus près de l'entrée des camions. Le Tahoe s'arrêta pile devant, juste à côté d'un tas de sangles en vrac, sans doute de celles utilisées pour attacher la ferraille sur les plateaux d'un semi-remorque. Reacher descendit du véhicule avant le géant et il se retrouva au pied d'un petit escalier en bois qui menait à la porte du bureau. Il en gravit les marches, poussa la porte et pénétra dans un préfabriqué en métal sans doute destiné à des chantiers de construction. Il faisait dans les six mètres de long sur moins de quatre de large et deux et demi de haut. Il avait cinq petites ouvertures équipées de fenêtres en plastique, protégées à l'extérieur par un grillage d'acier renforcé. Hormis ces détails, il rappelait beaucoup la salle d'attente de la morgue du comté de Halfway. Un bureau, des papiers, des panneaux, des chaises à accoudoirs, tous portant les marques d'usure d'objets négligemment maltraités quand les utilisateurs n'en sont pas les propriétaires.

Le contremaître désigna une chaise à Reacher puis ressortit. Le géant en tira une autre et se laissa choir dessus de manière à bloquer la porte. Il lâcha sa clé par terre. Le sol était en planches de contreplaqué et l'outil fit un bruit de ferraille en tombant. Reacher s'assit sur une chaise dans un coin. Des accoudoirs en bois, un revêtement en tweed sur l'assise et le dossier. Raisonnablement confortable.

« Vous avez du café ? » demanda-t-il.

Le géant marqua un temps d'arrêt d'une seconde avant de répondre : « Non. » Une réponse laconique, négative, mais une réponse tout de même. Suivant l'expérience de Reacher, le plus difficile dans une conversation hostile est de débuter. Une première réponse constituait un bon signe. Répondre devenait une habitude.

« En quoi consiste votre travail ? reprit-il.

– Je donne un coup de main là où on a besoin de moi. »

Le géant avait une voix ordinaire, un peu sourde pour sortir d'une telle cage thoracique.

« On fait quoi, ici ? demanda encore Reacher.

– On recycle les métaux.

– Et dans la partie secrète ?

– Quelle partie secrète ?

– Au sud. Derrière le mur intérieur.

– C'est juste une décharge. Pour les trucs trop usés pour qu'on s'en serve. Rien de secret là-dedans.

– Pourquoi alors le mettre sous clé et le faire garder ?

– Pour empêcher les gens de se laisser aller. Un type qui en a marre de bosser y jette du bon matos, on perd de l'argent.

– Vous faites partie de la direction ?

– Je suis contrôleur.

– Vous voulez contrôler comment je sors ?

– Vous ne pouvez pas vous en aller. »

Reacher jeta un coup d'œil par la fenêtre. Le soleil était au-dessus de l'horizon. Encore cinq minutes et il dépasserait le mur sud. *Je peux m'en aller*, pensa-t-il. L'entrée des camions était ouverte et des véhicules en sortaient. Choisir le bon moment, esquiver le costaud, courir à la porte, sauter sur le plateau d'un semi et le tour était joué. Sa clé par terre, à ses pieds, le baraqué représentait un problème moindre que tout à l'heure. Sans arme et assis sur une chaise basse. Il était lourd, et la gravité est ce qu'elle est. Et puis les gros costauds sont lents. De plus, Reacher avait ses couteaux.

« J'ai joué au football comme pro, dit l'armoire à glace.

– Oui, mais pas très bien », fit Reacher.

L'autre ne dit rien.

« Sinon, vous commenteriez en direct sur Fox ou habiteriez une propriété à Miami, et vous ne trimeriez pas ici. »

L'autre ne répondit pas.

« Je parie que vous n'êtes pas meilleur dans ce travail. »

L'autre ne répondit toujours pas.

Je peux m'en aller, pensa de nouveau Reacher.

Mais je n'en ferai rien.

J'attends de voir ce qui va se passer.

Il attendit vingt minutes avant qu'il se passe quoi que ce soit. Le géant sur sa chaise ne broncha pas, et Reacher tua le temps comme il le put dans son coin. Il n'en était pas malheureux. Il savait gérer les temps morts comme personne. Le soleil monta dans le ciel et quelques rayons traversèrent les vitres en plastique. Ils formèrent une sorte de faisceau au-dessus du bureau. On y trouvait toutes les couleurs de l'arc-en-ciel.

Puis la porte s'ouvrit et le géant se redressa, écarta sa chaise, et le contremaître refit son apparition. Son talkie-walkie en main. Dans le grand rectangle éclairé dans son dos, Reacher vit que l'usine était en plein travail. Des camions allaient et venaient. Des grues bougeaient. Des grappes d'hommes s'activaient. Des étincelles volaient. On entendait de gros bruits. Le contremaître s'arrêta à mi-chemin entre la porte et le fauteuil de Reacher.

« Monsieur Thurman veut te voir. »

Sept heures, pensa Reacher. Vaughan terminait son service. Elle se dirigeait vers la cafétéria de Hope pour prendre son petit déjeuner, voir où était son pick-up et peut-être aussi Reacher. Ou peut-être pas.

« Je peux accorder cinq minutes à monsieur Thurman.

– Tu lui accorderas le temps qu'il voudra.

– Tu es peut-être à sa botte, pas moi.

– Debout, ajouta le contremaître. Suis-moi. »

TRENTE-HUIT

Reacher suivit le contremaître hors du préfabriqué et entra dans le bureau voisin. La même structure métallique, mieux aménagée. De la moquette, des fauteuils en cuir et un bureau en acajou. Il y avait des images au mur. Rien que des images de Jésus, comme on en trouve dans les bazars. Sur toutes, le Christ avait les yeux bleus et portait une robe bleu pâle, de longs cheveux blonds, une barbe bien taillée. Il ressemblait davantage à un surfeur de Malibu qu'à un juif d'il y a deux mille ans.

Sur le coin du bureau, une bible.

Derrière le bureau, un homme ; Reacher supposa qu'il s'agissait de monsieur Thurman. Il était vêtu d'un costume trois-pièces en laine. Pas loin de soixante-dix ans, l'air poupin, bedonnant et prospère. Il avait les cheveux blancs, pas trop longs, bien peignés et ondulés artificiellement. Un grand sourire patient éclairait son visage. On l'aurait cru à peine sorti d'un studio de télévision. Il aurait pu être animateur de jeu ou télévangéliste. Reacher le voyait bien s'empoigner la poitrine et promettre que Dieu allait le foudroyer d'une crise cardiaque si les téléspectateurs ne lui envoyaient pas d'argent.

Et ils lui en enverraient, pensa Reacher. Avec une tête pareille, il croulerait sous les billets de cinq et de dix dollars.

Le contremaître attendit son signe de tête pour sortir. Reacher s'assit dans un fauteuil en cuir et dit :

« Je m'appelle Jack Reacher. Vous avez cinq minutes. »

– Je suis Jerry Thurman. Enchanté de faire votre connaissance, répliqua l'autre derrière son bureau.

– Il ne vous reste plus que quatre minutes et quarante-six secondes.

– À vrai dire, j'ai tout mon temps, cher monsieur. »

Il avait une voix douce et mélodieuse. Ses joues tremblaient quand il parlait. Trop de graisse, pas assez de tonus musculaire. Pas beau à voir.

« Non content de causer des troubles dans ma ville, voilà que vous pénétrez illégalement dans mon entreprise.

– C'est votre faute, dit Reacher. Si vous n'aviez pas envoyé vos sbires dans ce restaurant, j'aurais rapidement terminé mon déjeuner et serais parti depuis longtemps. Aucune raison de s'attarder. Votre ville n'a pas vraiment les attraits d'un Disneyland.

– Je ne le cherche pas. Nous sommes une entreprise industrielle.

– J'ai remarqué.

– Mais vous le savez depuis plusieurs jours. Je suis sûr que les habitants de Hope vous ont informé à notre sujet. Pourquoi donc continuer à fouiner ?

– Je suis du genre curieux.

– À l'évidence, fit Thurman. Ce qui a un peu renforcé notre méfiance. Nous utilisons des techniques brevetées et des procédés de notre invention, des secrets industriels, en quelque sorte. L'espionnage pourrait nuire à nos affaires.

– Le recyclage des métaux ne m'intéresse pas.

– Nous en sommes conscients maintenant.

– Vous vous êtes renseignés sur moi ?

– Nous nous sommes renseignés, dit-il, en hochant la tête. Hier soir et ce matin. Vous êtes bien ce que vous avez affirmé être au juge Gardner, lors de votre audience pour vagabondage. Un homme de passage. Un simple quidam qui a quitté l'armée il y a dix ans.

– C'est bien moi.

– Mais un quidam particulièrement tenace. Vous avez fait une absurde requête en demandant que l'on vous assermente comme adjoint. Après avoir pris son insigne à un homme dans une bagarre.

– Qu'il a commencée. Sur votre ordre.

– On se demande donc pourquoi vous voulez tant savoir ce qui se passe ici.

– Moi, je me demande pourquoi vous tenez tant à le cacher. »

Thurman secoua sa grosse crinière blanche.

« Nous n'avons rien à cacher, fit-il. Puisque vous ne présentez aucun risque pour moi en termes de concurrence, je m'en vais vous le prouver. Vous avez vu la ville. Vous avez croisé certains de ses habitants. Je vais donc vous faire visiter cette usine. Je serai votre guide particulier et votre escorte. Vous verrez tout ce que vous voulez et pourrez me poser n'importe quelle question. »

Ils montèrent dans le véhicule personnel de Thurman, un 4 × 4 Chevrolet Tahoe du même modèle que ceux de la sécurité, mais peint en noir. Même intérieur sans fioriture. Un 4 × 4 de fonction. Les clés étaient déjà sur le contact. Sans doute par habitude. Et sans risque réel. Personne n'allait emprunter la voiture du patron sans sa permission. Thurman la conduisit lui-même, Reacher à son côté. Personne sur la banquette arrière. Rien qu'eux deux. Ils prirent la direction du sud en longeant le mur ouest et s'éloignèrent de l'entrée des camions, à vitesse réduite. Thurman entama immédiatement ses explications. Il indiqua la fonction des différents bureaux à mesure qu'ils passaient devant : direction de l'exploitation, achats, facturation, et désigna le poste de secours en s'attardant sur ses capacités d'accueil et son matériel, avec un petit commentaire légèrement acéré sur ceux que Reacher y avait expédiés. Puis ils dépassèrent les cuves alignées les unes derrière les autres, et il l'informa de leur contenance, mille neuf cents litres chacune, et de la nature des liquides stockés : de l'essence pour les Tahoe et les autres véhicules, du diesel pour les grues, les presses et les équipements lourds, un composé appelé trichloréthylène, essentiel pour dégraisser les métaux, de l'oxygène et de l'acétylène pour les chalumeaux, du kérosène pour chauffer les fours.

Reacher s'ennuya à mourir au bout de soixante secondes.

Il n'écouta plus Thurman et ouvrit les yeux pour se faire sa propre idée. Pas grand-chose à voir. Du métal et des gens qui le travaillaient. Il comprit le principe d'ensemble. Les vieux métaux étaient démontés, fondus, et les nouveaux lingots vendus aux usines qui fabriquaient de nouveaux produits avec, lesquels finissaient par s'user et revenaient se faire démonter et fondre une fois de plus.

Rien de bien sorcier.

Un kilomètre et demi plus loin, ils atteignirent la cloison interne et Reacher vit qu'on avait garé un camion devant, comme pour la cacher. Derrière on ne voyait plus ni fumée ni étincelles. L'activité semblait y avoir cessé pour la journée.

« Qu'est-ce qu'on fabrique, là-dedans ? demanda-t-il.

– C'est notre décharge. Tout ce qu'on n'arrive pas à traiter y termine.

– Comment faites-vous avec ce camion en travers de la route ?

– On le bouge au besoin. Mais ce n'est pas souvent nécessaire. Nos techniques sont devenues très sophistiquées. Plus grand-chose ne nous résiste.

– Qu'êtes-vous donc ? Chimiste ou métallurgiste ?

– Un Américain qui a trouvé la voie de Notre Seigneur et un homme d'affaires. Voilà comment je me décrirais, dans cet ordre. Mais j'emploie les meilleurs cadres qui soient dans leur domaine. Notre service recherche et développement est excellent. »

Reacher acquiesça sans rien dire. Thurman tourna le volant, décrivit un grand virage et repartit vers le nord en longeant le mur est. Le soleil était haut et les projecteurs éteints. Devant eux, sur la gauche, les mâchoires d'une presse géante se saisirent de dix épaves de voitures d'un coup. Au-delà, une porte de four s'ouvrit et les hommes se baissèrent en reculant pour échapper à la bouffée de chaleur. Un creuset avança lentement sur des rails suspendus, rempli de métal en fusion tout bouillonnant, prêt à croûter.

« Avez-vous trouvé la voie de Notre Seigneur ? s'enquit Thurman.

– Trouver la mienne est déjà suffisant.

– Je ne plaisante pas.

– Moi non plus.

– Vous devriez y songer.

– Mon père avait coutume de dire : Pourquoi chercher la voie du Seigneur quand on peut trouver la sienne ?

– Est-il toujours des nôtres ?

– Il est mort, il y a longtemps.

– Il est dans le monde d'en bas, donc, avec une telle attitude.

– Il occupe un trou dans la terre au cimetière d'Arlington.

– Un ancien combattant, lui aussi ?

– Un marine.

– Nous vous sommes redevables pour ses services à la patrie.

– Ne me remerciez pas. Je n'y suis pour rien.

– Vous devriez penser à mettre de l'ordre dans votre existence, vous savez, avant qu'il ne soit trop tard. Il pourrait arriver quelque chose. Le livre des Révélations dit que la fin approche.

– Comme il l'affirme depuis l'époque où il a été écrit, il y a près de deux mille ans. Pourquoi dirait-il vrai maintenant, et ne l'aurait-il pas dit avant ?

– Il y a des signes, dit Thurman. Sans compter la possibilité de précipiter les événements », ajouta-t-il avec affectation et certitude, content de lui, comme s'il avait régulièrement accès à une source d'information privilégiée.

Reacher ne répliqua pas.

Ils passèrent devant un petit groupe d'hommes fatigués qui se battaient avec une montagne d'acier tordu. Ils avaient le dos courbé et les épaules voûtées. *Et il n'est pas encore huit heures du matin*, pensa Reacher. Encore plus de dix heures à tirer.

« Dieu veille sur eux, lança Thurman.

– Vous en êtes sûr ?

– C'est ce qu'Il me dit.

– Veille-t-Il aussi sur vous ?

– Il sait ce que je fais.

– L'approuve-t-Il ?

– C'est ce qu'Il me dit.

– Pourquoi, alors, y a-t-il un paratonnerre sur votre église ? »

Thurman ne trouva rien à répondre. Il se contenta de pincer les lèvres et de faire retomber ses bajoues sous ses mâchoires. Il conduisit lentement, sans dire un mot, jusqu'à l'allée cloisonnée qui menait à l'entrée du personnel. Là, il arrêta le véhicule, passa au point mort et se carra dans son siège.

« Vous en avez assez vu ? demanda-t-il.

– Plus qu'assez, dit Reacher.

– Alors, je vous dis au revoir, fit Thurman. J'imagine que nos chemins ne se recroiseront pas. »

Il lui tendit la main de côté, gauchement, en rentrant l'épaule. Reacher la serra. Elle était douce, chaude et molle comme un ballon d'enfant plein d'eau. Reacher ouvrit alors sa portière, sortit, remonta l'allée coudée et retrouva les hectares de parking.

Toutes les vitres du pick-up de Vaughan avaient été brisées.

TRENTE-NEUF

Reacher resta un bon moment à considérer les choix qui s'offraient à lui, puis il ouvrit le véhicule et balaya les morceaux de verre sur les sièges et le tableau de bord. Il enleva ceux sur le pédalier. Il ne voulait pas coincer la pédale de frein à mi-course. Ou l'accélérateur. Le pick-up était assez lent comme ça.

Cinq kilomètres pour retourner en ville, dix-neuf pour quitter sa juridiction, huit autres pour arriver dans le centre de Hope. Trente-deux kilomètres à conduire lentement dans le froid par grand vent de face. Comme s'il conduisait une moto sans lunettes. Il avait les traits gourds et les yeux qui coulaient à la fin du trajet. Il se gara devant la cafétéria, un peu avant neuf heures du matin. La voiture de patrouille de Vaughan n'y était pas. Elle non plus. L'établissement était aux trois quarts vide. Le coup de feu du petit déjeuner était passé.

Reacher entra, s'installa dans le box du fond et commanda son café et son petit déjeuner auprès de la serveuse de jour. L'étudiante était rentrée chez elle. La femme lui apporta une grande tasse et la remplit avec une Thermos.

« L'officier de police Vaughan est-elle passée ce matin ?

– Elle est partie il y a environ une heure.

– Ça allait ?

– Elle n'avait pas l'air causante.

– Et Maria ? La fille de San Diego ?

– Elle est passée avant sept heures du matin.

– A-t-elle mangé ?

– Oui, beaucoup.

– Et Lucy ? La blonde de Los Angeles ?

– Pas vue. Je crois qu'elle a quitté la ville.

– Que fait le mari de l'officier de police Vaughan ?

– Aujourd'hui, plus grand-chose », répondit la serveuse comme s'il s'agissait d'une question stupide. Comme si cette situation particulière coulait de source.

Mais elle ne coulait pas de source pour Reacher.

« Comment ça ? Il est au chômage ? »

La femme allait lui répondre, puis elle s'arrêta, comme si elle venait de se rappeler que, si ça ne coulait pas de source, il ne lui revenait pas d'éclairer sa lanterne. Comme si elle était à deux doigts de révéler ce qui ne devait pas l'être : les secrets du voisinage, par exemple. Elle se contenta de secouer la tête d'un air gêné et fila ranger sa Thermos. Elle ne desserra pas les lèvres quand elle revint cinq minutes après avec le petit déjeuner.

Vingt minutes plus tard, Reacher remonta dans le pick-up endommagé, prit la direction du sud, traversa Third Street, puis Fourth Street avant de tourner à gauche dans Fifth Street. Au loin devant lui, il distingua la voiture de patrouille de Vaughan garée contre le trottoir. Il s'arrêta juste derrière, au niveau de la boîte aux lettres. Il laissa un moment le moteur tourner. Puis il descendit et alla toucher le capot de la Crown Victoria. Il était encore très chaud. Vaughan avait quitté la cafétéria depuis près d'une heure, mais elle avait clairement fait un bon tour après. Peut-être cherchait-elle son pick-up, ou peut-être cherchait-elle Reacher. Ou aucun, ou les deux. Il remonta dans le pick-up, recula, tourna le volant et remonta l'allée. Il se gara, la calandre à trois centimètres de sa porte de garage, et il sortit. Sans fermer à clé. Inutile.

Il trouva le petit chemin qui serpentait entre les buissons et le suivit jusqu'à la porte. Il passa l'anneau qui tenait les clés de voiture autour de son doigt et appuya sur la sonnette, un seul coup bref. Si elle était réveillée, elle l'entendrait. Si elle dormait, elle ne serait pas dérangée.

Elle était réveillée.

La porte s'ouvrit et elle le regarda droit dans les yeux, depuis la pénombre. Elle avait les cheveux mouillés par la douche, peignés en arrière. Elle portait un tee-shirt blanc trop grand pour elle. Rien dessous, peut-être. Elle avait les jambes nues. Elle avait l'air plus jeune et plus petite.

« Comment m'avez-vous trouvée ? dit-elle.

– Dans l'annuaire.

– Vous êtes passé ici la nuit dernière. Vous avez jeté un coup d'œil. Un voisin me l'a dit.

– C'est une chouette maison.

– Je l'aime bien. »

Elle vit les clés autour de son doigt.

« J'ai un aveu à vous faire, dit-il.

– Quoi encore ?

– Quelqu'un a cassé toutes les vitres du pick-up. »

Elle le poussa et sortit dehors. Elle se tourna vers l'allée et constata les dégâts. « Merde », lâcha-t-elle. Puis elle sembla prendre conscience qu'elle était pieds nus au milieu de son jardin, en tee-shirt, et elle le poussa de nouveau pour rentrer chez elle.

« Qui ça ? demanda-t-elle.

– Un suspect parmi un millier.

– Quand ?

– Ce matin.

– Où ?

– Je me suis arrêté à l'usine des métaux.

– Vous êtes stupide.

– Je sais. Désolé. Je paierai les vitres. »

Il fit glisser les clés sur son doigt et les lui tendit. Elle ne les prit pas. Au lieu de quoi, elle dit : « Ne restez pas dehors. »

La maison était agencée comme il l'avait imaginé. De gauche à droite : garage, vestiaire, cuisine, salon, chambres. La cuisine semblait être le cœur de la maison. C'était un espace coquet avec des placards laqués et une frise de papier peint en haut des murs. Le lave-vaisselle était en marche, l'évier vide et les plans de travail rangés, mais il y avait suffisamment de désordre pour qu'on sente cette pièce bien habitée. Il y avait une table pour quatre personnes avec seulement trois chaises. Et quelques touches décoratives, comme le disait autrefois la mère de Reacher. Des fleurs séchées, des bouteilles d'huile vierge que personne n'ouvrirait jamais, des cuillères anciennes. La mère de Reacher affirmait que ces choses-là donnaient à une pièce de la personnalité. Reacher ne savait pas à l'époque qu'autre chose que des gens pouvait en être doté. Enfant, il prenait les choses cruellement au pied de la lettre. Mais il avait au fil des ans commencé à comprendre ce que sa mère voulait dire. Et la cuisine de Vaughan ne manquait pas de personnalité.

Sa personnalité à elle, se dit-il.

Il lui sembla qu'un seul esprit avait tout choisi et qu'une seule paire de mains avait effectué tout le travail. Il n'y avait aucune trace tangible de compromis ou de goûts divergents. Il savait que la cuisine était autrefois le domaine de la femme. C'était certainement le cas à l'époque de sa mère, mais elle était française, ce qui faisait une différence. Et il était porté à croire que les choses avaient changé depuis ce temps-là. Les hommes faisaient désormais la cuisine ou, du moins, laissaient-ils traîner leurs packs de bière ou des taches d'huile sur le lino après avoir réparé le moteur de la moto.

Il n'y avait pas d'indice de la présence d'une seconde personne dans cette maison. Pas un seul. Ni même une trace. D'où il se trouvait près de l'évier, Reacher voyait le salon de l'autre côté d'une arche, à vrai dire, un simple passage dont on avait enlevé la porte. Il y avait là un unique fauteuil, plus un tas de cartons de déménagement encore scellés.

« Vous voulez du café ? lui dit Vaughan.
– Toujours.
– Avez-vous dormi, la nuit dernière ?
– Non.
– Alors, évitez le café.
– Ça me fera tenir jusqu'à ce qu'il soit l'heure de se coucher.
– Vous pouvez tenir combien de temps sans dormir ?
– Soixante-douze heures, je crois.
– Le travail ? »
Il hocha la tête.
« Une grosse affaire, il y a vingt ans.
– Une grosse affaire pour la police militaire ? »
Il acquiesça de nouveau.
« Quelqu'un qui faisait un truc à quelqu'un d'autre. Je ne me rappelle plus les détails. »
Vaughan rinça la cafetière et remplit d'eau la machine à café, un objet imposant en acier, avec *Cuisinart* estampé dessus en grosses lettres. Elle avait l'air solide. Vaughan déposa quelques cuillerées de café dans un filtre doré et appuya sur un bouton.
« Hier soir, les adjoints de Despair sont rentrés chez eux au bout d'une heure, dit-elle.
– Ils m'ont retrouvé au bar. Ils m'ont attiré vers l'ouest avec ce coup de fil, pour venir me cueillir. C'était un piège.
– Et vous êtes tombé dedans.
– Ce sont eux qui y sont tombés. J'avais compris leur combine.
– Comment ?
– Parce que, il y a vingt ans, j'ai veillé soixante-douze heures de rang pour faire face à bien pire que ce que Despair pourra jamais produire.
– Qu'est-il arrivé aux adjoints ?
– Ils ont retrouvé leurs copains en uniforme à l'infirmerie.
– Tous les quatre ?

– Tous les six. Ils avaient rameuté des soutiens locaux.

– Vous êtes une déferlante criminelle à vous tout seul.

– Non, je suis Alice au pays des merveilles. »

Ce fut au tour de Vaughan d'acquiescer.

« Je sais, fit-elle. Pourquoi n'agissent-ils pas ? Vous vous êtes rendu coupable de coups et blessures sur huit personnes, dont six agents de la force publique, vous avez démoli deux voitures de police et vous êtes toujours en liberté.

– C'est là la question, dit Reacher. Je suis toujours libre de mes mouvements, mais à Hope, pas à Despair. C'est la bizarrerie numéro un. Tout ce qu'ils veulent, c'est éloigner les gens de chez eux. Ils se fichent de la loi, de la justice ou d'un quelconque châtiment.

– Quelle est la bizarrerie numéro deux ?

– Ils se sont mis à six contre moi, et je m'en suis tiré seulement avec quelques bleus et des phalanges endolories par les coups que je leur ai flanqués. Ils sont tous faibles et malades. L'un d'eux a dû jeter l'éponge pour prendre le temps de vomir.

– Quel rapport ?

– La gérante de mon motel pense qu'ils violent le droit de l'environnement. Il pourrait y avoir toutes sortes de pollution et d'empoisonnement, là-bas.

– Ce serait ce qu'ils cachent ?

– Possible, fit Reacher. Mais ce serait quand même étrange que les victimes aident à masquer le problème.

– Les gens s'inquiètent pour leur emploi, dit Vaughan. Surtout dans une ville à la botte d'une seule usine, puisqu'ils n'ont pas d'alternative. »

Elle ouvrit un placard et en tira un mug. Blanc, parfaitement cylindrique, dix centimètres de haut, six de large. Il était en belle porcelaine tendre, fine comme du papier à cigarette. Elle y versa le café et son arôme informa tout de suite Reacher qu'il serait excellent. Elle jeta un regard vers le salon mais choisit plutôt de le poser sur la table, devant l'une des trois chaises. Reacher donna un coup d'œil aux cartons de déménagement et au fauteuil solitaire dans le salon.

« Vous venez d'emménager ?

– Ça fait un an et demi, répondit Vaughan. Je suis un peu lente à défaire les cartons, j'imagine.

– D'où venez-vous ?

– De Third Street. Nous avions un petit pavillon avec un étage, mais nous avons décidé de prendre quelque chose de plain-pied.

– Qui ça, "nous" ?

– David et moi.

– Et où est-il donc ?

– Pas là, aujourd'hui.

– Devrais-je le regretter ?

– Un peu.

– Que fait-il ?

– Plus grand-chose. »

Elle s'assit sur une des chaises, sans tasse devant elle, et tira sur l'ourlet de son tee-shirt. Ses cheveux séchaient et reprenaient leur ondulation naturelle. Elle était nue sous son tee-shirt et pleine d'assurance. Reacher en était certain. Elle le regarda droit dans les yeux, comme si elle savait qu'il le savait.

Il s'assit en face d'elle.

« Quoi d'autre ? demanda-t-elle.

– Ma gérante de motel s'imagine que cette usine gagne bien trop d'argent.

– C'est de notoriété publique. Thurman est le propriétaire de la banque, et les contrôleurs de gestion bavardent. C'est un homme très riche.

– Ma gérante de motel s'imagine qu'il passe de la drogue, ou quelque chose de ce genre, dans son petit avion.

– Vous la croyez ?

– Je n'en sais rien.

– C'est là votre conclusion ?

– Pas tout à fait.

– Quoi d'autre, alors ?

– Un quart de l'usine est séparé par un mur intérieur. Il y a une zone secrète. Je pense qu'ils ont un contrat de recyclage de ferraille militaire. D'où leur richesse. Un contrat avec le Pentagone est le plus rapide moyen sur terre de s'enrichir, par les temps qui courent. D'où, aussi, le poste de la police militaire sur la route. Thurman démonte du matériel classé secret défense et nombreux sont ceux qui pourraient s'y intéresser. Épaisseur des blindages, matériaux utilisés, techniques de montage, cartes de circuits imprimés, ces choses-là…

– C'est donc tout ? Des contrats publics parfaitement légaux ?

– Non, fit Reacher. Ce n'est pas tout. »

QUARANTE

Reacher avala la première gorgée de son café. Il était parfait. Chaud, fort, onctueux, et dans une tasse parfaite. Il regarda Vaughan en face de lui.

« Merci beaucoup.

– Qu'est-ce qu'il se passe d'autre, là-bas ?

– Je ne sais pas. Mais ils déploient de sacrés mécanismes d'autodéfense pour se protéger. Après avoir anéanti les effectifs de la police, je suis allé voir le juge du coin pour qu'il m'assermente comme adjoint.

– Vous n'étiez pas sérieux.

– Bien sûr que non. Mais j'ai fait semblant. Je voulais voir leur réaction. Le type a paniqué. Il est sorti de ses gonds. Il m'a affirmé qu'il préférerait assermenter toute la population plutôt que moi. Ils ne plaisantent pas quand il s'agit d'exclure les étrangers.

– À cause du contrat avec le Pentagone.

– Non, fit Reacher. Ça, c'est le travail de la police militaire. Au moindre soupçon d'espionnage, les hommes de Thurman contacteraient par radio les policiers militaires, qui quadrilleraient la ville dans leurs Hummer, moins d'une minute après, le doigt sur la gâchette. Les simples citoyens ne seraient pas réquisitionnés.

– Alors, qu'est-ce qui se passe ?

– Au moins deux autres choses.

– Pourquoi deux ?

– Parce que leurs réactions sont totalement incohérentes. Ce qui veut dire qu'au moins deux autres camps jouent un jeu différent, probablement chacun de son côté sans savoir que l'autre existe. Tout comme ce matin, où Thurman s'est renseigné sur moi. Rien de plus facile, à supposer que les ordinateurs du poste de police tournent encore. Il a vu que je n'avais laissé aucune trace depuis dix ans, que, par conséquent, je ne présentais aucun danger immédiat, puis il a vérifié votre immatriculation et conclu que j'étais en cheville avec un flic de la ville voisine, donc intouchable en quelque sorte, il s'est alors montré aimable et m'a fait faire le tour du propriétaire. Pourtant, quelqu'un d'autre, qui ne disposait pas de toutes ces informations, en a profité pour briser vos vitres. Et personne ne s'amuse à casser la vitre d'un flic juste pour le plaisir. Conclusion : la main gauche ignore ce que fait la droite.

– Thurman vous a fait faire le tour du propriétaire ?

– Il a assuré vouloir tout me montrer.

– Et il a tenu parole ?

– Non. Il s'est tenu à l'écart de la zone secrète. Il affirme qu'il ne s'agit que d'un stockage de rebuts.

– Vous êtes sûr que ce n'est pas le cas ?

– J'y ai constaté une certaine activité, un peu plus tôt. De la fumée et des étincelles. De plus, c'est un espace soigneusement isolé, hors de vue. Qui se donnerait un tel mal pour une simple décharge ?

– Qui sont les deux autres camps ?

– Je n'en ai aucune idée. Mais ces jeunes hommes sont impliqués là-dedans, d'une façon ou d'une autre. Le mari de Lucy Anderson et le macchabée. Et le mari de Lucy Anderson est encore un bon exemple de comment la main droite ignore ce que fait la gauche. Quelqu'un l'a accueilli, l'a aidé à filer, alors même qu'on jetait sa femme dehors comme une malpropre. Ça n'a pas de sens.

– Il a filé ?

– Je l'ai vu à trois heures, devant la pension, et il n'y était plus à sept. Disparu sans laisser de trace, et personne n'admet qu'il y ait jamais mis les pieds.

– L'avion décolle à sept heures, fit Vaughan. Y a-t-il un lien ?

– Je n'en sais rien.

– Absolument aucune trace ?

– Rien de tangible, et un paquet de bouches cousues.

– Alors, qu'est-ce qui se passe ?

– Depuis quand une personne normale est entrée à Despair, y est restée le temps qu'elle voulait et en est repartie de son plein gré ? Pour autant que vous en soyez certaine ?

– Je ne sais pas, fit Vaughan. Certainement pas depuis plusieurs mois.

– La dernière ligne dans le registre de l'hôtel date de sept mois.

– Ça collerait à peu près.

– J'ai fait la rencontre de la nouvelle fille en ville, hier soir, dit Reacher. Une gentille gamine. Elle s'appelle Maria. Je suis quasiment sûr que le cadavre était celui de son copain. Elle m'a montré sa photo. Il s'appelait Raphael Ramirez.

– Le lui avez-vous dit ? »

Reacher secoua la tête.

« Non.

– Pourquoi non ?

– Elle m'a demandé si je l'avais vu. Pour tout dire, je ne l'ai pas vraiment vu. Et je ne me vois pas annoncer ce type de nouvelle sans en avoir une certitude totale.

– Alors, elle continue de courir après un fantôme.

– Je crois qu'elle sait, tout au fond d'elle-même.

– Qu'est-il advenu du corps ?

– Il n'a pas fini à la morgue du comté. J'ai vérifié.

– Nous le savions déjà.

– Non, nous savions qu'il n'avait pas été tout de suite amené à la morgue. C'est tout. Je me suis donc demandé si on ne l'avait pas abandonné hors des limites de la ville et si quelqu'un d'autre ne l'avait pas découvert. Mais ce n'était pas le cas. Conclusion : il n'a jamais quitté Despair. De plus, la seule ambulance et la seule civière de Despair appartiennent à l'usine de recyclage. Et cette usine dispose au moins d'une douzaine de moyens pour se débarrasser d'un corps. Elle a des fours qui transformeraient un cadavre en fumée en cinq minutes tout rond. »

Vaughan garda le silence un moment, puis elle se leva et alla se servir un verre d'eau dans le frigo. Les hanches appuyées sur le comptoir, elle regarda fixement par la fenêtre. Bien qu'elle ait les talons au sol, l'essentiel de son poids pesait sur la pointe de ses pieds. Son tee-shirt faisait un pli de côté au croisement de ses fesses et de sa colonne vertébrale. Le tissu en coton était légèrement transparent. Elle était totalement en contrejour. Ses cheveux avaient séché et un fin duvet blond couvrait sa nuque.

Elle était éblouissante.

« Qu'est-ce que Maria a dit d'autre ? demanda-t-elle.

– Rien, et je ne lui ai posé aucune autre question.

– Pourquoi diable ?

– Aucun intérêt. Les femmes et les copines ne sont pas prêtes à nous dire quoi que ce soit. Et tout ce qui sortirait de leur bouche mènerait sur des fausses pistes.

– Pourquoi ?

– Parce que c'est dans leur intérêt. Leurs maris et leurs copains ne se cachent pas à Despair de leur propre initiative. Ils y recherchent assistance. Ils essaient de contacter une sorte de réseau souterrain d'aide aux fugitifs. Despair est une étape, un point de passage. Les femmes tiennent à garder la chose secrète. Lucy Anderson était à l'aise avec moi jusqu'à ce que je lui dise que j'avais été flic. Elle s'est alors mise à me détester. Elle croyait que je l'étais toujours. Elle s'est dit que j'étais là pour coincer son mari.

– Quelle sorte de fugitifs ?

– Je ne sais pas quelle sorte. Mais, à l'évidence, le mec d'Anderson correspondait au profil, pas Raphael Ramirez. »

Vaughan revint près de la table, prit la tasse des mains de Reacher et la lui remplit de nouveau. Puis elle remplit son verre dans le frigo et revint s'asseoir.

« Puis-je vous poser une question personnelle ?

– Comme il vous plaira.

– Pourquoi faites-vous tout ça ?

– Quoi donc ?

– Vous en préoccuper, j'imagine. Vous préoccuper de ce qui se passe à Despair. Des trucs moches arrivent, tout le temps, partout. Pourquoi ceux-ci ont-ils autant d'importance à vos yeux ?

– Je suis curieux, voilà tout.

– Ce n'est pas une réponse.

– Il faut bien que je sois quelque part, que je fasse quelque chose.

– Ce n'est toujours pas une réponse.

– Maria, dit Reacher. Voilà la réponse. C'est une gentille gamine, et elle souffre.

– Son copain est un fugitif aux yeux de la loi. C'est vous-même qui le dites. Elle mérite peut-être cette souffrance. Ramirez est peut-être un dealer de came, quelqu'un comme ça. Gangster ou assassin.

– Et les photos, fit Reacher. Les images. Elles peuvent aussi servir de raison. Ramirez m'a l'air d'un type inoffensif.

– Vous pouvez le dire d'un simple coup d'œil ?

– Ça m'arrive. Maria traînerait-elle avec un sale type ?

– Je ne l'ai pas rencontrée.

– Et Lucy Anderson ? »

Vaughan ne répondit pas.

« En plus, je n'aime pas les villes sous la coupe d'un seul business, ajouta Reacher. Je n'aime pas les systèmes féodaux. Je n'aime pas les gros patrons satisfaits qui régentent la vie des autres. Et je n'aime pas voir les gens brisés au point de l'accepter.

– Quelque chose qui vous déplaît, vous vous sentez obligé de le foutre en l'air ?

– Et comment ! Ça vous pose un problème ?

– Non. »

Toujours assis dans la cuisine, ils burent leur café et leur verre d'eau en silence. Vaughan enleva sa main libre de sa cuisse et la posa sur la table, doigts tendus, écartés. C'était la partie d'elle-même la plus proche de Reacher. Il se demanda s'il s'agissait d'un signe, conscient ou non. D'un geste d'approche ou d'une incitation à un contact.

Pas d'alliance.

Il n'est pas dans la maison en ce moment.

Il posa aussi sa main libre sur la table.

« Comment savons-nous qu'il s'agit bien de fugitifs ? demanda-t-elle. Ce pourrait être des militants écologistes infiltrés qui contrôlent la pollution. Le mec de Lucy Anderson a peut-être réussi à tromper son monde, et pas Ramirez.

– Comment ça, tromper son monde ?

– Je n'en sais rien. Mais ça m'inquiète qu'ils se servent de poisons, là-bas. Nous partageons la même nappe phréatique.

– Thurman a parlé d'une substance appelée trichloréthylène. Un dégraisseur pour métaux. J'ignore si elle présente un danger ou non.

– Je vais le vérifier.

– Pourquoi la femme d'un militant écologiste aurait-elle peur des flics ?

– Je n'en sais rien.

– Cet Anderson ne jouait aucun double jeu. Il était ouvertement invité. Quelqu'un le cachait, l'acceptait et le couvrait. Pour tout dire, quelqu'un l'a aidé.

– Mais pas Lucy Anderson. On l'a fichue dehors.

– C'est ce que j'ai dit, la main gauche ignore ce que fait la droite.

– Et Ramirez a été tué.

– Pas tué. On l'a laissé mourir.

– Pourquoi aider l'un et se détourner de l'autre ?

– Pourquoi seulement s'en détourner ? Pourquoi ne pas juste l'arrêter et le déposer à la frontière de la ville, comme moi et Lucy Anderson ? »

Vaughan avala une gorgée d'eau.

« Parce qu'il était différent, d'une certaine manière. Il appartenait à une autre catégorie, dangereuse pour eux.

– Pourquoi alors ne pas le descendre ? Le faire disparaître ? Le résultat final aurait été le même.

– Je ne comprends pas.

– Je me trompe peut-être, dit Reacher. Il se pourrait qu'ils ne l'aient pas ignoré ni écarté. Il se pourrait qu'ils n'aient même jamais su qu'il était là. Peut-être qu'il tâtait le terrain, en bordure de ville, en faisant tout pour ne pas être vu, et cherchait un moyen d'y entrer. Assez désespéré pour insister, mais pas suffisamment bon pour réussir.

– Ou les deux, fit Vaughan. Ils l'ont peut-être arrêté, mais il s'est enfui.

– Possible. Ces flics étaient des clowns, au final.

– Alors, il s'attarde aux abords de la ville, parce qu'il doit s'y rendre, pour une raison inconnue, tout en évitant de se faire voir. Puis il évalue mal le temps. Il se savait sur le point d'échouer et il a fait une nouvelle tentative, mais l'énergie lui a manqué en chemin.

– Possible », commenta Reacher.

Vaughan retira sa main de la table.

« Nous devons savoir exactement qui il était, fit-elle. Nous devons parler à Maria.

– Elle ne nous dira rien.

– On peut essayer. On la trouvera à la cafétéria. Retrouvez-moi là-bas plus tard.

– Quand, plus tard ?

– L'un comme l'autre avons besoin de sommeil.

– Puis-je vous poser une question personnelle ?

– Allez-y ?

– Votre mari est-il en prison ? »

Vaughan marqua un temps d'arrêt, puis elle sourit, un peu surprise, un peu triste.

« Non, fit-elle. Il n'est pas en prison. »

QUARANTE ET UN

Reacher rentra à pied au motel, tout seul. Deux pâtés de maisons au nord, trois à l'ouest. Le soleil était haut dans le ciel. La matinée à demi écoulée. La porte de Lucy Anderson était ouverte. Le chariot d'une femme de chambre devant l'entrée. L'armoire était vide. « Je crois qu'elle a quitté la ville », avait dit la serveuse de la cafétéria. Reacher y jeta un coup d'œil, puis continua son chemin. *Bonne chance, Lucky,* pensa-t-il. *Quoi que tu sois venue fiche ici et où que tu sois allée.* Il ouvrit sa porte, prit une longue douche chaude et se mit au lit. Moins d'une minute plus tard, il dormait. Le café ne l'incommoda pas le moins du monde.

Il se réveilla au milieu de l'après-midi et repensa à ces policiers militaires. À leur base avancée. À son emplacement. Cette position lui apparut comme une énigme à résoudre, pareille aux problèmes posés en cours à Fort Rucker.

À quoi servait-elle ?

Pourquoi était-elle à cet endroit ?

L'ancienne route secondaire 37 serpentait d'est en ouest et traversait Hope, Despair, Halfway et probablement d'autres villes plus loin. Il lui donna d'abord la forme d'un long ruban, d'une ligne sur la carte, puis la fit tourner en trois dimensions dans sa tête, comme par rotation sur un écran d'ordinateur, avec la verdure de ses origines et ses strates successives. Au tout début de son histoire, c'était une piste pour chariots. Terre battue, cailloux écrasés, ornières et mauvaises herbes. Puis on l'avait modernisée un minimum, à l'époque où les Ford T sortaient en masse des usines de Dearborn et inondaient le pays. Ensuite la ville de Hope l'avait de nouveau améliorée sur quinze kilomètres, par orgueil municipal. Ils avaient consciencieusement fait le boulot. Peut-être en avaient-ils refait les fondations. Certainement rajouté du ballast et aplani le tout. Peut-être même effectué quelques réalignements. Et peut-être l'avaient-ils aussi un peu élargie. Et après un épais revêtement noir avait été versé dessus et bien étalé.

La municipalité de Despair n'avait rien fait de tel. Thurman, son père, son grand-père, ou qui que ce soit qui tenait les rênes de la ville à l'époque, avait ignoré cette route. Peut-être avaient-ils daigné jeter une couche de goudron et de gravier dessus tous les dix ans, mais la route était foncièrement la même que lorsque Henry Ford régnait sur le monde. Étroite, instable, cahoteuse et sinueuse.

Impropre au passage de poids lourds.

Sauf à l'ouest de l'usine de recyclage de métaux. Là-bas, on avait réquisitionné et rénové un tronçon de cinquante kilomètres. Probablement des fondations au revêtement. Reacher imagina une tranchée de un mètre de profondeur, un écoulement des eaux, un soubassement de roche, une épaisse couche de béton renforcé, douze centimètres d'asphalte bien lissé par de gros engins. Les accotements étaient bien droits et le bombement impeccable. Puis, cinquante kilomètres plus loin, la nouvelle route avait été prolongée sur un terrain vierge pour rejoindre l'autoroute, tandis que la vieille route 37 recommençait à serpenter, dans son jus, étroite, instable, cahoteuse.

Faible, fort, faible.

On ne trouvait aucune présence militaire à l'est de Despair ou à l'ouest de l'embranchement, sur les parties faibles de la route.

Le poste de police militaire chevauchait la partie forte.

La route aux poids lourds.

Proche de Despair, mais pas trop.

Il ne se refermait pas sur la ville comme un piège, mais il en gardait un seul accès et laissait l'autre grand ouvert.

La base militaire était équipée de six Hummer surblindés, des rhinocéros de dix-huit tonnes, tous raisonnablement rapides, tous surmontés d'une mitrailleuse M60 à rotation libre, alimentée par des chargeurs à bande de calibre 7.62.

Pourquoi tout ça ?

Allongé sur son lit, Reacher ferma les yeux et il entendit la question aboyée en cours à Fort Rucker : « Voilà ce que vous savez. Quelle conclusion en tirez-vous ? »

Sa conclusion : personne ne s'inquiétait d'un quelconque espionnage.

Il se leva à quatre heures et prit une autre longue douche chaude. Il savait qu'il ne suivait pas les normes occidentales en matière de fréquence de changement de vêtements, mais il tentait de compenser en gardant son corps scrupuleusement propre. Le savon du motel était blanc et se présentait sous la forme de petits rectangles fins enveloppés dans du papier. Il en usa un entier. Le shampoing était un liquide vert épais dans une petite bouteille en plastique. Il en vida la moitié. Il sentait un peu la pomme. Il se rinça, demeura encore un moment sous le jet, puis coupa l'eau et entendit frapper à sa porte. Il passa une serviette autour de sa taille, traversa la chambre les pieds mouillés et ouvrit.

Vaughan.

Elle portait son uniforme. Son véhicule de service était parfaitement garé derrière elle. Elle le regarda de la tête aux pieds, sans cacher sa curiosité. Une réaction assez commune. *Regardez-vous. Qu'est-ce que vous voyez ?* Un mésomorphe spectaculaire, tout en os, muscles et tendons. Mais, sans sa chemise, la plupart des gens voyaient surtout ses cicatrices. Il portait la trace d'une douzaine de coupures et blessures sans importance, plus un trou parcheminé de calibre .38 au milieu du poumon gauche, et un réseau de marques blafardes en bas à droite de l'abdomen, des zébrures ourlées par les marques de soixante-dix points de suture maladroits, cousus à la va-vite dans un hôpital mobile de campagne. Les premières, des souvenirs de bagarres entre gamins. La deuxième, celui laissé par un psychopathe armé d'un petit revolver. Les troisièmes, ceux d'éclats après l'explosion d'une bombe. On y survivait, car on survit toujours aux bagarres entre gosses, et parce que la cartouche de la balle de .38 qui l'avait atteint était peu chargée, et que les éclats étaient ceux d'un os de quelqu'un d'autre et non des éclats de métal chauffé à blanc. Il avait eu de la chance et cette chance s'inscrivait partout sur son corps.

Très laid, mais fascinant.

Les yeux de Vaughan remontèrent à son visage.

« Mauvaises nouvelles, fit-elle. Je reviens de la bibliothèque.

– Vous trouvez des mauvaises nouvelles en bibliothèque ?

– J'ai sorti quelques livres et me suis servie de leur ordinateur.

– Alors ?

– Le trichloréthylène, également appelé TCE, sert à dégraisser les métaux.

– Je le sais.

– C'est un produit très dangereux. Il provoque le cancer. Le cancer du sein, de la prostate et d'autres encore. Sans compter les problèmes cardiaques, les maladies du système nerveux, les attaques, les maladies du foie, du rein et même le diabète. L'agence fédérale de protection de l'environnement affirme qu'une concentration de cinq particules par milliard est acceptable. À certains endroits, on a constaté vingt ou trente fois pire.

– Où, par exemple ?

– Un cas dans le Tennessee.

– C'est loin d'ici.

– C'est grave, Reacher.

– Les gens se font trop de mouron.

– Ça n'a rien d'une plaisanterie. »

Reacher hocha la tête.

« Je sais, dit-il. Et Thurman en consomme par cuves de mille neuf cents litres.

– Et on boit l'eau de cette nappe aquifère.

– Vous buvez de l'eau en bouteille.

– Beaucoup de gens consomment celle du robinet.

– Cette usine est à plus de trente kilomètres. Ça fait un paquet de sable. Un paquet de filtres naturels.

– Il y a quand même de quoi s'inquiéter. »

Reacher acquiesça.

« Je suis le premier concerné. J'ai bu deux tasses de café, là-bas. Une au restaurant, l'autre chez le juge.

– Vous vous sentez bien ?

– Oui. Tout comme les gens d'ici.

– Jusqu'à maintenant. »

Elle se tut.

« Qu'y a-t-il d'autre ? dit-il.

– Maria a disparu. Je ne la trouve nulle part. Cette nouvelle fille. »

QUARANTE-DEUX

Vaughan resta dans l'embrasure de la porte ouverte et Reacher attrapa ses affaires pour aller s'habiller dans la salle de bains.

« Où avez-vous cherché ? cria-t-il.

– Partout, répliqua Vaughan. Elle n'est pas au motel, ni à la cafétéria, ni à la bibliothèque, ni dans aucun magasin, et elle ne peut être nulle part ailleurs.

– Avez-vous interrogé la gérante du motel ?

– Pas encore.

– Alors, on va commencer par là. Elle est au courant de tout. »

Il émergea de la salle de bains en boutonnant sa chemise. Bien que celle-ci fût déjà destinée à la benne à ordures, ses boutonnières étaient encore raides. Il se passa les doigts dans les cheveux et vérifia le contenu de ses poches.

« Allons-y », fit-il.

La gérante du motel était à l'accueil, assise sur un tabouret haut perché derrière le comptoir, et elle bricolait avec une calculatrice et un registre. Mais elle n'avait aucune information utile. Maria avait quitté sa chambre avant sept heures, le matin même, dans ses vêtements habituels, à pied, avec juste son sac à main.

« Elle a pris son petit déjeuner avant sept heures, fit Reacher. La serveuse de la cafétéria me l'a dit. »

Selon la gérante, elle n'était pas revenue. Elle n'en savait pas davantage. Vaughan demanda qu'elle leur ouvre la chambre de Maria. La gérante lui tendit immédiatement son passe. Aucune hésitation, aucune remarque sur un mandat de perquisition, un problème juridique, les procédures légales. *Les petites villes*, pensa Reacher. Le travail de la police y était aisé. Presque autant qu'autrefois dans l'armée.

La chambre de Maria était identique à celle de Reacher, avec un peu plus de vêtements à l'intérieur. Un jean de rechange pendait dans l'armoire. Il était proprement plié sur la barre d'un cintre. Au-dessus, sur l'étagère, se trouvaient une culotte propre en coton, un soutien-gorge et un tee-shirt de rechange, tous soigneusement pliés et empilés. Par terre dans l'armoire, une valise vide était rangée. Petite, tristounette, plus toute jeune. De couleur bleue, en fibres, le couvercle enfoncé comme si on l'avait entreposée des années sous quelque chose de lourd.

Sur l'étagère proche de la salle de bains se trouvait une trousse de toilette en vinyle, blanche avec d'étranges marguerites mauves. Elle était vide mais avait clairement été bourrée pour le voyage. Son contenu s'étalait juste à côté en une longue rangée. Savons, shampoings, lotions, crèmes et onguents de toutes sortes.

Aucun article personnel. Ils devaient être dans son sac.

« Partie pour la journée, dit Vaughan. Elle a prévu de rentrer.

– Évidemment, fit Reacher. Elle a payé trois nuits d'avance.

– Elle s'est rendue à Despair. Pour y chercher Ramirez.

– Je pense comme vous.

– Mais comment ? À pied ? »

Reacher secoua la tête.

« Je l'aurais vue. Ça fait plus de dix-neuf kilomètres. Six heures de marche, pour elle. À supposer qu'elle soit partie à sept heures, elle n'y serait pas arrivée avant une heure de l'après-midi. J'étais sur la route entre huit heures et demie et neuf heures. Je ne l'y ai pas croisée.

– Il n'existe aucun bus, ni rien d'autre. Il n'y passe jamais personne.

– Peut-être que si, répondit Reacher. Je suis venu ici en voiture avec un vieux. Il allait voir de la famille avant de se rendre à Denver. Il filait plein ouest. Aucune raison de faire un grand détour. Et, s'il était assez bête pour me prendre en stop, il aurait sans doute fait pareil avec Maria.

– À condition qu'il ait quitté la ville, ce matin.

– Renseignons-nous. »

Ils rendirent le passe et montèrent dans la voiture de patrouille de Vaughan. Elle mit le moteur en marche et ils rejoignirent First Street, puis ils prirent à l'ouest vers la quincaillerie. Le dernier pâté de maisons habité. Au-delà, rien, sinon la plaine désertique. Le trottoir était encombré d'un empilage sophistiqué. Échelles, seaux, brouettes, diverses machines à moteur diesel. Le propriétaire était à l'intérieur, en veste marron. Il confirma qu'il avait tout installé tôt le matin. Il réfléchit, un souvenir éclaira son regard et il confirma avoir vu une petite jeune fille au teint mat, dans une veste chaude bleue. Elle se tenait debout sur le trottoir opposé, à la sortie de la ville, à moitié tournée vers l'est, mais clairement déterminée à continuer vers l'ouest, et elle fixait la route déserte avec un mélange d'espoir et de résignation dans les yeux. La pose classique de l'auto-stoppeur. Plus tard, le patron de la quincaillerie avait vu une grosse voiture vert bouteille se diriger vers l'ouest, un peu avant huit heures. Il décrivit le véhicule, fondamentalement le même que celui de Vaughan, les accessoires de police en moins.

« Une Grand Marquis, fit Reacher. Même châssis. Même voiture. Même bonhomme. »

Le quincaillier n'avait pas vu s'arrêter la voiture ni monter la fille. Mais la conclusion s'imposait. Vaughan et Reacher roulèrent jusqu'à la limite de la juridiction. Sans véritable raison. Ils ne virent rien d'autre que l'asphalte lisse dans leur dos et le vilain ruban caillouteux devant eux.

« Est-elle en danger ? demanda Vaughan.

– Je ne sais pas, dit Reacher. Mais elle n'est certainement pas à la noce.

– Comment va-t-elle rentrer ?

– Je soupçonne qu'elle a décidé de s'en préoccuper plus tard.

– On ne peut pas aller là-bas dans ce véhicule.

– De quoi d'autre disposez-vous ?

– De mon pick-up.

– Vous avez vos lunettes de soleil ? Ça souffle pas mal, sans le pare-brise.

– Trop tard. Je l'ai fait remorquer. Il est en réparation.

– Après quoi, vous êtes allée à la bibliothèque ? Ça vous arrive de dormir ?

– Plus beaucoup.

– Depuis quand ? Depuis quoi ?

– Je ne souhaite pas en parler.

– Votre mari ?

– Je vous ai dit que je ne souhaite pas en parler.

– On doit retrouver Maria.

– Je sais.

– On pourrait y aller à pied.

– Ça fait dix-neuf kilomètres.

– Et dix-neuf autres pour revenir.

– Impossible. Je reprends mon service dans deux heures.

– Elle réside à Hope. Du moins, à titre temporaire. Et elle a disparu. La police de Hope devrait avoir de bonnes raisons d'aller voir et d'enquêter là-bas.

– Elle vient de San Diego.

– En théorie, seulement.

– La théorie compte.

– Elle habite Hope.

– Avec un seul change de sous-vêtements ?

– Quelle est la chose la plus terrible qui pourrait arriver ?

– Ceux de Despair pourraient nous le demander aussi.

– Ils l'ont déjà fait. Leurs adjoints sont venus ici, hier soir.

– Deux mauvais coups n'en font pas un bon.

– Qui a dit ça ?

– Feriez-vous pression sur moi ?
– C'est vous qui êtes armée. »
Vaughan se tut, secoua la tête.
« Merde », lâcha-t-elle dans un soupir.
Puis elle écrasa l'accélérateur et la Crown Victoria bondit en avant. Les pneus accrochèrent bien l'asphalte de Hope mais perdirent appui sur les graviers de Despair. Les roues arrière mugirent et la voiture tangua une seconde avant de repartir à toute vitesse plein ouest dans un nuage de fumée bleue.

Ils parcoururent dix-huit kilomètres avec le soleil couchant devant eux sans rien y gagner, sinon des yeux plissés. Il en fut autrement des deux derniers kilomètres. Au loin, en plein soleil, Reacher reconnut les repères habituels, tous découpés en contrejour, à plat, sans perspective. Des taches floues à l'horizon. Le terrain vague, sur la gauche. Le motel abandonné, recroquevillé, triste. La station-service, sur la droite. Plus loin, l'épicerie et le premier bâtiment en brique.
Et quelque chose d'autre.
À un kilomètre et demi de distance, on aurait dit une ombre. Pareille à celle d'un unique nuage devant le soleil qui, projeté au sol, dessine une forme au hasard. Reacher tendit le cou et leva les yeux au ciel. Pas un nuage. Un azur dégagé. Rien que le gris-bleu du soir qui approchait.
Vaughan continua de rouler.
À un kilomètre de distance, la forme prit d'autres dimensions. Elle s'étendit en largeur, en hauteur et en épaisseur. Le soleil brillait dans son dos et chatoyait sur ses bords. On aurait dit un petit tas de matière noire. Comme si un camion géant avait renversé de la terre ou de l'asphalte au milieu de la route, d'un accotement à l'autre, voire au-delà.
Le tas faisait dans les quinze mètres de large, six d'épaisseur, et un mètre quatre-vingts de haut.
À sept cent cinquante mètres, il avait l'air vivant.
À quatre cents mètres, on voyait de quoi il s'agissait.

D'une foule humaine.

Vaughan ralentit d'instinct. La foule comptait deux cents ou trois cents personnes. Des hommes, des femmes et des enfants. Ils formaient un triangle grossier face à l'est. Environ six personnes à la pointe. Derrière ces six-là, vingt autres. Derrière les vingt, soixante autres. Derrière les soixante, une grosse masse humaine mouvante. La route était barrée sur toute la largeur. Les accotements impraticables. L'arrière-garde débordait dans les broussailles sur quinze mètres de chaque côté.

Vaughan s'arrêta à cinquante mètres de distance.

La foule se resserra. Les gens sur les côtés poussèrent vers le centre. Mais l'avant-garde campa sur ses positions et ils se rapprochèrent les uns des autres à l'arrière. La foule dessinait comme un poinçon humain. Une masse compacte. Deux cents ou trois cents personnes. Serrées les unes contre les autres, mais pas bras dessus, bras dessous.

Pas bras dessus, bras dessous, car les armes à la main.

Des battes de base-ball, des queues de billard, des manches de pioche, des manches à balai, des morceaux de bûche, des marteaux de charpentier. Deux cents ou trois cents personnes qui bougeaient en rangs serrés. Comme un seul homme. Elles se balançaient sur place, d'un pied sur l'autre, brandissant leurs armes de haut en bas. Aucun désordre. Leurs mouvements étaient modérés, contrôlés, en cadence.

Elles criaient quelque chose.

Tout d'abord, Reacher ne distingua qu'un cri primaire, guttural, sans cesse répété. Puis il baissa sa vitre de deux centimètres et entendit : « Dehors ! Dehors ! Dehors ! » Il appuya sur le bouton et la vitre remonta avec un petit bruit sourd.

Vaughan était livide.

« Incroyable, dit-elle.

– Serait-ce là une étrange tradition, propre au Colorado ? demanda Reacher.

– Je n'ai jamais rien vu de tel.

– Le juge Gardner a donc tenu parole. Il a assermenté toute la population.

– Ils n'ont pas l'air réquisitionnés. Ils ont l'air d'y croire profondément.

– C'est le moins qu'on puisse dire.

– Que faisons-nous ? »

Dehors ! Dehors ! Dehors !

Reacher les observa un moment.

« Avancez un peu, pour voir ce qui se passe, dit-il.

– Vous êtes sérieux ?

– Essayez. »

Vaughan ôta son pied du frein et la voiture avança tout doucement.

La foule en fit autant vers eux, à petits pas comptés, en brandissant ses armes.

Vaughan s'arrêta de nouveau, à quarante mètres de distance.

Dehors ! Dehors ! Dehors !

« Mettez votre sirène en marche. Faites-leur peur.

– Leur faire peur ? C'est plutôt eux qui nous font peur. »

La foule ne se balançait plus d'un côté à l'autre, mais tanguait maintenant d'avant en arrière, d'un pied sur l'autre, gourdins et bâtons tendus en avant, puis jetés en arrière, puis de nouveau pointés en avant. Les gens portaient des chemises de travail, des robes bain de soleil aux couleurs passées, des vestes en jean, mais, dans leur manière d'agir à l'unisson, ils dégageaient quelque chose de totalement primitif. Comme une étrange tribu de l'âge de pierre, menacée, sur la défensive.

« La sirène », dit Reacher.

Vaughan la mit en marche. C'était une machine synthétique moderne dont le bruit puissant déchira le silence : une cascade de *whoop-whoop-whoop* classiques, de *pock-pock-pock* nerveux et un caquètement numérique frénétique, séquencé au hasard.

Sans aucun effet.

Vraiment aucun.

La foule ne trembla pas, ne broncha pas, ne perdit rien de son élan.

« Pouvez-vous les contourner ? » dit Reacher.

Vaughan secoua la tête.

« Cette voiture ne vaut rien en tout-terrain. On s'enliserait et ils fondraient sur nous. Il nous faudrait un 4 × 4.

– Faites semblant, alors. Virez à gauche, puis faufilez-vous en vitesse sur la droite.

– Vous croyez ?

– Essayez. »

Elle ôta de nouveau son pied du frein et avança lentement. Elle tourna le volant et se dirigea du mauvais côté de la route, légèrement en diagonale. La foule devant elle accompagna sa manœuvre, lentement, avec une extrême fluidité. Une masse de deux cents ou trois cents personnes qui bougeaient de concert, à la façon d'une mare de mercure gris, et changeaient de forme comme une amibe. Comme une horde disciplinée. Vaughan atteignit l'accotement sur le côté gauche. La foule s'était reformée pour lui barrer la route, mais elle était toujours très compacte jusqu'aux broussailles, du côté droit de la route.

« Impossible, fit-elle. Ils sont trop nombreux. »

Elle s'arrêta de nouveau, trois mètres avant le premier rang.

Elle coupa la sirène.

Les cris redoublèrent.

Dehors ! Dehors ! Dehors !

Puis ils se firent plus graves et changèrent de cadence. Comme un seul homme, les gens frappèrent leurs gourdins et leurs bâtons par terre avant de crier.

Dehors !

Boum !

Dehors !

Boum !

Ils étaient assez près pour les distinguer clairement. Ils avançaient la tête à chaque cri, leurs traits gris et rose convulsés par la haine, la rage, la peur et la colère. Reacher n'aimait pas les foules. Il appréciait la solitude et était légèrement agoraphobe, ce qui ne signifiait pas pour autant qu'il eût peur des grands espaces déserts. Une idée fausse, très répandue. Il adorait les grands espaces. Il avait plutôt un léger problème d'*agora*, ce vieux terme grec désignant un marché public bondé. Les foules livrées à elles-mêmes sont déjà assez dangereuses. Il avait vu des images de mouvements de foule paniquées et de désastres dans les stades. Les foules organisées sont pires. Il avait vu des images d'émeutes et de révolutions. Une marée humaine de deux cents individus est le plus gros animal qu'ait connu la terre. Le plus lourd, le plus difficile à contrôler, le plus difficile à arrêter. Le plus difficile à tuer. Une vaste cible, certes, mais les rapports indiquent toujours qu'une balle tirée dans une foule ne tue ni ne blesse systématiquement quelqu'un, loin de là.

Les foules ont neuf vies.

« Et maintenant ? demanda Vaughan.

– Je ne sais plus », fit-il.

Il redoutait particulièrement les foules hargneuses, bien organisées. Il avait été en Somalie, en Bosnie et au Moyen-Orient et il avait vu ce dont sont capables des foules en colère. Il avait vu l'instinct grégaire à l'œuvre : l'anonymat, la dissipation des inhibitions, les permissions implicites de l'action collective. Il savait combien une foule en colère est l'animal le plus dangereux que la terre ait jamais porté.

Dehors !

Boum !

Dehors !

Boum !

Il dit calmement : « Enclenchez la marche arrière. »

Vaughan passa la vitesse. La voiture se cabra sur ses hanches, comme une proie prête à fuir.

« Reculez un peu. »

Vaughan recula en tournant le volant et retrouva le milieu de la route avant de s'immobiliser, à trente mètres de distance. Quatre-vingt-dix pieds. La distance qui sépare le marbre de la première base au base-ball.

« Et maintenant ? » demanda-t-elle encore une fois.

La foule avait suivi le mouvement. Elle avait de nouveau changé de forme et repris celle qu'elle présentait initialement. Un triangle massif avec une avant-garde de six hommes et une large base qui se désagrégeait dans les broussailles de chaque côté de la route.

Dehors !

Boum !

Dehors !

Boum !

Reacher observa attentivement la scène derrière le pare-brise. Il baissa sa vitre. Il pressentait un changement. Il voulait l'anticiper d'une fraction de seconde.

« Qu'allons-nous faire ? dit Vaughan.

– Je me sentirais mieux dans un Hummer.

– Nous ne sommes pas dans un Hummer.

– C'est une expression.

– Et, dans une Crown Victoria, que fait-on ? »

Reacher n'eut pas le temps de répondre. Le changement s'opéra. La foule fondit sur eux. Deux cents ou trois cents personnes, lancées à pleine vitesse, qui hurlaient, trébuchaient, se bousculaient, les yeux écarquillés, la bouche ouverte, les traits déformés, les armes brandies, les poings levés. Elles bouchaient l'horizon du pare-brise, une foule en mouvement, une masse humaine frénétique qui déferlait droit sur eux en criant.

Ils arrivèrent à moins d'un mètre cinquante. Vaughan écrasa alors l'accélérateur. Le véhicule fit un bond en arrière, le moteur hurla, la vitesse mugit, les pneus arrière crissèrent dans un nuage de fumée. Vaughan atteignit les cinquante kilomètres à l'heure en marche arrière, puis elle braqua sèchement pour faire un demi-tour d'urgence et enclencha brutalement la marche avant. Elle écrasa l'accélérateur encore plus fort. Elle fila vers l'est sur des kilomètres, sans s'arrêter, à pleine vitesse, moteur rugissant, pied au plancher. Reacher s'était trompé dans sa première estimation. Bien trop prudente. Une Crown Victoria équipée du pack d'interception était une voiture très rapide. Elle montait à cent quatre-vingt-dix, au moins.

QUARANTE-TROIS

Ils décollèrent en haut de la bosse qui rapprochait traîtreusement les Rocheuses, puis Vaughan leva le pied de l'accélérateur et ralentit sur les mille cinq cents mètres suivants, jusqu'à l'arrêt. Elle tendit le cou et garda les yeux rivés sur la lunette arrière une bonne minute. Ils se trouvaient toujours nettement dans le territoire de Despair. Mais tout était calme derrière eux. Elle se gara sur l'accotement, deux roues dans le sable, et laissa le moteur tourner au ralenti. Elle s'affaissa sur son siège, les deux mains sur les cuisses.

« On a besoin de la police d'État, fit-elle. On a une foule qui a pris le contrôle là-bas et une disparue. Quoi que Ramirez ait été pour eux, on peut supposer qu'ils ne vont pas traiter sa copine en douceur.

– On ne peut rien supposer, dit Reacher. On n'est pas certain qu'elle soit là-bas. On n'est même pas sûr que le cadavre ait été celui de Ramirez.

– Vous en doutez sérieusement ?

– La police d'État en doutera. C'est juste un conte de fées, jusqu'ici.

– Que fait-on, alors ?

– On vérifie.

– Comment ?

– On appelle Denver.

– Qu'y a-t-il à Denver ?

– Cette voiture verte, dit Reacher, et le type qui la conduisait. Cinq cents kilomètres, six heures de route, disons sept, avec la pause déjeuner. S'il est parti autour de huit heures, ce matin, il devrait être arrivé. Nous devrions l'appeler, lui demander s'il a pris Maria en stop et, si c'est le cas, où il l'a précisément déposée.

– Vous savez comment il s'appelle ?

– Non.

– Son numéro ?

– Non.

– Brillante idée.

– Il venait à Hope voir ses trois petits-enfants. Vous devriez rentrer en ville et vérifier auprès des familles qui ont trois gosses. Demandez-leur si papi vient de repartir dans sa Mercury verte. L'une d'entre elles vous le confirmera. Vous aurez alors un numéro pour sa prochaine étape. Celui d'un frère ou d'une sœur à Denver, et de trois ou quatre autres gamins que le vieux bonhomme doit voir.

– Et vous, qu'allez-vous faire ?

– Je retourne à Despair. »

Il sortit du véhicule à cinq heures trente-cinq, treize kilomètres à l'ouest de Hope, autant à l'est de Despair. Au beau milieu du no man's land. Il regarda Vaughan s'éloigner en voiture, puis il tourna les talons et se mit en marche. Il resta sur la route pour aller plus vite. Il fit des calculs dans sa tête. *Voilà ce dont tu es sûr.* Deux mille six cents habitants, dont peut-être un quart trop vieux ou trop jeunes pour être utiles. Ce qui en laissait plus de mille huit cents, avec une disponibilité maximale après six heures du soir quand l'usine fermait ses portes pour la nuit. Fraîchement assermentés, fraîchement réquisitionnés, mal assurés, sans expérience. La visibilité apportée par la lumière du jour leur avait permis de se déployer en masse compacte. À la nuit tombée, ils allaient devoir se déployer autrement, telle une chaîne humaine autour de la ville. Mais il leur faudrait aussi rester proches les uns des autres, pour des raisons de moral, d'efficacité et de soutien mutuel. Conclusion : aucun éclaireur, aucune sentinelle isolée. Les enfants regroupés par famille. Chaque élément de la chaîne voudrait avoir un contact visuel avec le suivant. En conséquence, chaque groupe, chaque individu ne voudrait pas se trouver à plus de trois mètres de ses voisins. Certains seraient équipés de torches électriques. D'autres accompagnés de chiens. À tout prendre, dans le pire des cas, ils pourraient former une chaîne humaine de près de six mille mètres de long : six kilomètres, soit la circonférence d'un cercle d'un peu plus d'un kilomètre et demi de diamètre.

Un cercle d'un kilomètre et demi de diamètre entourerait à peine la ville. Il n'arriverait pas à englober à la fois la ville et l'usine. Il serait aussi plus dense sur les routes à l'entrée et à la sortie de la ville, surtout sur celle venant de Hope. La couverture serait légère partout ailleurs. Probablement très légère. Avec peut-être quelques types en pick-up pour patrouiller dans le désert. Peut-être les Tahoe du service de sécurité de l'usine seraient-ils en maraude. Les jeunes mecs seraient imprévisibles. Excités par l'aventure, avides de gloire. Mais aisément lassés. En fait, ils s'ennuieraient tous ferme. Et ils seraient fatigués, le moral en berne. L'efficacité atteindrait son maximum lors de la première heure, se déliterait les deux ou trois suivantes, serait faible autour de minuit et quasi inexistante aux petites heures du matin.

Qu'en conclus-tu ?

Ça n'a rien d'un problème insurmontable, se dit Reacher. Le soleil se couchait derrière les montagnes au loin. Un halo orange éclairait l'horizon. Il mit le cap dessus.

À sept heures, il s'imagina Vaughan en train de commencer son service de nuit à Hope. À sept heures et quart, il arriva à un kilomètre et demi de là où la foule s'était précédemment rassemblée. Il faisait noir. Il ne distingua personne au loin, et personne ne pouvait donc le deviner à cette distance. Il quitta la route pour le désert, selon un angle sud-ouest, le pas ferme, avec l'intention de ralentir. La ville devant lui était sombre et muette. Très muette. À sept heures et demie, il s'était avancé de six cents mètres sur le sable et prit conscience qu'il n'avait pas entendu décoller l'avion. Ni bruit de moteur ni lumière dans le ciel.

Pourquoi donc ?

Il s'arrêta dans le noir et imagina deux ou trois scénarios possibles. Puis il progressa en suivant une large courbe, silencieux, fugace et invisible dans le noir.

Sur le coup de huit heures, il entama sa première approche. On l'attendait à l'est, donc il arriva par le sud-ouest. Pas vraiment une garantie de sécurité, mais préférable à un coup en plein figure. Des éléments compétents devaient être répartis sur le périmètre, mais pas partout. Il avait déjà évité la plupart de ceux qui pouvaient l'inquiéter. Il avait vu un 4 × 4, un pick-up cabossé avec une barre de quatre phares sur le toit. Il roulait lentement en cahotant sur le terrain inégal et dans la direction opposée à la sienne.

Il avança au milieu des broussailles et s'abrita derrière un rocher. Il se trouvait cinquante mètres à l'arrière d'une longue rangée d'habitations ouvrières. Des maisons basses sans étage, bien espacées, car le terrain coûtait peu cher en pleine brousse et les systèmes d'évacuation des eaux ne fonctionnaient pas pour un habitat trop dense. L'espace entre chaque maison était trois fois plus important que leur surface. Le ciel dégageait une infime lumière grise, la lune était cachée derrière les nuages. Il y avait des gardes entre les maisons. De gauche à droite, il distingua une silhouette, celle d'un petit groupe, puis une autre silhouette et une autre encore. Tous étaient armés de gourdins, bâtons, ou battes de base-ball. Ils formaient ensemble une chaîne qui alternait maison, garde armé, maison, garde armé, maison, garde armé.

Ils considéraient les maisons comme des éléments défensifs.

Ils avaient tort.

Reacher entendit quelques chiens aboyer au loin, énervés, perturbés par cette activité vespérale inhabituelle. Aucun problème. Les chiens qui aboyaient trop ne servaient pas davantage que ceux qui n'aboyaient pas du tout. Le deuxième homme sur la droite avait une torche. Il l'allumait à intervalles prévisibles, décrivait un demi-cercle par terre devant lui et l'éteignait pour économiser la pile.

Reacher prit à gauche.

Il se positionna face à une maison totalement plongée dans les ténèbres. Il s'aplatit au sol et rampa droit vers elle. Le record militaire des cinquante mètres en rampant était d'environ vingt secondes. À l'extrême inverse, les tireurs d'élite pouvaient prendre une journée entière pour ramper cinquante mètres et prendre position. Dans ce cas précis, Reacher s'accorda cinq minutes. Un temps suffisamment long pour couvrir la distance, suffisamment court pour le faire en toute sécurité. En général, le cerveau humain enregistrait la vitesse et les à-coups. Une tortue en approche n'inquiétait personne. Un chimpanzé bondissant alertait tout le monde. Il passa à l'action, lentement, régulièrement, sur les coudes et les genoux, tête baissée. Sans s'arrêter. Sans repartir. Il avança de dix mètres. Puis de vingt. De trente. De quarante.

Au bout de quarante-cinq mètres, il sut qu'il n'était plus visible depuis les intervalles entre les maisons. L'angle était mauvais. Pourtant, il continua jusqu'au bout, collé au sol, jusqu'à ce qu'il atteigne la véranda à l'arrière. Il se releva et tendit l'oreille, à l'affût de la moindre réaction dedans ou dehors.

Rien.

Il se tenait devant une porte de cuisine. Cette véranda n'était qu'une plate-forme de bois, haute de trois marches. Il les gravit doucement, les jambes écartées, le pas lent, en faisant reposer son poids sur les points où les planches étaient fixées aux portants latéraux. Quand un escalier craque, quatre-vingt-dix-neuf fois sur cent, c'est au milieu, là où il est le plus fragile. Il posa la main sur la poignée de la porte et la souleva. Quand une porte craque, quatre-vingt-dix-neuf fois sur cent, c'est parce qu'elle s'est affaissée sur ses gonds. Une poussée vers le haut évite qu'elle le fasse.

Il poussa la porte à l'intérieur, vers le haut, entra et referma derrière lui. Il se retrouva dans une cuisine sombre et silencieuse. Un sol en lino fatigué, une odeur de friture. Des plans de travail et des placards fantomatiques dans la pénombre. Un évier, un robinet avec un joint défectueux. Il laissait couler un gros filet d'eau toutes les trente-trois secondes. L'eau giclait sur une surface en céramique. Il imagina une goutte parfaite qui s'épanouissait en couronne après l'impact et projetait de fines gouttelettes autour d'elle en un cercle impeccable.

Il passa de la cuisine au vestibule. Il sentit une odeur de moquette sale et de meubles usés qui venait d'un salon sur sa droite. La porte d'entrée était une plaque de bois creuse, sans fioriture, avec un rectangle de perles peint dessus. Il en tourna la poignée avec une pression vers le haut. Il l'ouvrit sans difficulté, en silence.

Il y avait une porte grillagée, juste derrière.

Reacher se figea. Il n'existait aucun moyen d'ouvrir ce genre de porte sans faire de bruit. Absolument aucun. Un cadre léger, des gonds en plastique rigides, un mécanisme de ressorts rudimentaires. Un beau concert de crissements et de claquements garanti. La porte présentait une barre horizontale en son milieu, destinée à la renforcer et à lui éviter toute déformation. La partie supérieure faisait moins de un mètre carré. Idem pour celle du dessous. Les deux étaient couvertes d'un grillage en nylon. Cet obstacle avait des années de bons et loyaux services. C'était plus qu'évident. Couvert de poussière et de cadavres d'insectes.

Reacher sortit un de ses crans d'arrêt pris à l'ennemi. Il se retourna pour étouffer le bruit et fit sortir la lame. Il découpa un grand X dans la grille inférieure, d'un coin à l'autre. Il rentra la lame dans le manche, remit le couteau dans sa poche et s'assit par terre. Il se pencha en arrière et se souleva du sol, comme un crabe. Lentement, il traversa le X, les pieds en avant. Son instinct lui aurait dicté d'y aller tête la première. Le désir de voir ce qu'il y avait de l'autre côté était irrésistible. Mais s'il s'agissait de se prendre un manche de pioche ou une balle, mieux valait l'encaisser dans les jambes qu'en pleine tête. Bien meilleur calcul.

Il n'y avait rien de l'autre côté. Ni balle ni manche de pioche. Il se baissa, se tortilla, passa les épaules dans le trou et se releva d'un mouvement leste, aux aguets. Il était sur un perron en béton. Une plaque brute, un carré d'un mètre vingt de côté, fendu, penchant d'un côté et instable. Devant lui, une petite allée et une rue sombre. De l'autre côté de la rue, d'autres maisons. Aucun garde dans les intervalles. Ils étaient tous désormais derrière lui, à une distance d'un demi-jardin. Et ils regardaient dans la mauvaise direction.

QUARANTE-QUATRE

Reacher se dirigea au nord, droit vers le centre-ville. Il se faufila entre les maisons et évita les rues autant que possible. Pas un piéton sur la route. Il croisa un véhicule, deux rues plus loin. Une vieille berline pleins phares. Quelqu'un chargé de contrôler une zone précise, sans doute, en tournée d'inspection. Il se tapit derrière une barrière en bois et attendit que la voiture se soit éloignée. Puis il traversa un espace à découvert et se plaqua contre la première bâtisse en brique qu'il vit. Le dos collé contre le mur, il planifia ses mouvements. Il avait une connaissance raisonnable de la géographie de Despair. Il décida d'éviter la rue du restaurant. Celui-ci était certainement encore ouvert. Il était presque neuf heures du soir : un peu tard pour dîner en temps normal, mais vu que la population serait mobilisée toute la nuit, il était probable qu'il reste ouvert et approvisionne les troupes. Peut-être que la voiture aperçue plus tôt était celle d'un volontaire qui apportait le café.

Il se coula dans les ténèbres, choisit une étroite rue transversale, la prit et longea la façade vitrée de l'église. Elle était déserte. Thurman y était peut-être venu plus tôt prier pour le succès de l'opération de surveillance. Auquel cas, il serait bien déçu. Reacher progressa sans faire de bruit, tourna encore et se dirigea vers le poste de police. Toutes les rues étaient sombres et désertes. L'ensemble de la population occupait le périmètre de la ville, les yeux écarquillés dans le noir, inconsciente de ce qui se tramait dans son dos.

La rue du poste de police avait un lampadaire allumé. Il projetait un faible halo jaune. Le poste lui-même dormait dans l'obscurité. La porte d'entrée était fermée à clé. Une vieille porte en bois équipée d'une nouvelle serrure à cinq points, mal montée. Reacher sortit les clés de l'adjoint dans le bar. Il détailla la serrure, le trousseau, puis sélectionna une longue clé en cuivre et l'essaya. Elle fonctionna. Le pêne tourna sous l'effort. Soit la clé était mal façonnée, soit le pêne frottait contre son logement, ou les deux. Mais la porte s'ouvrit. Une odeur de cire administrative monta aux narines de Reacher. Il entra, ferma derrière lui et refit dans la pénombre le trajet effectué quelques jours plus tôt jusqu'au comptoir. Comme l'hôtel, la police de Despair en était encore à l'âge du papier et du stylo. Le registre des arrestations était un gros cahier noir à la tranche dorée. Reacher l'approcha de la fenêtre et l'inclina pour accrocher le peu de lumière qui filtrait. Il l'ouvrit et le feuilleta jusqu'à la page où figurait son nom, datée de trois jours plus tôt, en milieu d'après-midi. *Reacher J., vagabond.* L'inscription anticipait de beaucoup le résultat de l'audience au tribunal. Reacher sourit. *Tant pis pour la présomption d'innocence.*

L'inscription au-dessus de la sienne était antérieure de trois jours. *Anderson L., vagabonde.*

Il tourna la page à la recherche du mari de Lucy. Il ne s'attendait pas à l'y trouver et ne l'y trouva pas. Le mari de Lucy Anderson avait été aidé et on ne lui avait pas mis de bâtons dans les roues. Puis il chercha Ramirez. Aucune trace. Rien dans le registre. Jamais arrêté. Conclusion : ce type ne s'était pas échappé de prison. Ils ne l'avaient jamais arrêté. Pour autant que le cadavre dans la nuit n'ait pas été celui d'un autre.

Il passa patiemment en revue un échantillon des trois derniers mois. Il trouva six noms : Bridge, Churchill, White, King, Whitehouse, Andrews. Cinq hommes et une femme. Tous vagabonds. En gros, un tous les quinze jours.

Il revint aux dernières pages, après sa propre arrestation, et y chercha celle de Maria. Elle n'y était pas. Un seul nom figurait après le sien. Une nouvelle écriture, vu que le flic affecté au bureau conduisait la seconde Crown Victoria de Despair et était en congé maladie pour cause de coup du lapin. Le nouveau venu avait été enregistré seulement sept heures plus tôt. *Rogers G., vagabond.*

Reacher referma le registre, le posa sur le bureau et rejoignit l'escalier qui menait au sous-sol. Il le descendit à tâtons et ouvrit la porte des cellules. Il y faisait très clair. Toutes les lampes sur les cloisons étaient allumées. Pourtant, toutes les cellules étaient vides.

Un cercle d'un kilomètre et demi de diamètre entoure tout juste la ville. La prochaine étape de Reacher le menait hors de Despair, ce qui signifiait refranchir ce cercle, mais dans la direction opposée, cette fois. Facile la première fois, difficile la seconde. Facile de s'approcher du front, plutôt facile d'y pénétrer, difficile de s'en éloigner avec mille paires d'yeux dans le dos. Il ne voulait pas être le seul objet mobile devant une foule stationnaire. Mieux valait que ce front bouge et le dépasse comme une vague sur un rocher.

Il passa le trousseau de clés en revue.

Et trouva celle qu'il cherchait.

Puis il remit les clés dans sa poche, retourna au comptoir près de l'entrée et ouvrit des tiroirs. Il découvrit ce qu'il cherchait dans le troisième. Il était plein d'objets en vrac. Des élastiques, des trombones, des stylos-feutres secs, des morceaux de papier avec des messages raturés, une règle en plastique.

Et un cendrier en fer-blanc, un paquet de Camel, au quart plein, ainsi que trois pochettes d'allumettes.

Il dégagea un espace par terre et disposa le registre au milieu, debout, ouvert à quatre-vingt-dix degrés, les pages en éventail. Il empila dessus, et tout autour, le moindre bout de papier qu'il trouva. Il froissa les notes de service, les affiches et les vieux journaux, et en fit une pyramide. Il glissa dessous deux pochettes d'allumettes, rabat recourbé, allumettes repliées en tout sens.

Puis il alluma une cigarette avec une allumette de la troisième pochette. Il inspira en souriant. Les Camel étaient sa marque préférée autrefois, bien longtemps auparavant. Il appréciait le tabac turc. Il la fuma sur un centimètre, plia la cigarette en forme de « T » dans la pochette d'allumettes et utilisa un trombone pour les fixer ensemble. Puis il enfourna son montage sous la base de la pyramide et s'en alla.

Il laissa la porte d'entrée entrouverte de cinq centimètres pour faire un appel d'air.

Reacher se dirigea vers le sud, vers la maison de l'adjoint le plus costaud. Il savait comment la retrouver. Il l'avait vue de derrière, le premier soir, quand le type était rentré chez lui du travail pour vomir dans son jardin. Un trajet de cinq minutes qui lui en prit dix, pour avoir marché, par prudence, en catimini. La maison était un pavillon défraîchi parmi d'autres. Bardeaux rayés, tuiles recourbées, plantes séchées sur pied. Aucun aménagement paysager, aucun jardin à proprement parler. Rien que de la terre battue, y compris dans l'allée de trente centimètres de large conduisant à la porte de la maison et dans les deux ornières creusées jusqu'à la place de parking près de la cuisine.

Le vieux pick-up crew cab y était garé.

La porte côté conducteur n'était pas fermée à clé. Reacher se glissa à l'intérieur derrière le volant. Le siège était usé et avachi. Les vitres étaient sales et les tissus sentaient la sueur, la graisse et l'essence. Reacher sortit le trousseau et trouva la clé. Une tête en plastique, de forme reconnaissable. Il l'essaya pour vérifier. Il la mit dans le contact, la tourna de deux crans. La direction se libéra et le tableau de bord s'éclaira. Il la retira, passa par-dessus le siège et s'allongea sur la banquette arrière.

Il fallut plus de trente minutes aux citoyens pour se rendre compte que leur poste de police brûlait. À ce stade, il était copieusement en feu. De sa position couchée dans le véhicule, Reacher vit la fumée, les étincelles, un halo orange et les flammes qui tentaient de s'élever avant toute intervention. Mais, finalement, quelqu'un sur le front avait fini par sentir quelque chose, à moins qu'il n'ait lentement changé de position, décrivant un large cercle dans la poussière, par lassitude, et s'arrêtant assez longtemps pour scruter l'horizon dans son dos.

Pendant une minute, la perplexité et les cris de surprise l'emportèrent.

Puis ce fut le chaos.

Toute discipline passa immédiatement à la trappe. Le cercle s'affaissa sur lui-même comme un ballon percé. Reacher ne bougea pas et vit des gens défiler devant lui, d'abord peu nombreux, indécis, puis en masse compacte. Ils couraient, seuls ou en groupe, hurlaient, s'égosillaient, fascinés, embarrassés, les yeux rivés sur rien d'autre que le halo de lumière devant eux. Reacher tourna la tête et en vit venir de partout à la fois. Les rues transversales furent soudain pleines de monde, des gens par dizaines, puis par centaines. Un courant à sens unique. Le labyrinthe du centre-ville les avala jusqu'au dernier. Reacher s'assit et regarda les derniers disparaître, de dos, au coin des rues ou entre deux bâtiments.

Fraîchement assermentés, fraîchement réquisitionnés, mal assurés, sans expérience.

Il sourit.

Comme des phalènes sur les flammes, pensa-t-il. *Au sens propre.*

Il se retourna sur son siège et enclencha la clé de contact jusqu'au bout. Le moteur fit un tour et démarra. Reacher avança lentement, tous feux éteints, dans la direction ouest-sud-ouest, et traversa la plaine désertique. Il vit des phares sur la route au loin, sur sa droite. Quatre véhicules en mouvement. Les Tahoe du service de sécurité dépêchés par l'usine, presque à coup sûr, plus l'ambulance, probablement, et peut-être même un camion de pompiers qu'il n'avait pas encore vu. Il continua son chemin et fit un grand détour par l'ouest, à travers les terres inhabitées, tout doucement, en tressautant sur des ondulations cahoteuses et en faisant hurler le moteur sur les gros cailloux. Le volant tremblait entre ses mains. Il fixait sa route à travers le pare-brise sale et contournait les gros obstacles en virant à droite ou à gauche. Il avançait à moins de trente à l'heure en moyenne. Plus rapide qu'en courant, mais il lui fallut pourtant plus de sept minutes avant de distinguer dans l'obscurité le reflet blanc des murs de l'usine.

QUARANTE-CINQ

Reacher contourna l'usine par le sud, jusqu'à ce que les murs de pierre du domaine résidentiel se dressent devant lui. Il était difficile d'y voir dans les ténèbres. Mais l'ascension allait être facile. Les prises ne manquaient pas dans les jointures sans mortier. Il fit à moitié le tour de l'enceinte et gara le pick-up au niveau où il estimait que se trouvait l'énorme hangar. Il coupa le moteur, descendit en silence et moins de dix secondes plus tard, il était de l'autre côté du mur. La piste courait droit devant lui. Une vingtaine de mètres de large, environ un kilomètre de long, une surface aplanie, soigneusement nivelée, bien entretenue. Une petite bosse était visible à chaque extrémité, le socle d'un projecteur destiné à balayer la piste dans sa longueur. De l'autre côté, juste en face, il y avait une vaste étendue broussailleuse, ponctuée ici et là d'espaces paysagers. Les plantes présentaient toutes des feuilles acérées et jetaient des reflets d'argent sous la lune. Des plantes locales, bien acclimatées au désert. Des plantes xériques ou xérophiles, qui supportent la sécheresse. Du préfixe *xero*, qui signifie sec. D'où la marque *Xerox*, pour la photocopie sans produits chimiques liquides. Zénon de Citium n'aurait su quoi dire de ce type de copie, mais il aurait approuvé les aménagements paysagers à sec. Il était convaincu du bienfondé de suivre le courant dominant. De l'acceptation inconditionnelle du destin. Il croyait qu'il valait mieux se régaler de figues vertes en plein soleil plutôt que d'investir du temps et de l'énergie à changer la nature en l'irriguant.

Reacher traversa la piste. Devant lui, au-delà des derniers fourrés, se dressait l'immense hangar. Il se dirigea droit dessus. C'était un bâtiment fermé sur trois côtés et ouvert en façade. Une quinzaine de mètres de large, une demi-douzaine de haut, une quinzaine de profondeur. Il était totalement occupé par un avion blanc. Un Piper Cherokee, garé nez vers l'avant, parfaitement d'aplomb sur les trois roues de son train d'atterrissage fixe, immobile et perlé de rosée froide. Proche de dix heures du soir. Proche de la mi-course de son plan de vol nocturne habituel. Pourtant, cette nuit-là, il était encore au sol. Il n'avait pas décollé.

Pourquoi donc ?

Reacher entra sans hésiter dans le hangar et frôla le bout de l'aile droite. Il se rapprocha du fuselage, trouva la marche, monta sur l'aile et regarda derrière la vitre. Il avait passé un certain temps dans de petits appareils quand l'armée voulait l'envoyer quelque part plus vite qu'en Jeep ou qu'en train. Il n'avait pas vraiment aimé. Il les trouvait petits, banals et pas très sérieux. On aurait dit des voitures volantes. Il se répétait qu'ils étaient mieux construits que des voitures, mais il n'avait découvert aucune preuve tangible pour s'en convaincre. Une fine couche de métal bombée, pliée, rivetée, des bagues et des câbles, des moteurs qui crachouillaient. Le Cherokee de Thurman ne paraissait pas mieux que les autres. Une machine fiable, sans gadgets, pour quatre passagers, un peu fatiguée, un peu tachée. Avec de minuscules portes métalliques, un pare-brise partagé en deux et un tableau de bord moins compliqué que ceux de la plupart des voitures modernes. Une vitre était légèrement fendue. Les sièges avaient l'air avachis et les sangles des harnais de sécurité enchevêtrées et élimées.

Il n'y avait aucun papier visible dans la cabine. Ni cartes, ni plan de vol, ni notes manuscrites avec des longitudes et des latitudes. Il ne disposait pas d'un vrai espace de fret. Juste quelques niches ici ou là et les trois sièges vides. *Les gens ne se baladent pas en avion la nuit*, disait Lucy Anderson.

Il n'y a rien à voir. Conclusion : Thurman transportait quelque chose à l'aller ou au retour. Ou allait voir un ami. Ou une maîtresse. C'était peut-être là le sens caché de prédicateur. Un mélange de prédicateur et de fornicateur.

Reacher descendit de l'aile et sortit du hangar. Il avança dans les ténèbres et jeta un coup d'œil aux autres dépendances. Il y avait un garage pour trois véhicules, au bout d'une allée de quatre cents mètres tirée au cordeau et aboutissant à une grille monumentale en fer forgé au milieu du mur. Un autre bâtiment, plus petit, devait abriter des outils de jardin. La maison elle-même était époustouflante. Son bois huilé lançait des chatoiements sombres et ambrés. Elle était hérissée de nombreux pignons pointus, comme un chalet de montagne. Certaines fenêtres montaient sur deux étages. À l'intérieur, des parois lambrissées renvoyaient de sombres reflets. Elle avait des plafonds de cathédrale. Des revêtements en pierre apparente, des tapis épais, des canapés et des fauteuils club en cuir. Une retraite de gentilhomme qui devait toujours sentir le cigare. Reacher avait en bouche le goût de la cigarette à peine fumée. Il fit le tour de la maison en pensant aux Camel, aux chameaux et aux chas des aiguilles. Il retomba sur l'énorme hangar et jeta un dernier coup d'œil à l'avion. Puis il retraversa le terrain paysagé et la piste, jusqu'au mur. Dix secondes plus tard, il retrouvait le pick-up volé.

Il fit demi-tour dans le sable, coupa en direction du mur de l'usine, qu'il suivit dans le sens inverse des aiguilles d'une montre. Si le mur en pierre apparente était facile à escalader, la paroi en métal était impossible à franchir. C'était une façade verticale de quatre mètres vingt de haut surmontée sur toute sa longueur d'un cylindre horizontal d'un mètre quatre-vingts de diamètre. Pareil à un rouleau de papier-toilette en équilibre sur la tranche d'un gros livre. Sa conception se basait sur des recherches effectuées sur les prisons. Reacher en connaissait la théorie. Autrefois, il portait un intérêt professionnel aux prisons. On pouvait escalader les murs en pierre, en brique, et aussi les barrières en grillage, si hauts soient-ils. Les tessons de verre disposés à leur sommet pouvaient être recouverts ou protégés. Les barbelés écrasés ou coupés. Mais ces cylindres d'un mètre quatre-vingts étaient imparables. Ramenée à la taille d'un bras ou à l'empan d'une main, leur surface était lisse, glissante, et n'offrait aucune prise. Les franchir revenait à traverser un plafond en rampant.

Il continua donc à rouler et parcourut les hectares de parking en espérant, contre toute attente, que l'entrée du personnel serait ouverte et que, si elle ne l'était pas, une des clés de l'adjoint tournerait dans la serrure. Mais elle n'était pas ouverte et aucune clé ne fonctionna. Car il n'y avait aucune serrure. Rien qu'un coffre en métal gris, encastré dans le mur sur la droite, de façon à ne pas gêner l'ouverture de la porte. Ce coffre était de ceux où l'on enferme d'habitude un appareil électrique extérieur. Il s'ouvrit par une simple pression. À l'intérieur, un clavier à dix numéros. Une serrure à combinaison chiffrée. De un à dix, plus le zéro, disposés comme sur un téléphone. 3 628 000 variantes possibles. Il faudrait sept mois pour les essayer toutes. Un virtuose du clavier en mettrait peut-être six.

Reacher reprit sa route, tourna à gauche et longea le mur nord en suivant les ornières des Tahoe, en espérant, contre toute attente, que la porte des camions serait ouverte. Il était un peu plus optimiste. Les Tahoe étaient sortis en coup de vent, de même que l'ambulance et peut-être le camion de pompiers. Et les gens pressés ne pensent pas toujours à faire le ménage derrière eux.

Il ralentit et tourna de nouveau à gauche, roulant au pas.

L'entrée des camions était ouverte.

Elle avait deux portes. Chacune se relevait en porte-à-faux, vers l'extérieur, avant de pivoter de cent degrés sur ses rails. Les deux étaient grandes ouvertes. Et dessinaient une bouche, un tunnel, un conduit, une invitation en forme de

V qui menait tout droit à un vide de douze mètres dans le mur et vers les ténèbres au-delà.

Reacher gara le pick-up de l'adjoint, capot vers l'extérieur, en travers des rails, pour bloquer la manœuvre des portes, et prit les clés sur lui. Il se dit que la porte était actionnée par un moteur ou une minuterie. Quoi qu'il arrive, il voulait qu'elle reste ouverte. Il ne voulait pas la voir se refermer en étant du mauvais côté. Faire le mur était aussi impossible dans un sens que dans l'autre.

Il avança d'une centaine de pas dans l'usine. Il reconnut le terrain sous ses semelles, lourd, gras et collant à cause du mélange de graisse et d'huile, crissant sur les éclats de métal. Il s'immobilisa et devina des formes géantes devant lui. Celles des presses, des fours et des grues. Il regarda sur la droite et distingua la rangée de bureaux, celle des cuves de stockage. Huit cents mètres plus loin, invisible dans la nuit, l'enclos secret. Il se retourna et fit à peine un pas dans sa direction.

Et les lumières s'allumèrent.

Un « womp » se fit entendre, l'électricité jaillit de câbles plus gros qu'un poignet et, en une fraction de seconde, les lieux entiers furent baignés d'une lumière bleue aussi vive que celle du jour. Une sensation à couper les jambes. Intensément physique. Reacher ferma fort les yeux, se couvrit la tête avec les bras et s'efforça de ne pas tomber à genoux.

QUARANTE-SIX

Reacher s'efforça d'ouvrir les paupières, les yeux plissés. Thurman se dirigeait vers lui. Reacher se retourna et vit le contremaître de l'usine s'approcher de lui dans une autre direction. Il pivota encore et nota que le géant avec sa clé de un mètre de long lui bloquait la sortie.

Il attendit sans bouger, les yeux à peine ouverts, les traits grimaçants, les muscles autour des yeux tendus et douloureux. Thurman s'arrêta à trois mètres de lui, puis il avança de nouveau en faisant un détour pour se planter à ses côtés, presque épaule contre épaule, comme deux vieux copains qui contemplent ensemble une scène sympathique.

« Je pensais que nos chemins ne devaient plus se croiser, dit Thurman.

– Je ne suis pas responsable de ce que vous pensez.

– Avez-vous mis le feu au poste de police ?

– Vous avez une chaîne humaine autour de la ville. Comment aurais-je pu passer ?

– Pourquoi êtes-vous revenu ? »

Reacher attendit une seconde avant de répondre. « J'envisage de quitter cet État. » Ce qui était vrai en définitive. Puis il ajouta : « Avant de m'en aller, je me suis dit que je devrais passer à l'infirmerie saluer mes anciens adversaires. Leur dire que je ne leur en voulais pas.

– Je crois que c'est plutôt à eux de vous en vouloir.

– Je voulais qu'ils me disent qu'ils ne m'en voulaient pas, disons. Assainir l'atmosphère est toujours une bonne chose pour se sentir bien dans sa tête.

– Je ne peux pas autoriser de visite à l'infirmerie. Pas à cette heure-ci.

– Vous ne pouvez pas l'empêcher.

– Je vous demande de quitter les lieux.

– Et, moi, je n'accède pas à votre demande.

– Pour l'instant, il n'y a qu'un patient. Les autres sont maintenant tous rentrés chez eux, au lit, à se reposer.

– Lequel s'y trouve encore ?

– Underwood.

– Qui est Underwood ?

– Le premier adjoint. Vous l'avez laissé dans un triste état.

– Il était déjà malade.

– Quittez donc la ville. »

Reacher sourit.

« Ça devrait être la devise de votre cité. Je l'entends partout. Un peu comme "Vivre libre ou mourir" dans le New Hampshire. "Quittez donc la ville" conviendrait bien à Despair.

– Je ne plaisante pas.

– Oh ! si, répondit Reacher. Vous, un vieux bedonnant, m'ordonnez de quitter la ville. C'est drôle.

– Je ne suis pas seul. »

Reacher se retourna pour voir où se trouvait le contremaître. Il était à trois pas, les mains vides ballantes, les épaules tendues. Reacher pivota encore et jeta un coup d'œil au géant. Il était à six mètres, sa clé serrée dans la main droite, reposant sur la paume gauche.

« Vous avez un grouillot et un ancien sportif cabossé avec une grosse clé à molette. Ça ne m'impressionne pas, lança Reacher.

– Ils ont peut-être des armes à feu.

– Non. Ils les auraient déjà sorties. Personne n'attend pour sortir un flingue.

– Ils pourraient malgré tout vous faire bien mal.

– J'en doute. Les huit premiers que vous avez envoyés ne m'en ont pas fait beaucoup.

– Seriez-vous prêt à le tenter ?

– Et vous ? Si ça tourne au vinaigre, vous vous retrouvez seul avec moi. Et avec votre conscience. Je viens rendre visite aux malades et vous voudriez me faire tabasser ? Quelle sorte de chrétien êtes-vous donc ?

– Dieu guide mon bras.

– Dans la direction où vous iriez, de toute façon. C'est bien pratique, non ? Je serais beaucoup plus impressionné si vous entendiez un message qui vous disait de vendre, de donner tout votre argent aux pauvres et d'aller vous occuper des sans-abri à Denver.

– Ce n'est pas le message que j'entends.

– En voilà une grosse surprise. »

Thurman ne répliqua pas.

« Je vais me rendre à l'infirmerie. Vous aussi. À vous de décider si vous y allez par vous-même ou si je dois vous y emmener par la peau des fesses », fit Reacher.

Thurman haussa les épaules en soupirant, un geste passe-partout, et il leva successivement une main vers ses deux hommes, comme s'il ordonnait à deux chiens de ne pas bouger. Puis il se mit en marche vers la rangée de baraquements. Reacher calqua son pas sur le sien. Ils dépassèrent le bureau de la sécurité, celui de Thurman, et les trois autres notés par Reacher pendant sa précédente visite : celui marqué « Exploitation », celui marqué « Achats » et celui marqué « Facturation ». Ils longèrent le premier baraquement peint en blanc et s'arrêtèrent devant le second. Thurman gravit lourdement les quelques marches et ouvrit la porte. Il entra, Reacher sur ses talons.

Il s'agissait d'une véritable infirmerie. Des murs blancs, du lino blanc par terre, une odeur d'antiseptique, des veilleuses allumées. On y trouvait des éviers équipés de mitigeurs, des armoires à pharmacie, des brassards de tension, des boîtes de récupération d'aiguilles. Il y avait une table à roulettes et un haricot en acier posé dessus. Un stéthoscope lové dedans.

Il y avait quatre lits d'hôpital. Trois vides, un occupé par le premier adjoint. Il était bien bordé. Seule sa tête dépassait. Il avait l'air mal en point. Pâle, inerte, apathique. Il semblait plus petit qu'avant. Sa chevelure paraissait moins fournie. Il avait les yeux ouverts, vitreux, dans le vide. Le souffle court, la respiration hachée. Une feuille d'examens médicaux était accrochée au pied de son lit. Reacher la releva du bout du pouce et la parcourut. Une écriture très claire. Des notes de professionnel. Ce type avait un sérieux nombre de choses qui n'allaient pas. Il souffrait de fièvre, de fatigue, de faiblesse, de difficultés respiratoires, de migraines, d'irritations cutanées, d'ampoules, de lésions, de nausées et de vomissements chroniques, de diarrhée, de déshydratation, en plus de quelques symptômes de problèmes internes complexes. Reacher remit en place la feuille d'examens et demanda :

« Vous avez un médecin à temps plein ?

– Un infirmier diplômé.

– Est-ce suffisant ?

– D'habitude, oui.

– Et pour lui ?

– On fait de notre mieux. »

Reacher se rapprocha du lit et baissa la tête pour mieux voir. Le type avait le teint jaunâtre. Une jaunisse, à moins que ce n'ait été le reflet de la lumière nocturne sur les murs.

« Pouvez-vous parler ? dit Reacher.

– Il n'est pas facile à comprendre. Mais on espère qu'il va aller mieux. »

Le grand adjoint tourna la tête de droite à gauche. Il voulut parler mais en fut incapable, sa bouche étant sèche, tout comme sa langue. Il claqua des lèvres, prit une profonde inspiration et refit un essai. Il regarda Reacher droit dans les yeux, les pupilles brillantes, et dit : « Le... » Puis il reprit sa respiration, cligna des yeux et réessaya, une nouvelle idée apparemment en tête. Un autre sujet.

« Lu m'a fait ça, dit-il d'un ton haché.

– Qui ça, moi ? » fit Reacher.

L'autre secoua de nouveau la tête, haleta et dit : « Non, le… » Puis il s'arrêta de nouveau, chercha son souffle, la voix réduite à un râle incompréhensible. Thurman attrapa Reacher par l'épaule pour l'écarter.

« Nous ferions mieux de nous en aller. Nous le fatiguons.

– Il devrait être dans un hôpital digne de ce nom.

– C'est à l'infirmier de décider. Je fais confiance à mes employés. J'emploie les meilleurs sur le marché.

– Cet homme a-t-il été en contact avec le TCE ? »

Thurman marqua un temps d'arrêt.

« Que savez-vous sur le trichloréthylène ?

– Deux ou trois choses. C'est un poison.

– Non, un dégraissant. C'est un produit industriel standard.

– Peu importe. Ce type était-il en contact avec le TCE lorsqu'il travaillait ?

– Non. Et ceux qui le font sont protégés.

– Alors, quel est son problème ?

– Vous devriez le savoir. Vous l'avez entendu : vous en êtes la cause.

– On ne présente pas de tels symptômes après une bagarre.

– En êtes-vous sûr ? J'ai entendu dire que ce n'était pas une bagarre ordinaire. Vous arrive-t-il parfois de réfléchir aux dégâts que vous causez ? Peut-être lui avez-vous éclaté quelque chose à l'intérieur. La rate, peut-être. »

Reacher ferma les yeux. Il revit le bar, sa lumière terne, ses clients muets et tendus, son air saturé de poussière brassée, les remugles de peur et d'hostilité. Il avança, tenant sa chaise avec force devant lui et toucha l'autre au flanc, sous les côtes, au-dessus de la taille : cent vingt-cinq kilos de poussée, concentrée au bout d'un pied de chaise, sur des tissus mous. Il rouvrit les yeux et dit : « Une raison de plus pour le faire examiner sérieusement. »

Thurman acquiesça.

« Je le ferai emmener demain à l'hôpital de Halfway. Si c'est ce qu'il faut, pour que vous partiez la conscience tranquille.

– J'ai déjà ma conscience pour moi, dit Reacher. Quand on ne me cherche pas, on ne me trouve pas. Dans le cas contraire, ce qui arrive n'est pas de ma responsabilité.

– Même si vous réagissez avec excès ?

– En quoi ? Ils étaient six. Qu'est-ce qu'ils me voulaient ? Me donner une tape sur la joue et me laisser partir ?

– Je ne sais pas quelles étaient leurs intentions.

– Vous le savez, fit Reacher. Leurs intentions étaient les vôtres. Ils agissaient sur vos ordres.

– Et moi, j'obéissais à ceux d'une autorité supérieure.

– J'imagine qu'il me faudra vous croire sur parole là-dessus.

– Vous devriez nous rejoindre. Quand viendra l'Extase, vous ne voudrez pas être en reste.

– L'Extase ?

– Les gens comme moi montent au ciel, ceux tels que vous restent ici-bas, sans nous.

– Ça me convient, fit Reacher. Qu'elle vienne, cette Extase. »

Thurman ne trouva rien à répondre. Reacher jeta un dernier regard au type dans le lit, puis il s'écarta, passa la porte, descendit les marches et retrouva l'arène illuminée. Le contremaître et le colosse avec sa clé étaient là où il les avait laissés. Ils n'avaient pas bougé d'un pouce. Reacher entendit Thurman refermer la porte et descendre l'escalier dans son dos. Il continua son chemin et sentit Thurman le suivre vers l'entrée de l'usine. Le type avec sa clé fixait un point derrière l'épaule de Reacher : Thurman, et il attendait un signal de sa part, peut-être même l'espérait-il, en tapant le bout de sa clé dans sa main gauche.

Reacher changea de direction.

Droit sur le type.

Il se planta à un mètre de lui, juste en face, et lui dit en le regardant dans les yeux : « Tu es sur mon chemin. »

L'autre ne répliqua pas. Il se contenta de jeter un coup d'œil vers Thurman et d'attendre.

« Un peu de dignité. Tu ne dois rien à ce vieil idiot, lui lança Reacher.

– Vraiment ?

– Rien du tout, reprit Reacher. Personne parmi vous. C'est lui qui vous est redevable. Vous devriez vous réveiller et prendre le contrôle. Vous organiser. Faire la révolution. Tu pourrais en prendre la tête.

– Je ne crois pas, répondit l'autre.

– Allez-vous vous en aller maintenant, monsieur Reacher ? cria Thurman.

– Oui, fit Reacher.

– Avez-vous l'intention de revenir un jour ?

– Non, mentit Reacher.

– Ai-je votre parole ?

– Vous m'avez entendu. »

Le colosse regarda de nouveau derrière l'épaule de Reacher, une lueur d'espoir dans les yeux. Mais Thurman dut lui faire non de la tête, ou répondre par la négative autrement, car le type marqua un temps d'arrêt puis s'écarta lentement, d'un grand pas sur le côté. Reacher reprit sa route, jusqu'au pick-up de l'adjoint. Il était là où il l'avait laissé, avec toutes ses vitres.

QUARANTE-SEPT

Entre l'usine et la limite de juridiction avec Hope, il y avait vingt-trois kilomètres par la route, que Reacher transforma en une excursion de trente kilomètres, en décrivant une grande boucle par le nord à travers la plaine. Il s'était dit que les habitants de la petite ville avaient dû se réorganiser assez vite et qu'il n'existait aucun moyen évident de remporter deux confrontations successives aux deux extrémités de Main Street. Il les évita donc carrément. Il poussa le vieux pick-up de l'adjoint sur le terrain rocailleux et navigua en se repérant aux lueurs de l'incendie sur sa droite. Apparemment, ça flambait fort. L'expérience lui avait appris que les bâtiments en brique brûlent bien. Le mobilier part d'abord en fumée, puis les planchers et le toit ; les murs extérieurs tiennent debout, formant une grosse cheminée qui accentue la circulation d'air. Lorsqu'ils finissent par tomber, ils projettent des braises et étincelles en tout sens, allumant de nouveaux incendies. Un pâté de maisons entier peut y passer avec une seule cigarette et une boîte d'allumettes.

Il contourna la ville dans un rayon qu'il estima à environ six kilomètres et demi, puis il longea la route en direction de l'est, une centaine de mètres à l'intérieur des terres. Quand l'horloge dans sa tête sonna minuit, il se dit qu'il devait être à moins d'un kilomètre et demi de la frontière entre les deux villes. Il tourna le volant à droite, monta sur le gravier et le goudron et termina le trajet comme un conducteur quelconque. Il sentit la ligne de démarcation sous ses roues, et le bon revêtement noir de Hope rendit soudain la route silencieuse.

Vaughan attendait cent mètres plus loin.

Elle était garée sur l'accotement gauche, tous feux éteints. Il ralentit et lui fit un signe rassurant à travers la vitre. Elle mit le bras hors de sa portière, main tendue, doigts écartés, pour lui répondre. Ou pour l'inviter à se ranger. Il passa en roue libre, appuya doucement sur le frein et tourna un peu le volant pour s'arrêter, le bout de ses doigts frôlant ceux de Vaughan. En ce qui le concernait, ce contact était, pour un tiers, le signe d'une mission bien accomplie, pour un autre, l'expression du soulagement de s'être encore tiré de la fosse aux lions, et, pour le dernier, un plaisir tout simple. Il ne savait pas ce qu'il signifiait pour elle. Elle n'en fit rien paraître. Mais elle laissa sa main contre la sienne une seconde de plus que nécessaire.

« À qui, ce pick-up ? demanda-t-elle.

– Au premier adjoint, dit Reacher. Il s'appelle Underwood. Il va très mal.

– Il souffre de quoi ?

– Il dit que c'est ma faute.

– C'est vrai ?

– J'ai donné quelques coups à un malade et je n'en suis pas fier. Pour autant, ce n'est pas à cause de moi qu'il a la diarrhée, des furoncles, des boutons purulents et les cheveux qui tombent.

– Serait-ce le TCE, alors ?

– Pas selon Thurman.

– Vous le croyez ?

– Pas nécessairement. »

Vaughan lui tendit une bouteille en plastique.

« Je n'ai pas soif, fit Reacher.

– Ça tombe bien, dit Vaughan. C'est un échantillon. De l'eau du robinet de ma cuisine. J'ai appelé le copain d'un copain de David. Il connaît un type qui travaille dans un laboratoire public à Colorado Springs. Il m'a dit de lui apporter ça pour le tester. Et pour déterminer le taux de TCE que Thurman utilise vraiment.

– La cuve contient mille neuf cents litres.

– Mais à quelle fréquence se vide-t-elle et doit-elle être remplie ?

– Je n'en sais rien.

– Comment le découvrir ?

– Il y a un bureau des achats, sans doute avec un tas de paperasses.

– Peut-on y pénétrer ?

– Possible.

– Abandonnez ce pick-up de l'autre côté de la ligne de démarcation. Je vous ramène en ville. On va se faire une pause-beignets. »

Reacher regarda dans le rétro et fit une marche arrière à l'aveugle jusqu'à ce qu'il sente le changement de surface sous ses roues. Il amena le véhicule en marche arrière sur le sable et l'y laissa, les clés sur le contact. Loin derrière lui, à l'horizon, il distingua un léger rougeoiement. Ça brûlait toujours à Despair. Il n'en dit pas un mot. Il traversa la frontière à pied et s'installa aux côtés de Vaughan.

« Vous sentez la cigarette, fit-elle.

– J'en ai trouvé une, dit-il. J'en ai fumé un petit bout en souvenir du passé.

– Ça aussi, ça donne le cancer.

– Je l'ai entendu dire. Vous y croyez ?

– Oui, fit-elle. Absolument, j'y crois. »

Elle démarra et roula plein est, à vitesse modérée, une main sur le volant, l'autre sur la cuisse.

« Comment se passe votre ronde ? demanda-t-il.

– Un emballage de chewing-gum a traversé la rue devant moi. Juste devant mes phares. En violation de l'arrêté municipal sur les déchets dans la rue. On n'a guère plus palpitant à Hope.

– Avez-vous appelé Denver ? Au sujet de Maria ? »

Elle hocha la tête.

« Le vieux l'a prise en stop, fit-elle. En face de la quincaillerie. Il a confirmé son nom. Il en savait un peu sur elle. Ils ont causé pendant une demi-heure.

– Une demi-heure ? Comment ça ? C'est un trajet de moins de vingt minutes.

– Il ne l'a pas déposée à Despair. Elle voulait se rendre au poste de la police militaire. »

Ils parvinrent à la cafétéria à minuit vingt. La serveuse étudiante était de service. Elle sourit en les voyant entrer ensemble, comme si une heureuse circonstance, inévitable, longtemps repoussée, arrivait enfin. Elle avait dans les vingt ans, mais elle souriait comme une vieille marieuse de village toute contente d'elle. Reacher sentit comme un secret qu'il ne partageait pas. Il n'était pas sûr que Vaughan le comprenne non plus.

Ils s'assirent l'un en face de l'autre dans le box du fond. Ils ne commandèrent pas de beignets. Reacher demanda du café et Vaughan un jus de fruits, un mélange de trois fruits exotiques dont Reacher n'avait jamais entendu parler.

« Vous êtes en pleine forme, fit-il.

– Je me maintiens.

– Votre mari est-il à l'hôpital ? Un cancer, pour avoir trop fumé ? »

Elle fit non de la tête.

« Non, dit-elle. Ce n'est pas le cas. »

Leurs boissons arrivèrent et ils les sirotèrent un moment en silence, puis Reacher demanda :

« Le vieux bonhomme sait-il pourquoi Maria voulait se rendre au poste de la police militaire ?

– Elle ne le lui a pas dit. Mais c'est une étrange destination, non ?

– Très, fit Reacher. Il s'agit d'une base avancée opérationnelle. Les visiteurs n'y sont pas admis. Même si elle y connaissait un troufion. Même si c'était son frère ou sa sœur.

– Les unités combattantes de police militaire intègrent des troufionnes ?

– Plein.

– Alors, c'en est peut-être une. Peut-être rentrait-elle de permission.

– Pourquoi alors réserver deux nuits supplémentaires au motel et y abandonner toutes ses affaires ?

– Je n'en sais rien. Elle voulait peut-être vérifier quelque chose.

– Elle est trop petite pour être dans la police militaire.

– Il y a une taille minimale requise ?

– Il y en a toujours une dans l'armée. De nos jours, je ne sais pas de combien elle est. Mais, même si elle s'était débrouillée pour être prise, ils l'auraient mise ailleurs, en douce.

– Vous en êtes sûr ?

– Parfaitement. En plus, elle est trop tranquille, trop timide. Elle ne fait pas troufion.

– Alors, que voulait-elle obtenir de ces policiers militaires ? Et pourquoi n'est-elle pas encore de retour ?

– Le vieux l'a-t-il vue effectivement entrer dans la base ?

– Oui, fit Vaughan. Il a attendu, en bon gentleman de la vieille école.

– Donc, la bonne question à se poser, est : S'ils l'ont laissée entrer, qu'attendaient-ils d'elle ?

– Quelque chose en rapport avec l'espionnage », suggéra Vaughan.

Reacher fit non de la tête.

« Je me suis trompé là-dessus. Ils se fichent de l'espionnage. Sinon ils auraient mis l'usine sous contrôle à l'est comme à l'ouest, avec probablement du personnel à l'intérieur ou, du moins, aux portes.

– Alors, que fabriquent-ils là ?

– Ils surveillent la route d'accès pour les camions. Ce qui veut dire que les vols les tracassent, les vols qui nécessiteraient un camion. Quelque chose de lourd. De trop lourd pour une simple voiture.

– Donc, de trop lourd aussi pour un petit avion. »

Reacher acquiesça.

« Pourtant, cet avion a un rapport avec ça. Ce matin, à cause de mon irruption, ils ont dû interrompre un moment leurs opérations secrètes, et l'avion n'a pas décollé cette nuit. Je ne l'ai pas entendu et je l'ai trouvé plus tard, au repos, dans son hangar.

– Vous pensez qu'il décolle seulement quand ils ont effectué ce travail lié à l'armée ?

– Je suis persuadé qu'il ne décolle pas quand ils n'ont rien fait, le contraire pourrait aussi être vrai.

– Un transport ?

– Je présume.

– Dans quel sens ?

– Peut-être les deux. Une sorte d'échange.

– De secrets ?

– Peut-être.

– De personnes ? Comme le mari de Lucy Anderson ? »

Reacher finit sa tasse. Il fit non de la tête.

« Je ne vois pas comment ça marche. Il y a un problème de logique. Quelque chose de quasi mathématique.

– Mettez-moi à contribution, fit Vaughan. J'ai quatre ans de fac derrière moi.

– Combien de temps avez-vous ?

– J'adorerais attraper celui ou celle qui a laissé tomber ce papier de chewing-gum. Mais je peux remettre ça à plus tard, si vous le souhaitez. »

Reacher sourit.

« Il se passe trois choses différentes là-bas. Ce contrat pour l'armée, plus autre chose, plus encore autre chose.

– D'accord, dit Vaughan. Elle mit la salière, le poivrier et le pot de sucre au milieu de la table : Trois choses. »

Reacher mit tout de suite la salière de côté.

« Ça, c'est le contrat pour l'armée. Aucun sujet à controverse. Aucun souci, sinon que quelqu'un embarque quelque chose de lourd. Et c'est le problème de la police militaire. Ils gardent la route, ils ont six Hummer, près de cinquante kilomètres de désert pour mener la chasse, et peuvent arrêter n'importe quel camion. Aucune vigilance particulière requise pour les habitants de la ville. Pas la moindre raison pour eux de se mobiliser.

– Mais… ? »

Reacher posa la main gauche autour du poivrier et la droite autour du pot de sucre.

« Mais il y a quelque chose qui mobilise les habitants, qui les mobilise tous. Et ils sont aux aguets. Aujourd'hui, ils sont tous sortis défendre quelque chose.

– Quoi donc ?

– Je n'en ai pas la moindre idée. Il prit le pot de sucre de la main droite : Mais il s'agit de la plus importante des deux inconnues. Appelons-la la main droite, comme quand la main droite ignore ce que fait la gauche.

– Que serait la main gauche ? »

Reacher prit le poivrier de la main gauche.

« C'est plus petit. Ça n'implique qu'une partie de la population. Une toute petite partie bien précise. Si tout le monde sait pour le sucre, une majorité ignore le poivre, et une petite minorité est au courant à la fois du poivre et du sucre.

– Dont nous ignorons également tout.

– Mais que nous découvrirons.

– En quoi est-ce lié au fait que le mari de Lucy Anderson n'a pas été emmené en avion ? »

Reacher souleva le pot de sucre. Un gros objet en verre dans sa main droite.

« Thurman pilote cet avion. Il est le patron de la ville. Il orchestre la plus grosse inconnue. Impossible, autrement. Et si cet Anderson y avait été impliqué, tout le monde l'aurait su en ville. Y compris la police municipale et le juge Gardner. Thurman s'en serait assuré. En conséquence, Lucy Anderson n'aurait jamais été arrêtée et jetée dehors pour vagabondage.

– Donc, Thurman dirige quelque chose, tout le monde donne un coup de main, mais certains bricolent aussi un autre truc dans son dos ? »

Reacher acquiesça.

« Et ce qui agite cette petite minorité dans son dos concerne ces jeunes gens.

– Et ces jeunes gens passent ou non à travers le filet, selon qui ils croisent en premier : la grosse majorité de la main droite, ou la petite minorité de la gauche.

– Exactement. Et il y en a un nouveau. Du nom de Rogers. Fraîchement arrêté, mais je ne l'ai pas vu.

– Rogers ? Ce nom me dit quelque chose.

– Quoi ?

– Je n'en sais rien.

– En tout cas, il fait partie des malchanceux.

– La chance sera toujours contre eux.

– Exactement.

– Ce qui était le problème de Ramirez.

– Non, Ramirez n'a croisé personne, fit Reacher. J'ai vérifié les registres. Il n'a été ni arrêté ni aidé.

– Pourquoi ? En quoi était-il différent ?

– Excellente question, dit Reacher.

– Quelle est la réponse ?

– Je n'en sais rien. »

QUARANTE-HUIT

Reacher demanda plus de café et Vaughan plus de jus de fruits. L'horloge interne de Reacher indiqua une heure du matin, et celle au mur de la cafétéria la suivit, une minute plus tard. Vaughan regarda sa montre.

« Je ferais mieux de reprendre le collier.

– OK, dit Reacher.

– Allez dormir un peu.

– OK.

– Vous m'accompagnerez à Colorado Springs ? Au labo, avec l'échantillon d'eau ?

– Quand ?

– Demain, aujourd'hui, suivant l'heure qu'il est.

– Je n'y connais rien en eau.

– Voilà pourquoi on va voir le labo.

– Quelle heure ?

– Départ à dix heures ?

– C'est tôt pour vous.

– De toute façon, je ne dors pas. Et ce sera la fin de mon service de nuit. Je suis libre les quatre suivantes. Dix de service, quatre de libre. Et il faudrait partir tôt, car ça fait une grosse route aller-retour.

– Vous essayez encore de m'éviter les ennuis ? Même pendant votre temps libre ?

– J'ai abandonné l'idée de vous éviter les ennuis.

– Alors, pourquoi ?

– Parce que j'apprécie votre compagnie. Voilà tout. »

Elle laissa quatre dollars sur la table pour son jus de fruits. Remit la salière et le poivrier en place. Puis se coula hors du box, sortit de la cafétéria et se dirigea vers son véhicule.

Reacher prit une douche et fut couché à deux heures du matin. Il dormit d'un sommeil sans rêves et se leva à huit heures. Il reprit une douche et remonta la ville à pied jusqu'à la quincaillerie. Il passa cinq minutes à regarder les échelles sur le trottoir, puis entra, trouva les portants de pantalons et de chemises et se choisit un nouveau change. Cette fois, il opta pour une autre marque et des couleurs plus sombres. Prélavé, donc plus doux. Moins solide à long terme, mais le long terme ne l'intéressait pas.

Il se changea dans sa chambre au motel et abandonna ses vieilles affaires pliées par terre, près de la poubelle. La femme de chambre avait peut-être un homme de sa famille dans le besoin et de même taille que lui. Peut-être trouverait-elle un moyen de les laver pour les rendre au moins un peu plus souples. Il ressortit et vit la lumière allumée dans la salle de bains de Maria. Il se rendit à la réception. La gérante était sur son tabouret. Derrière son épaule, il nota le crochet sans la clé de Maria. La femme le remarqua.

« Elle est rentrée ce matin.

– À quelle heure ?

– Très tôt. Autour de six heures.

– Avez-vous vu comment elle est rentrée ? »

La femme regarda des deux côtés et baissa la voix pour dire :

« Dans un véhicule blindé. Avec un soldat.

– Un véhicule blindé ?

– Comme ceux qu'on voit à la télé.

– Un Hummer. »

La femme acquiesça.

« Une sorte de Jeep. Mais avec un toit. Le soldat n'est pas resté. J'en suis contente. Je ne suis pas bégueule, mais je ne l'aurais pas permis. Pas ici.

– Ne vous en faites pas, dit Reacher. Elle a déjà un copain. »

Ou elle en avait un, pensa-t-il.

« Elle est trop jeune pour fricoter avec des soldats, reprit la femme.

– Y aurait-il un âge minimal ?

– Ça serait bien. »

Reacher régla sa note et retourna vers la rangée de chambres tout en calculant dans sa tête. Selon le témoignage du vieux par téléphone, celui-ci avait laissé Maria à la base de la police militaire autour de huit heures et demie, le matin précédent. Elle était rentrée en Hummer à six heures, ce matin. Le Hummer n'avait pas fait un détour par les autoroutes. Il avait sans doute pris au plus court, par Despair, un trajet de trente minutes maximum. Conclusion : ils l'avaient gardée vingt heures. Conclusion : son problème dépassait les compétences locales de la base. On l'avait enfermée dans une pièce et transmis son histoire plus haut. Correspondant injoignable, messages sur répondeur, télex crypté. Peut-être une vidéoconférence. Finalement, une décision prise ailleurs : la relâcher, la reconduire.

De la compassion, mais aucune aide.

Aucune aide en quoi ?

Il s'arrêta devant sa porte et tendit l'oreille. La douche ne coulait plus. Il attendit une minute, au cas où elle serait en train de se sécher, plus une autre, au cas où elle serait en train de s'habiller. Puis il frappa. Une troisième minute plus tard, elle ouvrit la porte. Elle avait les cheveux luisants et mouillés. Le poids de l'eau les allongeait de deux centimètres. Elle portait un jean et un tee-shirt bleu. Les pieds nus. Ils étaient tout petits, comme ceux d'un enfant. Elle avait les orteils bien droits. Elle avait été élevée par des parents consciencieux pour qui des bonnes chaussures comptaient.

« Ça va ? » demanda-t-il.

Une question stupide. Elle n'avait pas l'air d'aller. Elle paraissait minuscule, épuisée, perdue, perplexe.

Elle ne répondit pas.

« Vous êtes allée à la base de la police militaire pour vous renseigner sur Raphael. »

Elle hocha la tête.

« Vous sentiez qu'ils pouvaient vous aider, mais ils n'en ont rien fait. »

Elle hocha la tête.

« Ils vous ont affirmé que c'était l'affaire de la police municipale de Despair. »

Elle ne répondit pas.

« Je pourrais peut-être vous aider. Ou la police municipale de Hope le pourrait. Vous voulez bien me dire de quoi il s'agit ? »

Elle ne répondit pas, une fois encore.

« Je ne peux pas vous aider sans comprendre le problème. »

Elle fit non de la tête.

« Je ne peux pas vous le dire, lâcha-t-elle. Je ne peux rien dire à personne. »

Sa manière d'insister sur « rien » était sans appel. Pas un ton rogue, colérique, emporté ou plaintif, mais quelque chose de tranquille, de réfléchi, de mûri et, au bout du compte, un simple constat. Comme si elle avait passé en revue une liste de possibles et les avait réduits au seul viable. Comme si une montagne d'ennuis était inévitable, à coup sûr, si elle ouvrait la bouche.

Elle ne pouvait rien dire à personne.

Aussi simple que ça.

« D'accord, fit Reacher. Ne bougez pas d'ici. »

Il s'éloigna, se rendit à pied à la cafétéria et prit son petit déjeuner.

Il se dit que Vaughan avait prévu de passer le prendre au motel, et il était assis à dix heures moins cinq sur la chaise de jardin en plastique, devant sa porte. Elle arriva trois minutes après l'heure dans une Crown Victoria noire. La peinture fatiguée, marquée par le temps et les accrochages. Une voiture banalisée, celle d'un inspecteur. Elle s'arrêta près de lui et descendit sa vitre.

« Vous avez été promue ? dit-il.

– C'est la bagnole de mon chef de poste. Il a eu pitié de moi et me l'a prêtée. Vu que vous m'avez amoché mon pick-up.

– Avez-vous trouvé le jeteur d'ordures ?

– Non. Et c'est devenu un crime en série. J'ai revu le même papier argenté plus tard. Techniquement, ce sont deux infractions différentes.

– Maria est rentrée. La police militaire l'a ramenée tôt ce matin.

– A-t-elle dit quelque chose ?

– Pas un mot. »

Il se leva de sa chaise, fit le tour du capot et se glissa sur le siège à côté d'elle. Cette voiture n'avait aucune fioriture. Beaucoup de plastique noir, un revêtement de siège bas de gamme de couleur indéterminée. On aurait dit une vieille bagnole de location. L'avant était encombré d'équipements de police. Des radios, un ordinateur portable sur un support, une caméra vidéo sur le tableau de bord, un enregistreur numérique avec disque dur, un gyrophare rouge au bout d'un câble en spirale. Mais aucun écran de sécurité ne séparait l'avant de l'arrière, et le siège pouvait donc se repousser complètement. Il allait prendre ses aises. Plein de place pour ses jambes. L'échantillon d'eau se trouvait sur la banquette arrière. Vaughan était en beauté. Elle portait un vieux jean et une chemise Oxford blanche, deux boutons ouverts au col et les manches retroussées jusqu'aux coudes.

« Vous avez changé.

– De quoi ?

– De fringues, idiot !

– Neuves de ce matin, fit-il. Achetées à la quincaillerie.

– Mieux que les précédentes.

– Ne vous y attachez pas. Elles seront bientôt au rebut.

– Quel est votre record avec la même tenue ?

– Huit mois, dit Reacher. Ma tenue de combat du désert, pendant la première guerre du Golfe. Je ne l'enlevais jamais. On a connu toutes les pagailles du monde dans l'approvisionnement. Pas de rechange, pas de pyjama.

– Vous avez servi pendant la première guerre du Golfe ?

– Du début à la fin.

– Comment c'était ?

– Chaud. »

Vaughan sortit du parking du motel et prit au nord vers First Street. Puis elle tourna à gauche, dans la direction du Kansas.

« On fait le grand détour ? demanda Reacher.

– Je me dis que ça sera mieux.

– Moi aussi », dit Reacher.

On voyait de loin qu'il s'agissait d'une voiture de police, les routes étaient désertes et Vaughan tint une moyenne de cent quarante kilomètres à l'heure presque tout le temps, droit sur les montagnes. Reacher connaissait un peu Colorado Springs. Fort Carson était situé là, une grosse installation de l'armée de terre, mais c'était surtout une ville de l'armée de l'air. Sinon, c'était un endroit agréable. Le paysage était beau, l'air pur, le soleil souvent au rendez-vous, et la vue sur le mont Pikes Peak, spectaculaire la plupart du temps. Le centre-ville était ramassé et propret. Le laboratoire de l'État logeait dans un bâtiment public en pierre. Il s'agissait d'une antenne locale, une annexe de l'établissement principal de Denver, la capitale. L'eau était une chose importante partout dans le Colorado. Il n'y en avait pas beaucoup. Vaughan confia sa bouteille, remplit un formulaire, et un type l'attacha autour de la bouteille avec un élastique. Puis il l'emporta cérémonieusement, comme si ce litre avait le pouvoir de sauver le monde, ou de le détruire. Il revint et dit à Vaughan qu'on l'informerait des résultats par téléphone et lui demanda, si elle le voulait bien, de transmettre au laboratoire quelques données sur la consommation totale de TCE à Despair. Il expliqua que l'administration utilisait une formule assez grossière avec laquelle un certain pourcentage d'évaporation pouvait être évalué, dont on pouvait déduire avec certitude le pourcentage d'absorption par le sol, ce qui importait vraiment donc c'étaient l'étendue des fuites et la profondeur de la nappe aquifère. L'administration connaissait au centimètre près la profondeur de la nappe aquifère du comté de Halfway, la seule variable demeurait ainsi la quantité exacte de TCE qui pouvait s'y déverser.

« Quels sont les symptômes ? demanda Vaughan. Pour peu qu'ils se manifestent déjà ? »

Le type du labo regarda Reacher.

« Cancer de la prostate, fit-il. C'est le signe avant-coureur. Les hommes partent les premiers. »

Ils retournèrent à la voiture. Vaughan avait la tête ailleurs. Les yeux un peu dans le vague. Reacher ne savait pas ce qui la tracassait. C'était une flic, une citoyenne scrupuleuse, pourtant, ce n'était clairement pas une vague menace chimique sur son eau de table qui la travaillait. Il n'était pas sûr de saisir pourquoi elle lui avait demandé de l'accompagner. Ils n'avaient pas beaucoup échangé. Il n'était pas certain que sa compagnie lui fasse le moindre bien.

Elle s'écarta du trottoir, roula sur une centaine de mètres le long d'une rue bordée d'arbres, et s'arrêta au feu à une intersection en T. L'ouest était à gauche, l'est à droite. Le feu passa au vert et elle ne broncha pas. Elle resta là, les mains serrées sur le volant, et regarda à gauche, à droite, comme si elle n'arrivait pas à choisir. Un type derrière klaxonna. Elle jeta un œil dans le rétro puis se tourna vers Reacher.

« Voulez-vous m'accompagner rendre visite à mon mari ? » dit-elle.

QUARANTE-NEUF

Vaughan tourna à gauche, en direction des collines, puis, encore à gauche, plein sud, prenant la direction de Pueblo indiquée sur un panneau. Des années auparavant, Reacher avait emprunté la même route. Fort Carson était situé entre Colorado Springs et Pueblo, au sud de la première et au nord de la seconde, un peu à l'ouest de la route principale.

« Ça ne vous pose pas de problème ? lui demanda Vaughan.

– Pas de problème.

– Mais ?

– C'est une étrange demande », fit-il.

Elle ne répondit rien.

« Et elle est étrangement formulée, ajouta-t-il. Vous auriez pu dire : "Venez, vous allez rencontrer mon mari. Ou le voir." Mais vous avez dit : "lui rendre visite". Qui donc a des visiteurs ? Vous m'avez déjà indiqué qu'il n'était pas en prison. Ni à l'hôpital. Où est-il, alors ? Dans une chambre qu'il loue tandis qu'il travaille loin de chez lui ? Toujours de service ailleurs ? Enfermé dans le grenier de sa sœur ?

– Je n'ai jamais affirmé qu'il n'était pas à l'hôpital, corrigea Vaughan. J'ai dit qu'il n'avait pas le cancer du fumeur. »

Elle prit à droite, tourna le dos à une bretelle d'accès de l'I-25 et suivit une quatre voies apparemment trop importante pour le peu de voitures qui y circulaient. Elle continua sur un kilomètre et demi entre des collines verdoyantes, puis emprunta à gauche, dans une pinède, une vieille route grise sans démarcation centrale. Malgré l'absence de panneau et de barbelés, Reacher était certain que les terres des deux côtés de la route appartenaient à l'armée. Il savait que des milliers d'hectares inoccupés à la pointe nord de Fort Carson avaient été réquisitionnés, des dizaines d'années auparavant, au plus fort des guerres chaudes ou froides, sans jamais trop servir. Et ce qu'il voyait derrière le pare-brise ressemblait exactement à un terrain du ministère de la Défense. Identique à n'importe quel autre. La nature en uniforme. Un peu tristounette, pas très enthousiaste, un peu couchée, ni sauvage ni aménagée.

Vaughan ralentit au bout d'un autre kilomètre et demi et tourna à droite dans une allée à demi cachée. Elle passa entre deux piliers massifs en brique. Des briques fauves et lisses, du mortier, jaune. Des matériaux de construction réglementaires au milieu des années cinquante. Les piliers présentaient des gonds, mais ils étaient dépourvus de grille. Vingt mètres plus loin, ils croisèrent un panneau moderne monté sur de fins pieds métalliques. On y voyait une sorte de logo commercial et les mots *Centre Olympique TC*. Vingt mètres plus loin, un autre panneau indiquait *Accès réservé au personnel*. Vingt mètres encore après, les bas-côtés avaient été fauchés, mais ça faisait belle lurette. La partie entretenue s'étendait droit devant eux sur une centaine de mètres et menait à une sorte de rond-point devant un ensemble de petits bâtiments en brique. Des bâtiments militaires jugés depuis longtemps superflus et vendus au privé. Reacher en reconnut l'architecture. Briques, tuiles, fenêtres aux châssis métalliques verts, rambardes tubulaires vertes, des coins anguleux qui dataient de l'époque où les bords cannelés symbolisaient le futur. Au milieu du rond-point, il y avait un espace circulaire envahi d'herbes, là où un officier supérieur aurait autrefois été fier de ses massifs de roses. Le changement de propriétaire était confirmé par une réplique du premier panneau près de l'entrée principale. Le même logo, la même inscription : *Centre Olympique TC*.

On avait retiré une partie de la pelouse sur la droite pour la recouvrir de gravier. Cinq voitures y étaient rangées, toutes immatriculées dans les environs, ni propres ni neuves. Vaughan gara la Crown Victoria au bout de la rangée et la mit à l'arrêt avec une série de gestes lents et calculés : d'abord, le levier de vitesse, puis les freins, puis la clé de contact. Elle s'adossa à son siège et laissa tomber les mains sur les genoux.

« Prêt ? demanda-t-elle.

– À quoi ? » fit-il.

Elle ne répondit pas. Elle ouvrit juste sa portière, pivota sur le revêtement de siège gris et collant et sortit. Reacher en fit de même de son côté. Ils se rendirent ensemble à l'entrée. Trois marches, une porte, un carrelage vert moucheté que Reacher avait parcouru des milliers de fois. L'endroit était typique de l'armée américaine du milieu des années cinquante. Il avait l'air à l'abandon, mal entretenu, et quelques nouveaux détecteurs de fumée obligatoires y avaient été installés à la va-vite avec un câblage plastique apparent. Hormis ça, il n'avait pas dû changer beaucoup. Il y avait un bureau en chêne sur la droite, là où, autrefois, un sergent s'activait. Il était occupé par un fatras de dossiers, apparemment des dossiers médicaux, et un civil en sweat-shirt gris. Un type maigre et morose d'une quarantaine d'années. Ses cheveux noirs mal lavés étaient un peu trop longs. Il dit : « Bonjour, madame Vaughan. » Sans plus. Aucune chaleur dans sa voix. Aucun enthousiasme.

Vaughan hocha la tête sans lui jeter un regard ni répondre. Elle se contenta de traverser le hall et de tourner, au fond à gauche, dans une vaste pièce qui avait pu, jadis, servir à de multiples usages. Une salle d'attente, un salon de réception ou un mess d'officiers. Il en allait désormais autrement. Elle était sale et mal entretenue. Murs tachés, sol terne couvert de poussière. Toiles d'araignée au plafond. Elle sentait vaguement l'urine et l'antiseptique. On y voyait de gros boutons d'alarme rouges à hauteur de hanches, reliés par d'autres câbles en plastique. Elle était entièrement vide, si l'on exceptait deux hommes harnachés dans leurs fauteuils roulants. Les deux étaient jeunes, complètement avachis, immobiles, les deux avaient la bouche ouverte, le regard vide, perdu à mille milles devant eux.

Les deux avaient le crâne rasé, déformé, avec de vilaines cicatrices.

Reacher se figea.

Il regarda les alarmes.

Il repensa aux dossiers médicaux.

Il était dans une clinique.

Il regarda les types dans leurs fauteuils roulants.

Il était dans un hospice.

Il regarda la poussière et la crasse.

Il était dans un mouroir.

Il repensa aux initiales sur le panneau.

TC.

Traumatisme cérébral.

Il se remit en marche. Vaughan avait avancé, elle aussi, jusqu'à un couloir. Il la rattrapa au milieu.

« Votre mari a eu un accident ? fit-il.

– Pas exactement.

– Quoi, alors ?

– Devinez. »

Reacher s'arrêta de nouveau.

Les deux hommes étaient jeunes.

Un bâtiment militaire réformé, puis rouvert.

« Des blessures de guerre, dit-il. Votre mari est militaire. Il est allé en Irak. »

Vaughan acquiesça sans ralentir le pas.

« Garde nationale. Sa seconde rotation. Ils ont prolongé son temps. Ils n'ont pas blindé son Hummer. Une bombe artisanale l'a fait sauter à Ramadi. »

Elle tourna dans un autre couloir. Il était sale. Des moutons s'accumulaient le long des plinthes. Certaines étaient mouchetées de crottes de souris. Les ampoules au plafond étaient faibles pour économiser l'électricité. Plusieurs n'avaient pas été remplacées pour économiser du personnel.

« Est-ce un bâtiment du Secrétariat aux Anciens Combattants ? demanda Reacher.

– Non, sous contrat privé. Relations politiques. Un accord en or. Des bâtiments gratuits et de grosses dotations. »

Elle s'arrêta devant une porte d'un vert passé. Nul doute qu'un simple soldat l'avait peinte cinquante ans plus tôt dans une couleur réglementaire, suivant la manière préconisée par le Pentagone, avec des matériaux provenant d'un magasin d'intendance. Puis le travail du simple soldat avait été inspecté par un sous-officier, son approbation validée par un officier. Depuis, personne ne s'était plus occupé de cette porte. Sa peinture était terne, décolorée, et le bois était rayé, abîmé. On y avait griffonné au crayon à la cire *D. R. Vaughan*, puis une suite de chiffres qui pouvaient être son matricule militaire, ou son numéro de dossier médical.

« Prêt ? demanda Vaughan.

– Quand vous le serez, fit Reacher.

– Je ne le suis jamais », dit-elle.

Elle tourna la poignée et ouvrit la porte.

CINQUANTE

La chambre de David Robert Vaughan était un cube de trois mètres cinquante de côté, peint en vert sombre en dessous d'une fine ligne crème à mi-hauteur, et en vert clair au-dessus. Il y faisait chaud. Il y avait une petite fenêtre noire de suie. Une armoire de toilette en métal vert et une malle en métal vert. La malle était ouverte et ne contenait qu'un pyjama propre de rechange. L'armoire était pleine de dossiers et de grandes enveloppes marron qui dépassaient. Les enveloppes étaient vieilles, déchirées, cornées, et elles contenaient des radios.

Il y avait un lit dans la chambre. Un petit lit d'hôpital avec des roulettes bloquées et un mécanisme manuel pour redresser la tête. Il était réglé à un angle de quarante-cinq degrés. Dans le lit, sous un drap tendu, tranquillement allongé, comme s'il se détendait, reposait un type que Reacher identifia comme David Robert Vaughan en personne. C'était un homme trapu aux épaules étroites. Le drap rendait difficile l'estimation de sa taille. Peut-être un mètre soixante-quinze. Peut-être quatre-vingts kilos. Il avait la peau rosée. Une barbe blonde de plusieurs jours au menton et sur les joues. Le nez bien droit et les yeux bleus. Grands ouverts.

Il lui manquait une partie du crâne.

Un morceau d'os de la taille d'une soucoupe avait disparu. Il avait laissé place à un grand trou au-dessus du front. Comme si D.R. Vaughan avait eu une petite casquette négligemment posée sur la tête et qu'on avait découpé à la scie tout autour.

Son cerveau dépassait.

Il ressortait, gonflé comme un ballon, mauve, sombre, cannelé. Il avait l'air sec, fâché. Il était enveloppé d'une fine membrane artificielle collée au cuir chevelu rasé autour du trou. Pareille à du film alimentaire.

« Bonjour, David », dit Vaughan.

Il n'y eut aucune réponse de la part du type dans le lit. Quatre perfusions couraient vers lui et disparaissaient sous le drap. Elles étaient alimentées par quatre poches en plastique transparent suspendues à des perches chromées près du lit. Un tube de colostomie et un cathéter urinaire menaient à des bidons fixés sur un chariot rangé sous le lit. Un tube respiratoire était collé avec du sparadrap sur sa joue. Il s'incurvait parfaitement dans sa bouche. Il était branché à un petit respirateur qui inspirait en sifflant et expirait selon un lent rythme régulier. Il y avait une pendule accrochée au mur, au-dessus du respirateur. Du matériel militaire, ancien. Un cadre en bakélite blanc, un cadran blanc, des aiguilles noires, un tic-tac ferme et tranquille toutes les secondes.

« David, j'ai amené un ami te rendre visite », reprit Vaughan.

Aucune réponse. Et il n'y en aurait jamais, de l'avis de Reacher. Le type dans le lit était complètement inerte. Ni endormi ni éveillé. Ni quoi que ce soit.

Vaughan se pencha et embrassa son mari sur le front.

Puis elle alla vers l'armoire et tira une radio de la pile. Il y était écrit *Vaughan D.R.* à l'encre passée. Elle était froissée et un peu déchiquetée. On l'avait manipulée bien des fois. Elle sortit la radio de l'enveloppe et la porta à la lumière de la fenêtre. Il s'agissait d'une image composite qui montrait la tête de son mari sous quatre angles différents. Face, profil droit, arrière, profil gauche. Un crâne blanc, de la matière grise floue, un réseau de petits points lumineux dispersés tout autour.

« La blessure de l'Irak, dit Vaughan. Les dégâts d'une explosion sur le cerveau humain. Un grave traumatisme physique. Compression, décompression, torsion, cisaillement, déchirure, choc contre la paroi cervicale, pénétration par éclat de métal. David a tout eu. Son crâne était démoli, et ils ont découpé la partie dans le pire état. C'était censé être une bonne chose. Ils recolleraient une plaque en plastique, plus tard, quand ça aurait désenflé. Mais le cerveau de David n'a jamais désenflé. »

Elle remit la radio dans l'enveloppe et l'enveloppe dans la pile. Elle en tira une autre. Une radio des poumons. Côtes blanches, organes gris, une forme brillante, à l'évidence la montre de quelqu'un d'autre, plus quelques petits points lumineux qui rappelaient des gouttelettes. « Voilà pourquoi je ne porte pas mon alliance, dit Vaughan. Il voulait la garder sur lui, accrochée à une chaîne autour du cou. Elle a fondu sous la chaleur et le souffle de l'explosion l'a projetée dans ses poumons. »

Elle reposa la radio sur la pile.

« Il voulait qu'elle lui porte chance », ajouta-t-elle.

Elle rangea les papiers en une pile impeccable et alla au pied du lit.

« Il était de quelle unité ? demanda Reacher.

– Infanterie, affecté à la Première Division blindée.

– Et c'était une bombe improvisée contre un Hummer ? »

Elle hocha la tête.

« Une bombe improvisée contre une boîte de conserve. Il aurait pu tout aussi bien être à pied et en peignoir. Je ne sais pas pourquoi ils les appellent *improvisées*. Moi, je les trouve foutrement professionnelles.

– Quand était-ce ?

– Il y a presque deux ans. »

Le respirateur siffla.

« Que faisait-il, dans le civil ?

– Mécanicien. Surtout pour les engins agricoles. »

Le tic-tac de la pendule continuait, impitoyable.

« Quel est le pronostic ?

– Au début, il était raisonnable, en théorie. Ils pensaient qu'il serait un peu perdu, mal coordonné, vous voyez, et peut-être aussi un peu instable, agressif, et certainement dépourvu des fonctions motrices et fonctionnelles de base.

– Vous avez donc déménagé, dit Reacher. Vous avez envisagé une chaise roulante. Vous avez acheté quelque chose de plain-pied et enlevé la porte du salon. Vous avez mis trois chaises, et non quatre, dans la cuisine. Pour laisser de la place. »

Elle acquiesça.

« Je voulais être prête. Mais il ne s'est jamais réveillé. Ça n'a jamais désenflé.

– Pourquoi ?

– Serrez le poing.

– Comment ?

– Serrez le poing et tendez-le. »

Reacher serra le poing et le tendit.

« Bon, votre avant-bras est votre moelle épinière et votre poing est un renflement à son extrémité qu'on appelle le tronc cérébral. Pour certains, dans le règne animal, c'est tout ce dont ils disposent. Mais les humains ont développé un cerveau. Imaginez que je vide une citrouille et que j'en ajuste la chair sur votre poing. C'est votre cerveau. Imaginez la chair de citrouille soudée d'une façon ou d'une autre à votre peau. C'est ainsi qu'on me l'a expliqué. Je peux frapper la citrouille, ou, vous, la secouer un petit peu, et ça ira encore. Mais, imaginez que vous tordiez le poignet d'un geste soudain, très violent. Que se passerait-il ?

– Les liens se rompraient, fit Reacher. La pulpe de citrouille se décollerait de ma peau. »

Vaughan hocha de nouveau la tête.

« C'est ce qui est apparemment arrivé à la tête de David. Une blessure avec cisaillement. La pire des pires. Son tronc cérébral est intact, mais le reste de son cerveau ne sait même pas qu'il existe. Il ne sait pas qu'il y a un problème.

– Le lien se reconstruira-t-il un jour ?

– Jamais. Ça n'arrive tout simplement pas. Le cerveau a des réserves, mais les cellules neuronales ne se régénèrent pas. Voilà ce qu'il restera. Un lézard au cerveau endommagé. Il a le QI d'un poisson rouge. Il est incapable de bouger, de voir, d'entendre et de penser. »

Reacher se tut.

« La médecine de guerre est bonne, de nos jours. En treize heures, il était stabilisé dans un hôpital en Allemagne. En Corée, ou au Vietnam, il serait mort sur place, sans aucun doute », reprit Vaughan.

Elle s'approcha de la tête du lit et posa la main sur la joue de son mari, très doucement, très tendrement.

« On pense que la moelle épinière est sectionnée, elle aussi, pour autant qu'on puisse en juger. Mais ça n'a plus vraiment d'importance, non ? »

Le respirateur siffla, la pendule tictaqua, les perfusions glougloutèrent et Vaughan demeura un moment silencieuse.

« Vous ne vous rasez pas souvent ? dit-elle finalement.

– Ça m'arrive, fit-il.

– Mais vous savez comment on s'y prend ?

– Je l'ai appris sur les genoux de mon père.

– Accepteriez-vous de raser David ?

– N'est-ce pas le travail des aides-soignants ?

– Ils le devraient, mais ils s'en abstiennent. Et j'aime le voir propre. On dirait que c'est le minimum que je puisse faire. »

Elle sortit un sac de supermarché de l'armoire métallique verte. Il contenait un nécessaire de toilette masculin. Du gel à raser, un paquet à demi vide de rasoirs jetables, du savon, un gant. Reacher trouva une salle de bains de l'autre côté du palier et fit la navette avec le gant mouillé pour savonner le visage du mari de Vaughan, le rincer, l'humidifier de nouveau. Il étendit du gel bleu sur son menton et sur ses joues, le fit mousser du bout des doigts et se mit à raser. C'était difficile. Une suite de gestes instinctifs sur soi-même devenait malhabile sur un autre. Surtout quand cet autre avait un tube respiratoire dans la bouche et un gros morceau de crâne en moins.

Tandis qu'il jouait du rasoir, Vaughan nettoya la chambre. Elle avait un deuxième sac de supermarché dans l'armoire, avec des chiffons, des aérosols, une pelle et une balayette. Elle se hissa sur la pointe des pieds, se baissa jusqu'au sol et passa soigneusement en revue tous les côtés du cube de trois mètres cinquante. Son mari fixait un point à des kilomètres derrière le plafond, le respirateur sifflait et soufflait. Reacher termina son rasage et Vaughan s'arrêta une minute plus tard, fit un pas en arrière et examina le travail.

« Bon boulot, dit-elle.

– Vous aussi. Même si ça ne devrait pas être à vous de le faire.

– Je sais. »

Ils remirent les affaires dans les sacs et elle les rangea dans l'armoire.

« Vous venez ici tous les combien ?

– Pas très souvent, dit Vaughan. C'est une question zen, en fait. Si je lui rends visite et qu'il ne s'en rend pas compte, lui ai-je vraiment rendu visite ? C'est de la complaisance de venir juste pour me sentir une bonne épouse. Je préfère donc lui rendre visite dans mes souvenirs. Il y est bien plus présent.

– Combien de temps aviez-vous été mariés ?

– Nous le sommes encore.

– Excusez-moi. Depuis combien de temps ?

– Douze ans. Huit ensemble, plus les deux qu'il a passés en Irak, et les deux derniers dans cet état.

– Quel âge a-t-il ?

– Trente-quatre ans. Il pourrait en vivre encore soixante. Moi aussi.

– Étiez-vous heureux ?

– Oui et non. Comme tout le monde.

– Que pensez-vous faire ?

– Maintenant ?

– Sur le long terme.

– Je n'en sais rien. Les gens disent qu'il faudrait que je ebondisse. Peut-être le devrais-je. Peut-être devrais-je accepter e destin, comme Zénon. En vraie stoïque. Parfois, je le sens insi. Mais je me mets alors à paniquer, sur la défensive. Je ne dis, d'abord ils lui font ça et je devrais ensuite divorcer ?)e toute façon, il ne s'en rendrait pas compte. Donc, retour la question zen. Que croyez-vous que je doive faire ?

– Je crois que vous devriez aller faire un tour, dit Reacher. Maintenant. Toute seule. Marcher seul fait toujours du bien. Prendre l'air. Voir des arbres. Je reprendrai la voiture et vous écupérerai avant la quatre voies.

– Qu'allez-vous faire ?

– Je vais me trouver quelque chose pour tuer le temps. »

CINQUANTE ET UN

Vaughan dit au revoir à son mari, puis Reacher et elle relongèrent les couloirs sales, traversèrent le salon lugubre et arrivèrent dans le hall d'entrée.

« Au revoir, madame Vaughan », dit le type au sweat-shirt gris.

Ils sortirent, se dirigèrent vers le rond-point, jusqu'à la voiture. Reacher s'appuya sur le côté du véhicule tandis que Vaughan continuait son chemin. Il attendit qu'elle soit toute petite au loin, se dégagea de la voiture et retourna à l'entrée du bâtiment. Remonta les marches, poussa la porte, alla droit au bureau.

« Qui est le responsable, ici ?

– C'est moi, j'imagine. Je suis le chef d'équipe, fit le type au sweat-shirt gris.

– Combien de patients ?

– Dix-sept.

– Qui sont-ils ?

– Des patients, rien d'autre, mon vieux. Ce qu'on veut bien nous envoyer.

– Vous tenez cet endroit suivant un cahier des charges ?

– Certainement. C'est une bureaucratie, comme partout.

– Vous en avez un exemplaire disponible quelque part ?

– Quelque part.

– Vous voulez bien me montrer où il est dit qu'il est acceptable de laisser les chambres sales et des crottes de souris dans les couloirs. »

Le type cligna des yeux et déglutit.

« Ça ne sert à rien de nettoyer, mon vieux. Ils n'en sauraient rien de rien. Comment le pourraient-ils ? C'est le jardin des légumes, ici.

– C'est ainsi que vous l'appelez ?

– C'est tout ce que c'est, mon vieux.

– Mauvaise réponse, dit Reacher. Ce n'est pas le jardin des légumes. C'est une clinique pour anciens combattants. Et vous n'êtes qu'un sac à merde.

– Eh, calmez-vous, mec. En quoi ça vous concerne ?

– David Robert Vaughan est mon frère.

– Vraiment ?

– Comme tous les anciens combattants.

– Il est en état de mort cérébrale, mon vieux.

– Pas vous ?

– Pas moi.

– Alors, écoutez-moi. Écoutez-moi attentivement. Une personne moins chanceuse que vous a le droit au meilleur que vous puissiez lui donner. Pour des raisons de devoir, d'honneur et de service. Vous comprenez ces termes ? Vous devriez faire correctement votre boulot, le faire bien, juste parce que vous le pouvez, sans penser à une quelconque reconnaissance ou récompense. Les gens qui sont ici méritent le meilleur de votre part, et je suis fichtrement sûr que leurs proches le méritent aussi.

– Mais, qui êtes-vous donc ?

– Je suis un citoyen inquiet, fit Reacher. Avec plusieurs possibilités d'action. Je pourrais causer des ennuis à votre entreprise de tutelle, ou appeler les journaux, ou la télé, ou revenir avec une caméra cachée, ou vous faire virer. Mais je ne fais pas ces choses-là. À la place, j'offre un choix aux gens, face à face. Vous voulez savoir quel est le vôtre ?

– C'est quoi ?

– Faites ce que je vous dis, un grand sourire aux lèvres.

– Sinon ?

– Sinon, vous deviendrez le patient numéro dix-huit. »

L'autre se tut.

« Levez-vous, dit Reacher.

– Quoi ?

– Debout, tout de suite.

– Quoi ?

– Debout, tout de suite, ou je ferai en sorte que vous ne puissiez plus jamais vous lever. »

Le type hésita un instant, puis il se leva.

« Garde-à-vous, fit Reacher. Pieds joints, épaules en arrière, tête droite, regard à l'horizon, bras tendus le long du corps. »

Certains officiers de sa connaissance criaient, hurlaient et aboyaient. Il trouvait depuis toujours plus efficaces un ton calme, une voix posée, une prononciation claire et détachée, comme s'il s'adressait à un enfant débile, et un regard glacé. Il avait découvert que la menace implicite était plus claire ainsi. Un ton calme, patient, un physique d'armoire à glace. La dissonance était frappante. Il fallait un truc qui marche. Ça avait marché, autrefois, et ça marchait toujours. Le type au sweat-shirt clignait des yeux en ravalant sa salive et était plus ou moins au garde-à-vous, comme à la parade.

« Vos patients ne sont pas seulement ce qu'on veut bien vous envoyer. Vos patients sont des êtres humains. Ils ont servi leur pays avec honneur et distinction. Ils méritent votre plus haute attention, votre plus grand respect. »

L'autre ne répondit rien.

« Cet endroit est une honte. C'est crasseux, bordélique. Alors, écoutez-moi. Vous allez remuer votre derrière maigrichon, vous allez mobiliser votre personnel et vous allez tout nettoyer. En commençant tout de suite. Je reviendrai, demain, peut-être, ou la semaine prochaine, ou bien le mois prochain, et, si je ne vois pas mon reflet sur le carrelage, je vous prendrai par les pieds et me servirai de vous comme serpillère. Puis je vous flanquerai une telle raclée que vous aurez les intestins coincés entre les dents. Est-ce clair ? »

Le type cligna des yeux et remua les pieds sans répondre. Il y eut un long silence.

« D'accord, dit-il enfin.

– Avec un grand sourire », dit Reacher.

L'autre eut un sourire crispé.

« Plus grand que ça », dit Reacher.

Le type pinça ses lèvres sèches sur ses dents serrées.

« Bien. Et vous irez vous faire couper les cheveux, vous prendrez une douche tous les jours et, chaque fois que madame Vaughan viendra ici, vous vous lèverez, l'accueillerez chaleureusement, l'escorterez personnellement jusqu'à la chambre de son mari, et la chambre de son mari sera propre, son mari rasé, sa fenêtre étincelante, la pièce rayonnante de soleil et son sol tellement briqué que madame Vaughan risquera vraiment de se faire mal en glissant. Est-ce clair ?

– D'accord.

– Est-ce clair ?

– Oui.

– Totalement ?

– Oui.

– Comme de l'eau de roche ?

– Oui.

– Oui, qui ?

– Oui, monsieur.

– Vous avez soixante secondes pour vous y mettre, sinon je vous casse un bras. »

Le type donna un coup de fil sans s'asseoir, puis il parla dans un talkie-walkie, et, cinquante secondes plus tard, trois autres types se pointèrent dans le hall. Une seconde pile ensuite, un quatrième les rejoignit. Une minutes après, ils avaient sorti les seaux et les serpillières d'un grand placard à balais, une minute encore après, les seaux étaient pleins d'eau et les cinq hommes attelés à l'ouvrage, comme devant une tâche aussi immense qu'inaccoutumée. Reacher les y abandonna. Il retourna à la voiture et partit chercher Vaughan.

Il roula lentement et la rattrapa un kilomètre et demi plus loin sur la route tracée par le ministère de la Défense. Elle se glissa sur le siège à ses côtés et il repartit en reprenant le même chemin qu'à l'aller, à travers la pinède et les collines.

« Merci d'être venu, dit-elle.

– Pas de problème, fit-il.

– Vous savez pourquoi je voulais que vous veniez ?

– Oui.

– Dites-le-moi.

– Vous vouliez que quelqu'un comprenne pourquoi vous vivez et agissez ainsi.

– Et alors ?

– Vous vouliez que quelqu'un comprenne pourquoi ce que vous allez décider de faire est acceptable.

– Et c'est quoi ?

– Quelque chose qu'il vous revient totalement de décider. Dans les deux cas, je n'y vois aucune objection.

– Je vous ai menti, vous savez.

– Je sais.

– Vraiment ? »

Il acquiesça sans lâcher le volant.

« Vous saviez, pour le contrat de Thurman avec le ministère de la Défense. Et pour la base de la police militaire. Le Pentagone vous a bien informés là-dessus, tout comme il l'a fait avec la police de Halfway. Ça s'explique mieux ainsi. Je parie qu'elle est inscrite dans le répertoire téléphonique de vos services, dans le tiroir de votre bureau, à la lettre P comme police militaire.

– C'est le cas.

– Mais vous ne vouliez pas en parler, ce qui signifie que l'on ne recycle pas n'importe quelle épave militaire dans cette usine.

– Vraiment ? »

Reacher fit un hochement de tête.

« Il s'agit d'épaves qui proviennent des combats en Irak. Nécessairement. D'où certains camions immatriculés dans le New Jersey, qui arrivent à l'usine. Tout droit des ports. Pourquoi court-circuiter la Pennsylvanie ou l'Indiana, s'il s'agit de vieux métaux classiques ? Et pourquoi mettre en conteneur des vieux métaux classiques ? Parce que l'usine de Thurman est une entreprise spécialisée. Et secrète, à des kilomètres de tout.

– Je suis désolée.

– Pas la peine. Je comprends. Vous ne vouliez pas en parler. Vous ne vouliez même pas y penser. D'où votre tentative pour m'empêcher d'y retourner. Laissez filer, disiez-vous. Passez à autre chose. Il n'y a rien à voir.

– Il y a des carcasses de Hummer démolis par des explosions, là-bas. Ce sont comme des monuments, pour moi. Des sarcophages. À la mémoire de ceux qui sont morts. Ou presque morts. Puis elle ajouta : Et de ceux qui auraient dû mourir. »

Ils continuèrent leur route vers le nord et l'est, à travers les contreforts des montagnes, et rejoignirent l'I-70 qui les ramena par un long détour à la frontière du Kansas.

« Ça n'explique pas le goût de Thurman pour le secret, dit Reacher.

– Peut-être s'agit-il pour lui d'une question de respect. Peut-être les considère-t-il aussi comme des sarcophages.

– A-t-il servi dans l'armée ?

– Je ne le crois pas.

– A-t-il perdu un membre de sa famille ?

– Je ne pense pas.

– Des citoyens de Despair se sont-ils engagés ?

– Pas que je sache.

– Donc, il ne s'agit sans doute pas de respect. Et ça n'explique pas non plus la présence de la police militaire. Qu'y a-t-il à voler ? Un Hummer n'est rien qu'une voiture, à la base. Le blindage est un simple plaquage d'acier, quand il y en a un. Un M60 ne survivrait pas à une explosion, quelle qu'elle soit. »

Vaughan se tut.

« Et ça n'explique pas l'avion. »

Vaughan ne répondit pas.

« Rien n'explique non plus la présence de tous ces jeunes hommes.

– Donc, vous aller rester encore un peu ? »

Il opina du chef sans quitter la route des yeux.

« Un petit moment, dit-il. Parce que je crois qu'il va bientôt se passer quelque chose. Cette foule m'a fait grosse impression. Auraient-ils montré autant de passion pour quelque chose qui viendrait juste de commencer ? Ou pour quelque chose en cours ? Je ne pense pas. Je pense que la perspective d'une fin prévisible les excite. »

CINQUANTE-DEUX

Vaughan n'ouvrit pas la bouche et Reacher conduisit tout du long jusqu'à Hope. Il contourna Despair et fit le grand tour, par l'est, par la même route que le type dans sa Grand Marquis, au tout début. Ils arrivèrent en ville à cinq heures de l'après-midi. Le soleil était bas sur l'horizon. Reacher quitta First Street et se dirigea sur Third Street, vers le motel. Il s'arrêta devant la réception. Vaughan lui lança un regard curieux.

« Un détail que j'aurais dû vérifier plus tôt », dit-il.

Ils entrèrent ensemble. La gérante curieuse était à son comptoir. Derrière elle, trois clés manquaient au tableau. Celle de Reacher, la chambre 12, plus la 8 de Maria, plus celle de la femme aux larges sous-vêtements, la 4.

« Parlez-moi de la femme de la chambre 4 », dit Reacher.

La gérante le regarda et marqua une pause, comme si elle se concentrait, comme si elle était sous pression pour concocter une biographie en trois phrases maximum. Comme si elle était au tribunal, à la barre des témoins.

« Elle vient de Californie, fit-elle. Elle est ici depuis cinq jours. Elle a payé une semaine en liquide.

– Rien d'autre ?

– C'est une femme assez forte.

– Quel âge ?

– Jeune. Dans les vingt-cinq ou vingt-six ans.

– Comment s'appelle-t-elle ?

– Madame Rogers », répondit la gérante.

De retour à la voiture, Vaughan déclara :

« Encore une. Mais plus bizarre. Son mari n'a été arrêté qu'hier, pourtant elle est ici depuis cinq jours pleins. Qu'est-ce que ça signifie ?

– Ça signifie que notre hypothèse est juste. À mon avis, ils ont fait route ensemble, jusqu'il y a cinq jours, il a trouvé les gens qu'il fallait à Despair, il s'est caché, elle est venue directement l'attendre ici, puis il a été découvert lors de la mobilisation générale, hier, en tombant sur les mauvaises personnes et en se faisant arrêter. La ville entière était sens dessus dessous. La moindre brique a été retournée. Il a été remarqué.

– Alors, où est-il désormais ?

– Il n'était pas en cellule. Il a peut-être recroisé les bonnes personnes.

– Je savais que j'avais déjà entendu ce nom-là. La femme est arrivée avec le livreur du supermarché. Il vient de Topeka, au Kansas, tous les deux ou trois jours. Il l'a prise en stop. Il me l'a dit. Il m'a donné son nom.

– Les chauffeurs-livreurs vous font leur rapport ?

– Une petite ville. Aucun secret. Maria est arrivée de la même manière. C'est comme ça que j'ai appris sa présence.

– Comment Lucy Anderson est-elle arrivée ? »

Vaughan réfléchit un instant.

« Je n'en sais rien, admit-elle. Je n'avais jamais entendu parler d'elle avant que la police de Despair ne la relâche à la frontière. Elle n'était jamais venue.

– Donc, elle est arrivée par l'ouest.

– J'imagine que c'est le cas, pour certaines. Il en arrive de l'est comme de l'ouest.

– Ce qui soulève une question, non ? Maria est venue de l'est, du Kansas, mais elle a demandé au vieux bonhomme dans sa voiture verte de la déposer à la base de la police militaire, à l'ouest de Despair. Comment connaissait-elle son existence ?

– Lucy Anderson lui en a peut-être parlé. Elle l'aurait vue, elle.

– Je ne crois pas qu'elles se soient du tout parlé.

– Bon, alors peut-être par Ramirez. Peut-être au téléphone, à Topeka. Il est arrivé par l'ouest et il l'a remarquée.

– Mais pourquoi l'aurait-il remarquée ? En quoi ça l'intéressait ? Pourquoi en discuter avec sa copine ?

– Je n'en sais rien.

– Votre chef de poste est-il un type sympa ?

– Pourquoi ?

– Ça vaudrait mieux. On va devoir encore lui emprunter sa voiture.

– Quand ?

– Plus tard, cette nuit.

– Comment ça, plus tard ?

– Plus tard, c'est tout.

– Quand ça, plus tard ?

– Dans huit heures.

– Huit heures, ça ira.

– Mais d'abord, allons faire des courses », dit Reacher.

Ils arrivèrent à la quincaillerie juste au moment de la fermeture. Le vieux bonhomme en veston marron dégageait son étalage sur le trottoir. Il avait rentré les souffleurs de feuilles et s'attaquait aux brouettes. Tout le reste de la marchandise était encore en place. Reacher entra et acheta une mince torche électrique, deux piles et un pied-de-biche de soixante-dix centimètres à la femme du vieux. Puis il ressortit et acheta l'ingénieux escabeau qui s'ouvrait dans huit positions différentes. Pour le rangement et le transport, il se pliait en un colis d'environ un mètre trente de long sur quarante-cinq centimètres de large. Il était en aluminium et en plastique, donc très léger. Il trouva facilement place sur la banquette arrière de la Crown Victoria.

Vaughan invita Reacher à dîner, à huit heures. Elle fut très formelle sur ce point. Elle affirma qu'elle avait besoin des deux heures à venir pour se préparer. Reacher passa ce temps-là dans sa chambre. Il fit un somme, puis il se rasa, se doucha et se brossa les dents. Et s'habilla. Ses habits étaient neufs, mais son caleçon n'était plus très frais et il l'abandonna sur place. Il enfila son pantalon, sa chemise, se passa les mains dans les cheveux, vérifia le résultat dans la glace et l'estima acceptable. Il n'avait aucun avis sur son apparence. Elle était ce qu'elle était. Il n'y pouvait rien changer. Certains l'appréciaient, d'autres non.

Il traversa les deux pâtés de maisons entre Third Street et Fifth Street, puis il s'engagea à l'est. Il faisait nuit noire. Cinquante mètres avant la maison de Vaughan, il ne vit pas le véhicule du chef de poste. Soit il était dans l'allée, soit Vaughan le lui avait rendu. À moins qu'elle n'ait répondu à un appel d'urgence. Ou qu'elle n'ait changé ses plans pour la soirée. Puis, trente mètres avant la maison de Vaughan, il aperçut la voiture sous ses yeux sur le trottoir. Une tache dans l'obscurité. Des vitres ternes. De la peinture noire, passée avec le temps. Invisible dans la pénombre.

Parfait.

Il remonta les marches au milieu des arbustes et appuya sur la sonnette. *Le délai moyen à la porte d'une maison de banlieue en pleine soirée : une vingtaine de secondes.* Vaughan arriva en neuf secondes, tout rond. Elle portait une robe sans manches noire, en forme de trapèze, qui lui descendait aux genoux, et des chaussures noires plates, pareilles à des chaussons de danse. Elle était fraîchement douchée. Elle avait l'air jeune et pleine d'énergie.

Elle avait l'air magnifique.

« Bonsoir.

– Entrez », dit-elle.

La cuisine était éclairée par des bougies. La table était mise, avec deux chaises, une bouteille de vin ouverte et deux verres. De bonnes odeurs montaient du four. Deux entrées étaient posées sur le plan de travail. Chair de homard, avocat, morceaux de pamplemousse rose, le tout sur un lit de salade.

« Le plat principal n'est pas prêt. Je me suis plantée dans le chronométrage. C'est quelque chose que je n'ai pas fait depuis un moment.

– Trois ans, dit Reacher.

– Davantage.

– Vous êtes superbe.

– Vraiment.

– La plus belle vue du Colorado.

– Mieux que le mont Pikes Peak ?

– Beaucoup mieux. Vous devriez être en couverture du guide.

– Vous me flattez.

– Pas vraiment.

– Vous êtes très bien, vous aussi.

– Ça, c'est flatteur. Aucun doute.

– Non, vous vous êtes bien décrassé.

– J'ai fait de mon mieux.

– Devrions-nous être en train de faire ça ?

– Je le pense.

– Est-ce correct vis-à-vis de David ?

– David n'est jamais revenu. Il n'a jamais habité ici. Il n'en sait rien.

– Je veux revoir votre cicatrice.

– Parce que vous regrettez que David ne soit pas rentré avec la même. Au lieu de ce qu'il a reçu.

– Oui, j'imagine.

– Nous avons tous les deux eu de la chance. Je connais les soldats. J'en ai fréquenté ma vie entière. Ils craignent les blessures grotesques. C'est tout. Les amputations, les mutilations, les brûlures. J'ai eu de la chance de ne pas en avoir et David de ne pas savoir qu'il en a eu. »

Vaughan ne dit rien.

« Et nous avons tous les deux eu la chance de vous rencontrer.

– Montrez-moi votre cicatrice. »

Reacher déboutonna sa chemise et l'ôta. Vaughan hésita une seconde, puis elle toucha le bourrelet de peau, avec une grande douceur. Elle avait les doigts lisses et froids. Ils le brûlèrent comme une décharge électrique.

« C'était quoi ? demanda-t-elle.

– Un camion transformé en bombe, à Beyrouth.

– Un éclat de métal ?

– Un morceau du type qui se tenait tout près de l'explosion.

– C'est affreux.

– Pour lui. Pas pour moi. Un bout de métal aurait pu me tuer.

– Cela en valait-il la peine ?

– Non. Bien sûr que non. Ça n'en vaut plus la peine depuis longtemps.

– Comment ça, longtemps ?

– Depuis 1945.

– David le savait-il ?

– Oui, fit Reacher. Il le savait. Je connais les soldats. Il n'y a pas plus lucide qu'un soldat. On peut essayer, mais on ne peut pas leur raconter de conneries. Pas un instant.

– Pourtant, ils continuent de s'engager.

– Oui, c'est vrai. Ils continuent de s'engager.

– Pourquoi ?

– Je n'en sais rien. Je ne l'ai jamais su.

– Combien de temps êtes-vous resté à l'hôpital ?

– Quelques semaines, pas plus.

– Aussi moche que celui où est David ?

– Bien pire.

– Pourquoi ces hôpitaux sont-ils aussi affreux ?

– Parce que, au fond, pour l'armée, un soldat qui ne peut plus se battre est un rebut. On compte alors sur les civils, et les civils s'en fichent aussi. »

Vaughan appuya le plat de la main contre sa cicatrice, puis elle la glissa dans le dos de Reacher. Elle en fit autant avec l'autre main, de l'autre côté. Elle lui serra la taille et colla le plat de sa joue contre sa poitrine. Puis elle leva la tête et tendit le cou, et il se baissa et l'embrassa. Elle avait un goût de chaud, de vin et de dentifrice. Elle sentait le savon, la peau propre et un parfum subtil. Elle avait les cheveux doux. Ses yeux étaient fermés. Il passa sa langue sur une rangée de dents inconnues et trouva la sienne. Il lui prit la tête dans une main et posa l'autre en bas de son dos.

Un long, très long baiser.

Elle refit surface pour respirer.

« Il faut qu'on le fasse, dit-elle.

– Nous y sommes, dit-il.

– Je veux dire, c'est une bonne chose de le faire.

– Je le pense », répéta-t-il.

Il pouvait sentir le bout de sa fermeture Éclair avec le petit doigt de sa main droite. Le petit doigt de sa gauche était sur le renflement de son cul.

« Parce que tu t'en iras, dit-elle.

– Dans deux jours, fit-il. Trois, maximum.

– Aucune complication, dit-elle. Pas comme si ça devait durer.

– Je ne sais pas faire en sorte que ça dure », dit-il.

Il se pencha et l'embrassa encore. Il bougea la main, attrapa le bout de sa fermeture Éclair et la descendit. Elle était nue sous sa robe. Chaude, douce, lisse, légère et parfumée. Il se baissa et la souleva, un bras sous les genoux, l'autre sous les épaules. Il la porta dans le hall d'entrée, jusqu'aux chambres, là où il les situait, sans cesser de l'embrasser. Deux portes. Deux chambres. Une qui sentait le renfermé, l'autre son odeur à elle. Il l'y amena et la reposa par terre. Sa robe glissa de ses épaules. Ils s'embrassèrent encore un peu et ses mains se jetèrent sur les boutons de son pantalon. Une minute plus tard, ils étaient dans le lit de Vaughan.

Après, ils dînèrent. D'abord l'entrée, puis le porc aux pommes, aux épices, au sucre roux et au vin blanc. En guise de dessert, ils retournèrent au lit. À minuit, ils prirent une douche ensemble. Puis ils s'habillèrent. Reacher enfila sa chemise et son pantalon, Vaughan, un jean noir, un pull noir, des chaussures de sport noires et une petite ceinture de cuir noir.

Rien d'autre.

« Pas d'armes ? demanda Reacher.

– Je ne la porte pas en dehors du service, dit-elle.

– D'accord », fit-il.

À une heure du matin, ils sortirent.

CINQUANTE-TROIS

Vaughan prit le volant. Elle y tenait. C'était le véhicule de son chef de poste. Reacher fut heureux de la laisser faire. Elle conduisait mieux que lui. Beaucoup mieux. Son demi-tour effectué dans la panique l'avait impressionné. Il estima que s'il avait été au volant, la foule les aurait rattrapés et taillés en pièces.

« Vont-ils être encore là ? demanda Vaughan.

– Possible, fit-il. Mais j'en doute. Il est tard, la deuxième nuit de suite. Et j'ai dit à Thurman que je ne reviendrai pas. Je ne crois pas que ce sera pareil qu'hier.

– Pourquoi Thurman te croirait-il ?

– C'est un bigot. Il a l'habitude de croire à ce qui le réconforte.

– Nous aurions dû prévoir de faire le grand tour.

– Je suis content qu'on ne l'ait pas fait. Ça nous aurait pris quatre heures. On n'aurait pas eu le temps de dîner. »

Elle sourit et ils se mirent en route vers le nord, First Street, puis à l'ouest, Despair. Il y avait de gros nuages dans le ciel. Pas de lune. Un noir d'encre. Parfait. Ils sentirent le joint de dilatation sous leurs roues, puis, un kilomètre et demi avant le sommet de la montée, Reacher dit : « C'est le moment d'approcher en douce. Éteins les phares. »

Vaughan les éteignit d'un clic, le monde devint tout noir autour d'eux et elle donna un grand coup de frein.

« Je n'y vois rien, fit-elle.

– Sers-toi de la caméra vidéo. De la vision nocturne.

– Quoi ?

– Comme dans un jeu vidéo. Regarde l'écran d'ordinateur, pas le pare-brise.

– Est-ce que ça marchera ?

– C'est ce que font les pilotes de char. »

Elle tapa sur quelques touches, l'écran s'alluma puis se stabilisa sur une image vert pâle du paysage devant eux. Des buissons verts de chaque côté, des rochers clairement dessinés, une route en forme de ruban lumineux qui pointait jusqu'à l'horizon. Elle releva le pied du frein et avança au pas, la tête tournée, les yeux fixés sur l'image thermique et non sur la réalité. Au début, elle manœuvra avec hésitation, la coordination entre son œil et sa main étant perturbée. Elle zigzagua de droite à gauche en tirant trop sur le volant. Puis elle s'y fit et comprit les rudiments de cette nouvelle technique. Elle réussit à rouler quatre cents mètres tout droit, puis elle accéléra et couvrit les quatre cents suivants un peu plus vite, entre trente et cinquante kilomètres à l'heure.

« Ça me tue de ne pas regarder devant, dit-elle. C'est tellement automatique.

– C'est bon. Continue de rouler doucement. »

Il se dit qu'à cette vitesse le moteur ne ferait presque aucun bruit. Juste un ronflement étouffé et le petit gargouillement du pot d'échappement. Quelle que soit la vitesse, il y aurait un bruit de roulement, celui des pneus sur le mauvais revêtement, mais ça devrait s'améliorer en approchant de la ville. Il se pencha à gauche, posa la tête sur l'épaule de Vaughan et fixa l'écran. Le paysage défilait dessus en silence, vert et fantomatique. La caméra n'avait aucune réaction humaine. C'était seulement un œil impassible et sans cervelle. Elle ne tournait pas à droite, à gauche, ni ne changeait de focale. Ils dépassèrent la butte et l'écran devint tout blanc pendant une seconde, de la couleur des cieux glacés, puis le nez de la voiture se rabaissa et ils virent les quinze kilomètres suivants s'afficher devant eux. Buissons verts, rochers dispersés, plus clairs, la route en forme de ruban, un faible halo à l'horizon : les braises encore chaudes du poste de police.

Reacher jeta une ou deux fois un regard à travers le pare-brise, mais, sans phares, il n'y avait rien à voir. Sinon les ténèbres. Ce qui signifiait que, si quelqu'un attendait au loin, il ne verrait rien non plus. Du moins, pas encore. Il se rappela son retour vers Hope, à pied, son passage de la frontière, sans deviner quoi que ce soit de la voiture de patrouille de Vaughan. Et il s'agissait alors d'un véhicule plus récent, plus rutilant, avec des portes blanches, des réflecteurs astiqués et des lumières sur le toit. Il ne l'avait pas vu. Mais elle l'avait repéré, lui. *Je vous ai vu venir depuis près de huit cents mètres*, avait dit Vaughan. *Un petit point vert.* Plus tard, il s'était revu sur l'écran : un petit point lumineux dans le noir qui grossissait à mesure qu'il approchait.

Très sophistiqué, avait-il commenté.

L'argent du ministère de la Sécurité intérieure, avait-elle répliqué. *Il faut bien le dépenser quelque part.*

Il fixa l'écran à la recherche de petits points verts lumineux. La voiture continua au même rythme sa lente progression discrète, tel un sous-marin noir lâché en eaux profondes. Trois kilomètres. Six kilomètres. Toujours rien. Dix kilomètres. Treize kilomètres. Rien à voir, rien à entendre, hormis le moteur au ralenti, le crissement des pneus et le souffle tendu de Vaughan agrippée à son volant, les yeux plissés sur l'écran de l'ordinateur à côté d'elle.

« On ne devrait pas être loin », chuchota-t-elle.

Il acquiesça, la tête sur son épaule. L'écran montrait des bâtiments à peut-être un kilomètre et demi de distance. La cahute de la station-service, un peu plus chaude que ses abords. L'épicerie et la chaleur du jour piégée dans ses murs de brique. Un halo en arrière-plan, venant du centre-ville. Une tache pâle et floue, un peu plus loin au sud-ouest, au-dessus de l'emplacement du poste de police.

Aucun petit point vert.

« C'est là qu'ils étaient, hier, dit-il.

– Alors, où sont-ils donc ? »

Elle ralentit un peu et continua sur sa lancée. L'écran montrait toujours la même chose. Topographie, architecture, rien d'autre. Rien qui bougeait.

« La nature humaine, fit Reacher. Ils se sont excités un maximum, hier, et ils se croient débarrassés de nous. Ils n'ont pas l'énergie de recommencer.

– Ils pourraient en rester un ou deux.

– Possible.

– Ils appelleront l'usine pour donner l'alerte.

– Ça ne fait rien, dit Reacher. Nous n'allons pas à l'usine. Du moins, pas tout de suite. »

Ils continuèrent encore sur leur lancée, lentement, dans le noir, en silence. Ils dépassèrent le terrain vague et l'ancien motel. L'un comme l'autre étaient à peine visibles sur l'écran. Thermiquement, ils se fondaient dans le paysage. La station-service et l'épicerie brillaient davantage. Derrière, les autres pâtés de maisons se détachaient en vert moyen. On voyait des carreaux plus vifs de la taille d'une fenêtre et la chaleur montant des toits imparfaitement isolés. Mais aucun petit point lumineux. Aucun petit point vert. Ni foule, ni petit groupe qui traînait la patte, ni sentinelle solitaire.

Du moins, pas directement en face d'eux.

L'angle fixe de la caméra n'était d'aucune utilité pour les rues latérales. Elle en montrait l'entrée sur une profondeur d'un mètre soixante. C'était tout. Reacher fixa les ténèbres sur les côtés tandis qu'ils dépassaient chaque rue. Il ne vit rien. Ni torche électrique, ni flamme d'allumette ou de briquet, ni bout de cigarette incandescent. Le bruit des pneus s'était réduit à presque rien. Main Street était usée jusqu'au goudron. Plus de graviers. Vaughan retenait son souffle. Son pied caressait à peine la pédale. La voiture avançait à une allure à peine supérieure à celle de la marche, bien plus lente que celle de la course.

Deux petits points verts émergèrent devant eux.

Ils étaient peut-être à quatre cents mètres, à l'ouest de Main Street. Deux silhouettes qui débouchaient d'une rue transversale. Une patrouille à pied. Vaughan freina doucement et elle s'arrêta, en plein milieu de la ville. Six pâtés de maisons devant, six derrière.

« Ils peuvent nous voir ? chuchota-t-elle.

– Je crois qu'ils regardent de l'autre côté, fit Reacher.

– À supposer le contraire ?

– Ils ne peuvent pas nous voir.

– Il y en a probablement davantage derrière nous. »

Reacher se retourna et regarda par la lunette arrière. Il ne vit rien. Sinon des ténèbres d'un noir d'encre.

« On ne peut pas les voir, eux ne peuvent pas nous voir. Les lois de la physique », dit-il.

L'écran s'illumina d'un éclair blanc. Un cône. Il bougea. Balaya l'obscurité.

« Une torche, commenta Reacher.

– Ils vont nous voir.

– Nous sommes trop loin. Et je crois qu'ils la braquent vers l'ouest. »

Puis ils changèrent de direction. L'écran montra le rayon lumineux en train de décrire un cercle complet, sans osciller, à une même hauteur, tel un phare en mer. Sa chaleur rendit l'écran tout blanc à son passage. Sa lumière se refléta dans la brume nocturne comme s'ils étaient dans le brouillard.

« Ils nous ont vus ? » demanda Vaughan.

Reacher regarda l'écran. Il pensa aux réflecteurs dans les phares de la Crown Victoria. Du métal poli, en forme de pupille de chat.

« Qui qu'ils soient, ils ne bougent pas. Je ne crois pas qu'ils disposent d'assez de lumière, répondit-il.

– Que faisons-nous ?

– On attend. »

Ils attendirent deux minutes, puis trois, puis cinq. Le moteur au ralenti chuchotait. Le rayon lumineux disparut soudain. L'image sur l'ordinateur se réduisit de nouveau à deux petites verticales vertes au loin qui bougeaient à peine.

« On ne peut pas rester ici, déclara Vaughan.

– Il le faut. »

Les petits points verts se déplacèrent du centre au bord gauche de l'écran. Lentement, de manière floue, avec un reste de traînée lumineuse derrière eux. Puis ils disparurent dans une rue transversale. L'écran se figea de nouveau. Topographie, architecture.

« Une patrouille à pied, dit Reacher. Elle se dirige vers le centre. Peut-être à cause des incendies.

– Les incendies ? s'étonna Vaughan.

– Leur poste de police a brûlé, la nuit dernière.

– Y es-tu pour quelque chose ?

– Complètement, dit Reacher.

– Tu es un danger public.

– C'est leur problème. Ils s'en prennent aux mauvaises personnes. On devrait avancer.

– Maintenant ?

– Contournons-les pendant qu'ils regardent ailleurs. »

Vaughan appuya légèrement sur l'accélérateur et la voiture avança. Un pâté de maisons. Puis deux. L'écran ne bougeait pas. Topographie, architecture. Rien d'autre. Les pneus se taisaient sur la surface plane.

« Plus vite », fit Reacher.

Vaughan accéléra. Trente kilomètres à l'heure. Cinquante. À plus de soixante, la voiture lâcha un « whoom » provoqué à la fois par le moteur, les pneus, l'échappement et l'air déplacé. Il ne suscita pourtant aucune réaction. Reacher scruta les rues du centre, à gauche, à droite, sans y deviner quoi que ce soit. Sinon des ténèbres béantes. Vaughan serra le volant, retint son souffle, fixa l'écran d'ordinateur et, dix secondes plus tard, ils se retrouvèrent dans le désert de l'autre côté de la ville.

Quatre minutes après, ils arrivèrent aux abords de l'usine de recyclage.

CINQUANTE-QUATRE

Ils ralentirent de nouveau et gardèrent les feux éteints. L'image thermique leur montrait le ciel au-dessus de l'usine, crûment éclairé par la chaleur. Elle montait des fours, en vagues aussi hautes que des éruptions solaires. Le mur métallique était chaud. Il dessinait une bande verte horizontale. Elle était bien plus brillante à son extrémité sud. Beaucoup plus chaude autour de l'enclos secret. Celui-ci brillait comme un fou sur l'écran de l'ordinateur.

« Tu parles d'un dépotoir ! s'exclama Reacher.

– Ils ont bossé dur ici, fit Vaughan. Malheureusement. »

Le parking avait l'air entièrement désert. La porte du personnel paraissait close. Reacher ne la regarda pas directement. Il disposait de meilleures informations dans les fréquences invisibles, celles de l'infrarouge.

« Aucune sentinelle ? demanda Vaughan.

– Ils font confiance au mur. Et ils ont raison. C'est un sacré mur. »

Ils continuèrent à rouler, lentement, silencieusement, dans le noir, dépassèrent le parking, le mur nord de l'usine, et se dirigèrent vers la voie d'accès des camions. Cinquante mètres plus loin, ils s'arrêtèrent. La piste creusée par les Tahoe était visible à l'écran, à peine plus lumineuse que la plaine alentour. De la terre tassée sans la plus microscopique bulle d'air, sans aucune ventilation, donc plus lente à refroidir en fin de journée. Reacher pointa le doigt et Vaughan tourna le volant pour leur faire quitter le macadam.

Elle scruta l'écran et aligna les roues sur les ornières avant de continuer, plus lentement. La voiture cahotait et rebondissait sur le terrain inégal. Elle suivit le huit géant de la piste. L'œil froid de la caméra ne renvoyait rien qu'un désert vert-de-gris. Puis il accrocha le mur en pierre apparente. L'enclos résidentiel. Les pierres avaient piégé un peu de chaleur du jour. Le mur dessinait une bande étroite, mouchetée comme une peau de serpent, cinquante mètres sur la droite, fine, fluide et infiniment longue.

Vaughan fit le tour presque complet de l'enclos en suivant les traces des Tahoe, jusqu'à un point qui, de l'avis de Reacher, se trouvait juste derrière le hangar de l'avion. Ils se garèrent, coupèrent le contact et Reacher ajusta le bouton du plafonnier sur « off » avant qu'ils ouvrent leurs portières et ne descendent du véhicule. Il faisait noir comme dans un four. L'air était froid et vif. Son horloge interne affichait une heure et demie du matin.

Parfait.

Ils firent à pied les cinquante mètres jusqu'au mur de pierre. Reacher regarda régulièrement par-dessus son épaule tout le long du chemin. La Crown Victoria noire se voyait difficilement à dix mètres, très mal à vingt et plus du tout à trente. Le mur était légèrement chaud au toucher. Ils l'escaladèrent facilement et retombèrent de l'autre côté. L'arrière du hangar de l'avion leur faisait face, énorme, imposant, plus noir que le ciel. Ils s'y dirigèrent tout droit, après avoir franchi une rangée de cyprès, sur un sol en pierraille. Ils atteignirent leur but et en firent le tour dans le sens inverse des aiguilles d'une montre, jusqu'à l'entrée. Le hangar était sombre et vide. L'avion était sorti. Reacher attendit au coin du bâtiment et tendit l'oreille.

« Première étape, chuchota-t-il. Nous venons de vérifier que, lorsqu'ils travaillent la journée, l'avion vole la nuit.

– Quelle est l'étape numéro deux ?

– On vérifie s'ils font venir quelque chose, s'ils l'exportent, ou les deux.

– Rien qu'en gardant les yeux ouverts ?

– Tu l'as dit.

– Combien de temps avons-nous ?

– Environ une demi-heure. »

Ils pénétrèrent dans le hangar. Il était vaste et dans l'obscurité totale. Il sentait l'huile, l'essence et le bois traité à la créosote. Le sol était en terre battue. L'essentiel de l'espace était complètement dégagé. Prêt à recevoir l'avion à son retour. Ils progressèrent à tâtons en longeant les murs. Vaughan risqua un coup d'œil avec sa torche allumée. Elle en serra le bout contre sa paume, réduisant l'éclat à un faible rougeoiement. Des étagères étaient accrochées aux parois, chargées de jerrycans, de bidons d'huile et de petites pièces rangées dans des boîtes en carton. Peut-être des filtres à huile ou à air. Des éléments de maintenance. Au milieu du mur du fond se trouvait un tambour horizontal autour duquel était enroulé un fin câble en acier. Le tambour était monté sur un support compliqué, rivé au sol, et il y avait un moteur électrique fixé sur son axe. Un treuil. À sa droite, d'autres étagères s'alignaient le long du mur. Il y avait des pneus de rechange. D'autres pièces détachées. L'endroit dans son ensemble avait un côté à la fois rangé et désordonné. Un espace de travail, rien d'autre. On n'y devinait aucune cachette évidente. Et à peine les lampes à arc, tout en haut au milieu des poutres. Si quelqu'un les allumait, on y verrait comme en plein jour.

Vaughan éteignit sa torche.

« Rien de bon », fit-elle.

Reacher acquiesça dans le noir. Il la conduisit dehors, sur la piste de roulement, une large bande de terre battue nivelée, comme la piste de décollage. De chaque côté, on trouvait des espaces paysagés d'une centaine de mètres carrés : de petits buissons d'épineux argentés et de grands arbres plantés dans le gravier. Des plantations adaptées à la sécheresse, assez proches du hangar pour avoir de là une vue raisonnable, suffisamment lointaines pour ne pas risquer d'être éclairé par sa lumière. Reacher les désigna du doigt.

« On se met chacun d'un côté. Planque-toi et ne bouge pas jusqu'à ce que je t'appelle. Les lumières de la piste s'allumeront dans ton dos, mais ne t'en fais pas. Elles sont réglées pour éclairer à plat, vers le nord et vers le sud », murmura-t-il.

Elle hocha la tête, il partit à gauche et elle à droite. Elle disparut dans l'obscurité au bout de trois pas. Il atteignit l'espace paysagé de gauche, rampa jusqu'à son centre et s'allongea sur le ventre, entouré de deux buissons et surplombé par un grand arbre. De là, il avait un bon angle de vue sur le hangar. Il se dit que Vaughan devait avoir l'angle de vue complémentaire, dans la direction opposée. À eux deux, ils avaient une vision d'ensemble. Il se plaqua au sol et attendit.

Il entendit l'avion à deux heures cinq du matin. Le monomoteur, au loin, solitaire, ronflait et toussait. Il imagina dans sa tête le phare d'atterrissage, tel qu'il l'avait vu la fois précédente, suspendu dans le ciel, sautillant un peu, approchant du sol. Le bruit se rapprocha, mais il se fit moins fort à mesure que Thurman réduisait les gaz, après avoir repéré sa piste d'atterrissage. Les lumières de piste s'allumèrent. Elles étaient plus vives que ce à quoi Reacher s'attendait. Il se sentit soudain vulnérable. Il vit son ombre projetée, enchevêtrée dans celle des feuilles autour de lui. Il tendit le cou et chercha celle de Vaughan. En vain. Le bruit de moteur s'amplifia. Puis la lumière s'alluma dans le hangar. Elle était très forte. Elle projetait l'ombre grossière du toit à moins de deux mètres de Reacher. Il leva la tête et vit le colosse de l'usine de recyclage debout dans le hangar, une main sur un interrupteur, une ombre géante projetée devant lui, presque assez grande pour que Reacher la touche. Neuf cents mètres plus loin sur la droite, le moteur changea d'allure puis crachouilla. Reacher perçut alors un souffle d'air et sentit un petit choc se répercuter sur le sol au moment où les roues se posaient. Le moteur fit moins de bruit et tourna sourdement au ralenti tandis que l'avion terminait son atterrissage, puis il rugit de nouveau en remontant la piste de roulement. Reacher l'entendit approcher derrière lui, un raffut insupportable. Le sol tremblait et résonnait. L'avion passa entre les deux aires paysagées dans un bruit de tonnerre et les remous de son hélice balayèrent la poussière au sol. Il ralentit, piqua à droite sur la base instable de ses trois roues, fit ronfler fort son moteur, décrivit un cercle serré et vint se placer en position d'arrêt devant le hangar, nez vers l'extérieur. Il tressauta et trembla une seconde, puis le moteur fut coupé, deux coups secs partirent de l'échappement et l'hélice s'arrêta brutalement.

Le silence recouvrit de nouveau les lieux.

Les lumières de piste s'évanouirent.

Reacher ouvrit grands les yeux.

La porte droite de l'appareil s'ouvrit et Thurman se glissa sur la marche de l'aile. Carré, massif, raide, lourd. Il portait encore son costume en laine. Il descendit, fit une pause d'une seconde, puis se dirigea vers la maison.

Il n'avait rien à la main.

Ni sac, ni valise, ni attaché-case, ni un quelconque paquet.

Rien.

Il quitta la zone éclairée par la lumière du hangar et disparut. Le colosse de l'usine de recyclage tira le câble d'acier depuis l'intérieur et l'accrocha à un œillet sous la queue de l'avion. Il retourna près du treuil et appuya sur un bouton. Le moteur électrique geignit et tira lentement l'appareil dans le hangar. Il s'arrêta à sa place de stationnement et le colosse défit le câble avant de le rembobiner à fond. Puis il se faufila derrière l'extrémité de l'aile, coupa les lumières et s'en alla dans la nuit.

Rien dans les mains.

Il n'avait ouvert aucun compartiment, aucun casier, ni tiré quoi que ce soit d'une soute ou d'une nacelle, ni récupéré un quelconque objet dans l'habitacle.

Reacher attendit vingt longues minutes, par sécurité. Il ne s'était jamais attiré d'ennuis pour cause d'impatience et n'avait pas l'intention de commencer aujourd'hui. Lorsqu'il fut certain que tout était calme, il sortit en rampant de la zone paysagée, traversa la piste de roulement et appela Vaughan à mi-voix. Il ne la vit pas. Elle était bien cachée. Elle émergea des ténèbres à ses pieds et l'étreignit brièvement. Ils se rendirent dans le sombre hangar, baissèrent la tête sous l'aile du Piper et se retrouvèrent près du fuselage.

« Bon, maintenant, on sait. Ils exportent quelque chose, mais ne font rien venir, dit Vaughan.

– Oui, mais quoi ? Et vers où ? Quel type d'autonomie a cette machine ?

– Avec le plein ? Entre onze cent cinquante et treize cent cinquante kilomètres. La police d'État avait le même avion, autrefois. Ça dépend de ta vitesse de croisière et de ta façon de prendre de l'altitude.

– Quelle serait la norme ?

– En volant un peu au-dessus du mi-régime, tu pourrais faire treize cents kilomètres à deux cent trente kilomètres à l'heure.

– Il sort sept heures chaque nuit. Donnons-lui une heure au sol, disons six heures en l'air, trois à l'aller, trois au retour, ça nous fait un rayon de six cents kilomètres. Un cercle de plus d'un million de kilomètres carrés au sol.

– Ça fait un sacré bout de terrain.

– Peut-on déduire quelque chose de sa ligne d'approche ? »

Vaughan secoua la tête.

« Il faut qu'il s'aligne avec la piste et qu'il atterrisse face au vent.

– Je ne vois aucune citerne d'essence ici. Donc, il a fait le plein à l'autre bout. Donc, il va quelque part où l'on peut faire son plein à dix ou onze heures du soir.

– Ça fait un paquet d'endroits, dit Vaughan. Les aérodromes municipaux, les aéroclubs. »

Reacher acquiesça. Il dessina une carte dans sa tête et énuméra : *le Wyoming, le Dakota du Sud, le Nebraska, le Kansas, une partie de l'Oklahoma, une autre du Texas, le Nouveau-Mexique, le coin nord-est de l'Arizona, l'Utah.* En supposant toujours que Thurman ne se contentait pas de voler une heure et d'en passer cinq à dîner quelque part, tout près dans le Colorado.

« On va devoir le lui demander, dit Reacher.

– Tu crois qu'il nous le dira ?

– Il finira bien par le dire. »

Ils repassèrent sous l'aile de l'avion en baissant la tête et reprirent le même chemin qu'à l'aller jusqu'au mur. Une minute plus tard, ils étaient dans la voiture, suivant l'image verte et blafarde des traces des Tahoe, dans le sens inverse des aiguilles d'une montre, et contournaient l'usine de recyclage de métaux, jusqu'à l'endroit où Reacher avait décidé de s'introduire par effraction.

CINQUANTE-CINQ

Le mur métallique blanc était chaud comme la braise au sud et plus froid au nord. Vaughan en suivit le pourtour et s'arrêta après avoir roulé sur un quart de son côté nord. Puis elle vira sec à gauche, rebondit sur les bosses, avança lentement vers le mur et s'arrêta de nouveau, le pare-chocs presque collé dessus. La moitié avant du capot était juste sous le cylindre métallique au-dessus du mur. La base du pare-brise se trouvait environ un mètre cinquante sous et soixante centimètres en avant de son renflement maximal.

Vaughan ne bougea pas de son siège tandis que Reacher sortait et tirait l'échelle de la banquette arrière. Il l'étala par terre, la déplia et la régla en forme de « L » renversé. Puis il fit une estimation au jugé, élargit l'angle un peu au-dessus de quatre-vingt-dix degrés et verrouilla toutes les articulations. Il la souleva en l'air, en coinça les pieds dans la rigole à la base du pare-brise de la Crown Victoria, là où le bord du capot recouvrait les essuie-glaces. Il la laissa retomber en avant, en douceur. Elle toucha le mur en faisant un petit bruit de métal, d'aluminium sur de l'acier peint. La branche la plus longue du L était presque à la verticale. La plus courte touchait le haut du cylindre, presque à l'horizontale.

« Recule de trente centimètres », chuchota-t-il.

Vaughan bougea la voiture et la base de l'échelle recula à un angle plus favorable, tandis que le sommet descendait d'autant et se retrouvait parfaitement à plat.

« J'adore les quincailleries, fit Reacher.

– Je croyais que ce genre de mur était censé être infranchissable.

– On n'est pas encore de l'autre côté.

– Mais on en est proche.

– Normalement, ils sont équipés de miradors et de projecteurs, pour être sûrs que les gens ne viennent pas avec des voitures et des échelles. »

Vaughan coupa le contact et serra fort le frein à main. L'écran de l'ordinateur s'éteignit et ils durent revenir à ce qui était visible à l'œil nu, c'est-à-dire rien du tout. Vaughan emporta sa torche et Reacher prit le pied-de-biche dans le coffre. Il se hissa sur le capot, se retourna et s'accroupit sous le renflement du cylindre. Il avança jusqu'à la base du pare-brise, se retourna de nouveau et entreprit l'ascension de l'échelle. Le pied-de-biche dans la main gauche, il agrippa les barreaux de la droite. L'aluminium frémit contre l'acier et renvoya d'étranges échos dans les creux de la paroi. Reacher ralentit pour atténuer le bruit, atteignit le coude, se pencha et rampa sur les mains et les genoux sur la courte branche horizontale du L. Il se décala sur le côté et se retrouva les bras écartés comme une étoile de mer, au sommet du cylindre. Un mètre quatre-vingts de diamètre, près de six mètres de circonférence, effectivement assez plat pour passer, mais suffisamment courbe pour présenter un danger. Sans compter cette peinture blanche luisante et glissante. Il leva la tête avec précaution et jeta un regard aux alentours.

Il se trouvait à un mètre quatre-vingts d'où il aurait voulu être.

La pyramide de bidons était à peine visible dans l'obscurité, moins de deux mètres à l'ouest. Son sommet était environ à deux mètres cinquante au sud et quarante-cinq centimètres au-dessous du sommet du mur. Il fit des mouvements de crawl vers l'avant et attrapa l'échelle. Elle glissa vers lui. Aucune résistance. Il appela Vaughan en bas : « Monte sur le premier barreau. »

L'échelle se tendit sous le poids de la jeune femme. Il se propulsa lentement dans sa direction, passa par-dessus, se retourna et s'étendit de l'autre côté. Maintenant, il était exactement là où il le voulait.

« Monte », lança-t-il.

Il vit l'échelle se tendre, osciller et bouger un peu tandis que l'étrange écho plaintif résonnait de nouveau. Puis la tête de Vaughan apparut. Elle fit une pause, prit ses repères, passa l'angle, quitta l'échelle et s'installa à la place qu'il venait de libérer, mal à l'aise, les bras en croix. Il lui tendit le pied-de-biche et hissa l'échelle sur le côté, avec des gestes gauches, en croisant et décroisant les mains jusqu'à ce que l'objet repose en équilibre approximatif sur le haut du cylindre. Il jeta un coup d'œil sur la droite, dans l'arène, et tira l'échelle un peu plus près de lui avant de la glisser de l'autre côté du mur, jusqu'à ce que le petit côté du L repose sur un bidon à deux étages du sommet. La branche la plus longue descendait en pente douce entre le mur et la pyramide, tel un pont.

« J'adore les quincailleries, répéta-t-il.

– J'adore le plancher des vaches », dit Vaughan.

Il lui reprit le pied-de-biche, tendit les bras et attrapa les bords de l'échelle. Il les poussa fort vers le bas pour s'assurer qu'ils étaient bien calés. Puis il fit porter tout son poids sur les bras, comme pour une traction à la barre fixe, et laissa glisser ses jambes sur le cylindre. Il se contorsionna pour s'allonger sur l'échelle. Il posa alors les pieds sur les barreaux et descendit, en arrière, le cul en l'air, là où la pente était douce, et dans une position plus normale après le coude. Il posa le pied sur le bidon et jeta un coup d'œil autour de lui. Rien à signaler. Il tint fermement son bout d'échelle et appela Vaughan : « À ton tour. »

Elle descendit de la même manière que lui, les fesses en l'air comme un singe, puis plus ou moins à la verticale après le coude, et elle termina sur le bidon, entre les bras écartés de Reacher, toujours posés sur l'échelle. Il les laissa ainsi une minute, puis il bougea et dit : « Maintenant c'est facile. Comme des marches d'escalier. »

Ils descendirent la pyramide en s'aidant de leurs mains. Les bidons vides résonnaient doucement. Ils mirent pied sur le terrain collant et s'éloignèrent en faisant crisser le sol sous leurs pas. Reacher marqua un temps d'arrêt, puis il se dirigea au sud-ouest.

« Par ici », dit-il.

Ils franchirent les quatre cents mètres jusqu'à l'entrée des camions en moins de cinq minutes. Les Tahoe blancs étaient garés sur un côté, serrés tout proche, et une file de cinq semi-remorques à plateau s'étirait de l'autre. Pas le moindre véhicule tracteur accroché. Juste les remorques, calées sur l'avant par leurs maigres béquilles Quatre faisaient face à l'extérieur, vers la porte. Chargées de barres d'acier. Des produits finis prêts à être expédiés. La cinquième pointait l'avant vers l'intérieur, vers l'usine elle-même. Elle était chargée d'un conteneur d'expédition fermé de couleur sombre, peut-être bleu, avec les mots CHINA LINES peints au pochoir. De la ferraille. Reacher y jeta un rapide coup d'œil, sans s'arrêter, et continua son chemin vers la rangée de bureaux. Vaughan marchait à son côté. Ils ignorèrent le gourbi de la sécurité, le bureau personnel de Thurman, ceux marqués « Exploitation », « Achats » et « Facturation », ainsi que la première infirmerie peinte en blanc. Ils s'arrêtèrent devant la seconde.

« Une nouvelle visite au malade ? » dit Vaughan.

Reacher opina du chef.

« Il pourrait parler, sans la présence de Thurman.

– La porte est peut-être fermée à clé. »

Reacher souleva son pied-de-biche.

« J'ai une clé », fit-il.

Mais la porte n'était pas fermée à clé. Et l'adjoint malade ne parlerait pas. L'adjoint malade était mort.

Le type était toujours bien bordé sous le drap, mais il avait rendu son dernier souffle quelques heures auparavant. C'était clair. Peut-être l'avait-il rendu tout seul. Il avait l'air laissé à lui-même. Sa peau était froide, raide et cireuse. Il avait le regard voilé, les yeux grands ouverts. Ses rares cheveux étaient en désordre, comme s'il s'était tourné et retourné sur l'oreiller, sans force, à la recherche de compagnie ou de réconfort. Son relevé médical n'avait pas été complété ni modifié depuis la dernière visite de Reacher. La longue liste de symptômes et de problèmes y figurait toujours, sans solution, et apparemment sans diagnostic.

« Le TCE ? fit Vaughan.

– Ça se pourrait », dit Reacher.

On fait notre possible, avait dit Thurman. *On espère qu'il va aller mieux. Je le ferai emmener demain à l'hôpital de Halfway.*

Salaud, pensa Reacher.

« Ça pourrait arriver à Hope, dit Vaughan. On a besoin de données pour Colorado Springs. Pour le labo.

– Nous sommes là pour ça », fit Reacher.

Ils restèrent un instant de plus au chevet du lit, puis ils s'en allèrent. Ils refermèrent doucement la porte, comme si ça importait au type à l'intérieur, descendirent les marches et remontèrent la rangée de baraquements jusqu'au bureau marqué « Achats ». Sa porte était barrée par un cadenas passé dans un loquet. Le cadenas était costaud, le loquet aussi, mais les vis qui fixaient le loquet sur le chambranle étaient faibles. Elles cédèrent sous un poids à peine supérieur à celui du pied-de-biche. Elles sortirent du cadre de bois, tombèrent par terre et laissèrent la porte s'ouvrir de deux centimètres. Vaughan alluma la torche et en cacha le rayon au creux de sa main. Elle entra la première. Reacher la suivit, ferma la porte et la bloqua avec une chaise.

À l'intérieur se trouvaient trois bureaux, trois téléphones et un mur entier de meubles de rangement de trois tiroirs de hauteur, peut-être un mètre de haut. Quatre mètres cubes de commandes, selon la calculatrice dans la tête de Reacher.

« Par où commençons-nous ? murmura Vaughan.

– Essaie “T”, pour TCE. »

Les tiroirs du T étaient situés aux quatre cinquièmes de l'ensemble, ainsi que le dictaient le bon sens et l'alphabet. Ils étaient pleins de papiers. Mais aucun ne faisait référence au trichloréthylène. Tout était classé par nom de fournisseur. Dans les tiroirs ne figuraient que des entreprises du nom de Tri-State, Thomas, Tomkins et Tribune. Tri-State avait renouvelé une police d'assurance incendie huit mois auparavant. Thomas était une compagnie de télécom qui avait fourni quatre nouveaux mobiles, trois mois plus tôt, et Tribune livrait du filin d'attache, toutes les deux semaines. Autant d'activités essentielles au bon fonctionnement de cette usine de recyclage, sans aucun doute, mais rien de nature chimique.

« Je commence par les A, fit Vaughan.

– Et moi, par le Z. On se retrouve à M ou à N, sinon plus tôt. »

Vaughan alla plus vite que Reacher. Elle avait la torche. Il devait se contenter des quelques rais de lumière qui s'échappaient à l'autre bout des tiroirs. Certaines choses n'avaient évidemment rien à voir. Tout ce qui l'intriguait, il lui fallait le sortir pour l'examiner de plus près. Un travail lent et fastidieux. Son horloge interne continuait de tourner, sans répit. Il commença à redouter l'aube. Elle n'était plus très loin. Un moment, il découvrit une commande pour des milliers de litres d'un produit, mais, en regardant de plus près, il vit qu'il ne s'agissait que d'essence et de diesel. Le fournisseur était Western Energy, dans le Wyoming, et l'acheteur Thurman Metals, de Despair dans le Colorado. Il refourra les papiers à leur place et passa aux tiroirs du V, sur sa gauche. Le premier dossier qu'il sortit concernait des fournitures médicales. Solution saline, poches à perfusion, potences à perfusion, des produits divers. Des faibles quantités, suffisantes pour un petit service.

Le fournisseur était Vernon Medical, de Houston au Texas.

L'acheteur était Olympic Medical, de Despair dans le Colorado.

Reacher tendit le papier à Vaughan. Une commande officielle, sur papier à en-tête de l'entreprise, orné du même logo qu'ils avaient vu deux fois sur les panneaux au sud de Colorado Springs. Adresse du siège social, dans l'usine de recyclage, deux baraquements plus loin.

« Thurman est le propriétaire d'Olympic, dit Reacher. Là où est ton mari. »

Vaughan resta un long moment sans répondre. Puis elle dit :

« Je ne crois pas que ça me plaise.

– Moi non plus, ça ne me plairait pas.

– Il faudrait que je le sorte de là.

– Ou qu'on éjecte Thurman.

– Comment ?

– Continue à fouiller. »

Ils firent une pause d'une seconde puis se remirent à l'ouvrage. Reacher passa les V en revue, puis les U, et sauta les T, puisqu'ils les avaient déjà vérifiés. Il apprit que le fournisseur d'oxy-acétylène de Thurman s'appelait Utah Gases et son fournisseur de kérosène Union City Fuels. Il ne trouva aucune référence au trichloréthylène. Il ouvrait le dernier tiroir des S quand Vaughan dit : « Je l'ai. » Elle venait d'ouvrir le premier tiroir des K.

« Kearny Chemical, dans le New Jersey, dit-elle. L'historique des commandes de TCE des sept dernières années. »

Elle sortit l'ensemble du dossier suspendu du tiroir, pointa la lumière de la torche dessus et commença à le feuilleter du pouce. Reacher vit le mot « trichloréthylène » s'afficher un bon nombre de fois, sauter partout dans la page comme un flip-book mal dessiné par un enfant.

« Embarque tout, dit-il. On additionnera les quantités plus tard. »

Vaughan coinça le dossier sous son bras et referma le tiroir d'un coup de hanche. Reacher déplaça la chaise et ouvrit la porte, puis ils sortirent ensemble dans le noir. Reacher s'arrêta, se servit de la torche pour repérer les vis par terre et les remettre dans leurs trous avec son pouce. Elles tenaient vaguement et donnaient au cadenas un aspect intact. Puis il suivit Vaughan qui reprit le même chemin qu'à l'aller, longeant le baraquement « Exploitation », les quartiers de Thurman, la sécurité. Ensuite ils contournèrent le conteneur de la China Lines pour se diriger vers le grand espace dégagé.

Alors Reacher stoppa net.

Il se retourna.

« La torche », fit-il.

Vaughan la lui tendit et il l'alluma, puis balaya de son rayon les flancs du conteneur. Il les dominait de sa masse, énorme, irréel dans cette soudaine lumière, couché sur sa remorque comme s'il était suspendu dans les airs. Douze mètres de long, ondulé, métallique, une boîte. Complètement ordinaire sous tous les rapports. On y avait peint CHINA LINES en grosses lettres d'un blanc sale, plus une rangée de caractères chinois les uns sous les autres, plus une série de chiffres et d'identifiants au pochoir dans un coin inférieur.

Et un mot, écrit à la main, en capitales, à la craie.

On aurait dit « CARS ». Des voitures.

Reacher se rapprocha. L'extrémité du conteneur utilisée pour le chargement ou le déchargement avait une double porte, barrée comme d'habitude par quatre leviers de trente centimètres opérant sur quatre pênes massifs qui couraient sur toute la hauteur du conteneur et s'enfichaient dans des dormants placés en haut et en bas. Les leviers étaient tous repoussés en position de fermeture. Trois étaient juste emboîtés dans leur socle, mais le quatrième était fermé avec un cadenas et scellé par une étiquette en plastique reconnaissable de loin.

« C'est une livraison qui vient d'arriver, fit Reacher.

– Oui, j'imagine. Il fait face à l'intérieur de l'usine.

– Je veux voir ce qu'il contient.
– Pourquoi ?
– Je suis curieux.
– Ce sont des voitures, à l'intérieur. Comme dans toutes les ferrailles. »
Il acquiesça dans l'obscurité.
« J'en ai vu arriver. Des États voisins, sanglées dans des ridelles ouvertes. Pas enfermées à clé dans des conteneurs. »
Vaughan se tut un instant.
« Tu crois que ce serait du matériel militaire qui vient d'Irak ?
– C'est possible.
– Je ne veux pas voir ça. Il pourrait s'agir de Hummer. Ce sont avant tout des voitures. Tu l'as dit toi-même. »
Il fit encore oui de la tête.
« Ce sont avant tout des voitures. Mais personne ne les désigne jamais ainsi. Certainement pas les gens qui ont effectué ce chargement.
– S'il vient d'Irak.
– Oui, s'il en vient.
– Je ne veux pas voir ça.
– Moi, si.
– Il faut qu'on s'en aille. Il est tard. Ou tôt au petit matin.
– Je vais faire vite, dit-il. Ne regarde pas si tu n'en as pas envie. »
Elle s'éloigna dans l'obscurité jusqu'à ce qu'il ne la voie plus.
La torche entre les dents, il se hissa sur la pointe des pieds et coinça le croc du pied-de-biche dans la boucle du cadenas. Il compta, *un, deux*, et, à *trois*, il tira sec dessus de toutes ses forces.
Aucun résultat.
Manœuvrer au-dessus de sa tête réduisait sa prise. Il posa les orteils sur le renfort en saillie au bas du conteneur et se hissa plus haut pour s'attaquer au problème, face à face. Il replaça le pied-de-biche et recommença. *Un, deux, trois*.

Aucun résultat.

De l'acier cémenté, laminé à froid, épais, massif. Un bon cadenas. Il aurait bien aimé avoir un pied-de-biche de un mètre de long. Il envisagea d'aller chercher une chaîne et d'y accrocher un Tahoe. Les clés étaient probablement sur le contact. Mais la chaîne aurait lâché avant le cadenas. Il réfléchit, laissant monter sa frustration. Puis il replaça le pied-de-biche pour un troisième essai. *Un. Deux.* À *trois*, il tira vers le bas avec toute la force de son corps et sauta du rebord pour que tout son poids s'ajoute à la poussée. Un coup des deux poings, appuyé par une masse de cent vingt-cinq kilos en mouvement.

Le cadenas céda.

Il se retrouva sur le dos, les bras en croix dans la poussière. Des éclats de métal incurvés l'atteignirent au front et à l'épaule. Le pied-de-biche rebondit sur le rebord et le toucha au pied. Il s'en fichait. Il remonta, rompit le sceau, repoussa brutalement les leviers de leurs socles et ouvrit les portes. Le métal grinça et craqua. Il alluma la torche et regarda à l'intérieur.

Des voitures.

Les turbulences d'un long voyage en mer les avaient toutes fait glisser sur la droite du conteneur. Il y en avait quatre. Deux empilées sur les deux autres, dans le sens de la longueur. Des marques inconnues. Des modèles inconnus. Des carrosseries aux tons pastel, poussiéreuses, rayées par le sable.

Elles étaient sérieusement amochées. On les avait ouvertes comme des boîtes de conserve, éventrées, décortiquées, écrasées, tordues. Leurs tôles avaient des trous gros comme des poteaux téléphoniques.

Elles arboraient des plaques minéralogiques claires, couvertes de chiffres arabes nettement dessinés. Sur fond blanc cassé, de fins crochets déliés à l'envers, des points noirs en forme de losange.

Reacher se retourna et lança dans le noir : « Pas de Hummer. » Il entendit un pas léger approcher, et Vaughan apparut. Il se pencha, attrapa sa main et la hissa. Debout à ses côtés, elle suivit le rayon de sa torche qui balaya tout l'espace.

« Ça vient d'Irak ? demanda-t-elle.

– Des véhicules civils.

– Des attentats-suicides à la bombe ?

– Elles seraient en bien plus mauvais état. Il n'en resterait pratiquement plus rien.

– Des rebelles, alors, fit-elle. Peut-être ne se sont-ils pas arrêtés à un barrage.

– Pourquoi les amener ici ?

– Je n'en sais rien.

– Les barrages routiers sont défendus par des mitrailleuses. Ces véhicules-là ont été atteints par quelque chose de complètement différent. Examine seulement les dégâts.

– Qu'est-ce qui les a causés ?

– Je n'en suis pas certain. De l'artillerie, peut-être. Une sorte de gros obus. Ou de missile télécommandé.

– Tiré du sol, des airs ?

– Du sol, je crois. Les trajectoires font penser à des impacts bien à plat.

– De l'artillerie sur des voitures particulières ? fit Vaughan. C'est plutôt extrême.

– Tu l'as dit ! ajouta Reacher. Que foutent-ils donc, là-bas ? »

Ils refermèrent le conteneur et Reacher passa la main sur le sable tout autour, en s'éclairant de la torche, jusqu'à ce qu'il récupère le cadenas en pièces. Il lança les morceaux un à un au loin en espérant qu'ils se fondraient dans le désordre ambiant. Puis ils refirent le chemin vers la pyramide de bidons et escaladèrent le mur dans le sens inverse. Celui de la sortie, cette fois-ci. Ce fut tout aussi difficile. Le trajet était parfaitement symétrique. Ils le franchirent, pourtant. Ils redescendirent les degrés de l'échelle, reposèrent le pied sur le capot de la Crown Victoria puis sur la terre ferme.

Reacher plia l'escabeau et le rangea sur la banquette arrière. Vaughan plaça le dossier Kearney Chemical pris à l'ennemi dans le coffre, sous le tapis de sol.

« Pourrions-nous faire le grand tour pour rentrer ? Je ne tiens pas à retraverser Despair, demanda-t-elle.

– On ne rentre pas tout de suite », dit Reacher.

CINQUANTE-SIX

Ils coupèrent les traces des Tahoe, récupérèrent la vieille chaussée en provenance de Despair et la suivirent plein ouest jusqu'à la route des poids lourds. Ils allumèrent leurs phares un kilomètre et demi plus loin. Six kilomètres après, ils passèrent devant la base de la police militaire, à près de quatre heures du matin. Il y avait deux types dans la guérite. Une veilleuse orange éclairait leurs traits par-dessous. Vaughan ne ralentit pas, mais Reacher leur adressa quand même un signe. Les deux hommes ne le lui rendirent pas.

« Où va-t-on ? demanda Vaughan.

– À l'embranchement avec l'ancienne route. On va s'y arrêter.

– Pourquoi faire ?

– On va observer ce qui passe. Je veux confirmer une théorie.

– Quelle théorie ?

– Je ne peux pas te la dire. Je pourrais me tromper et tu ne me respecterais plus. Je préfère qu'une femme me respecte encore au matin. »

Trente minutes plus tard, Vaughan tressauta en quittant l'asphalte noir, fit demi-tour à l'entrée de l'ancienne route et recula sur l'accotement. Quand le soleil se lèverait, ils auraient une vue dégagée sur plus de un kilomètre de chaque côté. Ils seraient loin d'être invisibles, mais tout aussi peu suspects. On trouvait des Crown Victoria garées sur des virages stratégiques partout en Amérique, tout le temps, tous les jours.

Ils entrouvrirent leurs fenêtres pour laisser passer un filet d'air, inclinèrent leurs sièges et s'endormirent. *Deux heures,* estima Reacher, avant qu'il y ait quelque chose à voir.

Reacher se réveilla quand les premiers rayons du soleil frappèrent le coin gauche du pare-brise. Vaughan continua de dormir. Elle était assez petite pour se tourner sur son siège. Elle avait la joue collée contre le revêtement bon marché. Les genoux relevés et les mains serrées au milieu. Elle avait l'air tranquille.

Le premier camion à les dépasser se dirigeait vers l'est, vers Despair. Il s'agissait d'un semi-remorque à plateau immatriculé dans le Nevada à l'avant comme à l'arrière. Il était chargé d'un fatras de ferraille rouillée. Des machines à laver, des séchoirs à linge, des cadres de vélo, des barres d'acier tordues, des panneaux routiers pliés, déformés par les accidents. Le poids lourd les dépassa dans un bruit d'enfer, son échappement pétaradant sous le surplus de pression dans le virage. Puis il disparut, laissant derrière lui une longue traînée d'air brassé dans lequel dansait de la poussière.

Dix minutes plus tard, un second camion passa en coup de vent, un semi à plateau du même type, à cent kilomètres à l'heure, venant du Montana, avec des carcasses automobiles empilées. Ses pneus hurlèrent et Vaughan se réveilla, jeta un coup d'œil autour d'elle et demanda :

« Où en est ta théorie ?

– Rien qui la confirme, jusque-là. Mais rien non plus pour l'infirmer.

– Bonjour.

– Bonjour aussi à toi.

– Bien dormi ?

– Suffisamment. »

Le camion suivant se dirigeait aussi vers l'est, un vilain véhicule militaire à cinq essieux, deux types dans la cabine et un conteneur vert à l'arrière : un transport de fret aux normes de l'OTAN, fabriqué à Oshkosh dans le Wisconsin, aussi élégant qu'une vieille salopette. Sans être petit, il était de moindre taille que les deux semis qui l'avaient précédé. Et moins rapide. Il prit le virage à quatre-vingts kilomètres à l'heure et laissa derrière lui un sillage moins troublé.

« Réapprovisionnement, fit Reacher. Pour la base de la police militaire. Fayots, munitions et pansements, sans doute en provenance de Fort Carson.

– Est-ce que ça renforce ?

– Ça renforce les soldats. Du moins, les fayots. Je ne crois pas qu'ils consomment beaucoup de munitions ou de pansements.

– Je voulais dire, est-ce que ça renforce ta théorie ?

– Non. »

Puis un semi arriva de l'ouest, de Despair. Son plateau était chargé de barres d'acier. Un lourd chargement compact. Le moteur du camion rugissait. L'échappement lançait un long barrissement profond et de la fumée noire montait du pot vertical.

« Un des quatre que nous avons vus la nuit dernière », commenta Vaughan.

Reacher acquiesça.

« Les trois autres ne tarderont pas à suivre. La journée de travail a commencé.

– À cette heure-ci, ils savent que nous avons forcé le conteneur.

– Ils savent que quelqu'un l'a forcé.

– Qu'est-ce qu'ils vont faire ?

– Rien. »

Le second semi apparut à l'horizon. Puis le troisième. Avant que le quatrième ne surgisse, un nouveau camion fila dans la direction opposée. Un transport de conteneur. Chargé d'une boîte bleue des China Lines. Pleine, à en juger par la pression et le gémissement des pneus.

Immatriculé dans le New Jersey.

Reacher hocha la tête sans rien dire. Le véhicule disparut dans la brume matinale et croisa le quatrième camion dans l'autre sens. Vaughan cambra le dos et s'étira, toute droite, des chevilles aux épaules.

« Je me sens bien, fit-elle.

– À juste titre.

– Il fallait que tu saches, pour David.

– Tu n'as pas à t'expliquer », dit Reacher.

Tourné sur son siège, il fixait l'horizon au nord, un kilomètre et demi plus loin. Il distingua une petite forme tremblotante dans la brume. Un camion, encore loin. Tout petit à cause de la distance. Carré, une forme pleine. Un camion de livraison, de couleur marron clair.

« Ouvre grands les yeux, maintenant », dit-il.

Le véhicule mit une minute pour couvrir le kilomètre et demi, puis il les dépassa, moteur hurlant. Deux essieux, ordinaire, compact. Carrosserie marron clair. Aucun logo. Aucune inscription.

Il était immatriculé au Canada, dans l'Ontario.

« Une prédiction, fit Reacher. On va voir ce camion repasser dans l'autre sens, dans à peu près une heure et demie.

– Pourquoi pas ? Le temps de décharger, il rentrera chez lui

– Décharger quoi ?

– Ce qu'il transporte.

– C'est-à-dire ?

– De la ferraille.

– D'où ça ?

– La plus grande ville d'Ontario est Toronto, dit Vaughan. Donc, de Toronto, suivant la loi des probabilités. »

Reacher hocha la tête.

« La route 401 au Canada, l'I-94 pour contourner Detroit l'I-75 après Toledo, l'I-70 jusqu'ici. Ça fait un long bout de chemin.

– Relativement.

– Surtout si l'on considère que le Canada a sans doute ses propres usines de recyclage d'acier. Je sais de source sûre que ce ne sont pas les fonderies qui manquent autour de Detroit et partout dans l'Indiana, pratiquement la porte d'à côté. Pourquoi donc se casser le cul jusqu'ici ?

– Parce que l'usine de Thurman traite les matières rares. C'est toi-même qui le dis.

– L'armée canadienne, c'est trois pékins et un pingouin. Ils conservent probablement leur matériel jusqu'à la saint-glinglin.

– Des épaves militaires, suggéra Vaughan.

– Les Canadiens ne se sont pas engagés en Irak. Ils ont été plus malins.

– Que contient ce camion, alors ?

– À mon avis, rien du tout. »

Ils attendirent. Un bon nombre d'autres camions défilèrent dans les deux directions, mais ils ne présentaient aucun intérêt. Des semi-remorques du Nebraska, du Wyoming, de l'Utah, de l'État de Washington, de Californie, chargés de voitures écrasées, de blocs d'acier compacté, de carcasses de machines rouillées, sûrement d'anciennes chaudières, ou des locomotives ou des morceaux de navires. Reacher les regarda passer avant de détourner les yeux. Il se concentra sur l'horizon à l'est et sur l'horloge dans sa tête. Vaughan sortit prendre le dossier dérobé sous le tapis de sol dans le coffre. Elle enleva les papiers de leur chemise en carton, puis elle les retourna et en fit une pile bien nette sur ses genoux. Elle lécha son pouce et commença par la feuille la plus ancienne. Elle datait d'un peu moins de sept ans. Il s'agissait d'une commande de dix-neuf mille litres de trichloréthylène, à livrer par Kearney Chemical pour Thurman Metals, payés d'avance. La seconde feuille était identique. Tout comme la troisième. La quatrième concernait l'année suivante.

« Cinquante-sept mille litres, la première année. Est-ce que ça fait beaucoup ?

– Je ne sais pas, dit Reacher. On laissera le laboratoire public en juger. »

Les commandes de la seconde année avaient été identiques. Cinquante-sept mille litres. Puis, celles de la troisième année étaient montées en flèche : cinq commandes séparées, pour un total de quatre-vingt-quinze mille litres. Une augmentation de consommation de près de soixante-sept pour cent.

« Le début des grandes opérations de guerre. Les premières carcasses », remarqua Vaughan.

La quatrième année se maintenait à quatre-vingt-quinze mille litres.

La cinquième la reproduisait exactement.

« L'année de David, fit Vaughan. Son Hummer a été rincé par certains de ces litres-là. Ce qu'il en restait. »

La sixième année qu'elle consulta montrait un nouveau saut. Un total de six commandes. Un total de cent quinze mille litres. L'Irak, de pis en pis. Une augmentation de vingt pour cent. Et l'année en cours était en passe de battre ce record. On avait déjà effectué six commandes, alors qu'il restait encore un trimestre entier avant qu'elle se termine. Vaughan fit alors une pause et repassa les six feuilles en revue, une par une, côte à côte.

« Il y en a une qui sort du lot, déclara-t-elle.

– Comment ça qui sort du lot ?

– Une de ces commandes ne concerne pas le trichloréthylène. Et il ne s'agit pas de litres. Ce sont des tonnes, un produit appelé trinitrotoluène. Thurman en a acheté vingt tonnes.

– Quand ça ?

– Il y a trois mois. Ils l'ont peut-être rangée au mauvais endroit.

– Kearney en est le fournisseur ?

– Oui.

– Alors, elle est à sa place.

– Il s'agit peut-être d'une autre sorte de dégraissant.

– Non.

– Tu en as entendu parler ?

– Tout le monde en a entendu parler. Ça a été inventé en Allemagne, en 1863, pour servir de teinture jaune.

– Je ne connais pas, fit Vaughan. Je n'aime pas le jaune.

– Quelques années plus tard, on s'est rendu compte qu'il se décomposait de manière exothermique.

– Qu'est-ce que ça veut dire ?

– Qu'il explose. »

Vaughan se tut.

« Le trichloréthylène est communément appelé TCE, expliqua Reacher. Le trinitrotoluène est communément appelé TNT.

– Ça, j'en ai entendu parler.

– Comme tout le monde.

– Thurman a acheté vingt tonnes de dynamite. Pourquoi ?

– La dynamite, c'est autre chose. Il s'agit de nitroglycérine trempée dans de la pâte à bois et moulée en cylindres enrobés de papier. Le TNT est un composant chimique particulier. Un solide jaune. Bien plus stable. Donc bien plus utile.

– D'accord, mais pourquoi s'en est-il procuré ?

– Je ne sais pas. Peut-être pour démantibuler des engins. Le TNT fond facilement et on peut le couler. C'est ainsi qu'on l'introduit dans des cartouches, des bombes ou des charges creuses. Il s'en sert peut-être à l'état liquide et l'injecte en force dans des veines qu'il n'arrive pas à découper. Il s'est vanté de ses techniques d'avant-garde devant moi.

– Je n'ai jamais entendu la moindre explosion.

– Rien d'étonnant. Tu habites à plus de trente kilomètres de l'usine. De plus, elles sont peut-être limitées, contrôlées.

– Fait-il office de solvant, à l'état liquide ?

– Je n'en suis pas sûr. Il s'agit d'un réactif, c'est tout ce que je sais. Du carbone, de l'hydrogène, de l'azote et de l'hydrogène. Une formule complexe avec plein de six, de trois et de deux.

Vaughan repassa en revue les papiers qu'elle avait déjà examinés.

« En tout cas, il n'en avait jamais acheté auparavant, dit-elle. C'est une nouvelle piste. »

Reacher regarda à travers le pare-brise. Il vit le camion de livraison marron clair revenir dans leur direction. Il se trouvait à moins de un kilomètre. Il ôta le gyrophare rouge du tableau de bord et le prit en main.

« Prépare-toi, fit-il. On va arrêter ce camion.

– On ne le peut pas, dit Vaughan. Nous sommes hors de notre juridiction, ici.

– Le chauffeur ne le sait pas. C'est un Canadien. »

CINQUANTE-SEPT

Bien que simple flic dans une petite ville, Vaughan effectua joliment cette interpellation. Elle démarra la voiture alors que le camion se trouvait encore quatre cents mètres en amont, puis elle enclencha la vitesse. Elle attendit alors que le camion les double, quitta l'ancienne route pour la nouvelle et se cala dans son sillage. Elle resta une centaine de mètres en arrière, pour être bien visible dans ses rétros. Reacher ouvrit sa vitre et colla le gyrophare sur le toit. Vaughan appuya sur un bouton et le gyrophare se mit à clignoter. Elle appuya sur un autre et la sirène couina deux fois.

Durant dix longues secondes, il ne se passa rien.

Vaughan sourit.

« Il arrive, fit-elle, le moment "*Qui ? Moi ?*". »

Le camion commença à ralentir. Le chauffeur leva le pied et la cabine s'inclina de quelques degrés vers l'avant tandis que le poids et l'inertie pesaient sur l'essieu avant. Vaughan avança de cinquante mètres et glissa sur la gauche jusqu'au milieu de la route. Le camion alluma son clignotant. Il continua d'avancer puis freina sec et visa un endroit où l'accotement était assez large. Vaughan le dépassa, se replaça devant, et les deux véhicules s'arrêtèrent, pare-chocs contre pare-chocs au milieu de nulle part, soixante kilomètres de route en plein désert derrière eux, et davantage devant.

« Le fouiller enfreindrait la loi, dit-elle.

– Je sais. Dis seulement au type de ne pas bouger, cinq minutes. On le laissera repartir quand on aura fini.

– Fini quoi ?

– On va le scanner. »

Vaughan sortit et s'approcha de la fenêtre du chauffeur, la démarche martiale. Elle discuta un instant puis fit demi-tour.

« Recule jusqu'à l'accotement opposé, à angle droit. Il faut qu'on ait tout le camion de profil avec la caméra », dit Reacher.

Vaughan vérifia la route devant et derrière elle, puis recula, avant de traverser en marche arrière en décrivant une grande courbe et de venir se positionner perpendiculairement sur l'accotement d'en face, l'avant de la voiture pointé en plein milieu des flancs du camion. C'était un véhicule tout simple, sans fioriture. Un capot court, une cabine, deux traverses jumelles qui couraient jusqu'à l'arrière, une caisse rigide rivée dessus, revêtue d'un alliage avec des ondulations tous les trente centimètres pour lui donner plus de résistance et de fermeté. Peinture marron clair, aucune inscription.

« La caméra », fit Reacher.

Vaughan tapa sur quelques touches de l'ordinateur et l'écran s'alluma sur une image du camion.

« Il nous faut une image thermique.

– Je ne sais pas si ça marche en plein jour », répondit Vaughan.

Elle tapa sur d'autres touches et l'écran se mit à briller, tout blanc. Aucun détail. Aucune définition. Tout était chaud.

« Réduis la sensibilité. »

Elle frappa quelques touches et l'écran baissa en luminosité. Devant elle, derrière le pare-brise, la vision en temps réel ne bougea pas, mais l'image sur l'écran se réduisit à presque rien avant de réapparaître en vert blafard. Vaughan tâtonna jusqu'à ce que la surface de la route et la plaine en arrière-plan fassent un fond gris à peine visible. Le camion lui-même ressortait dans une centaine de nuances de vert. Le capot était chaud, son centre brillant, là où se trouvait le moteur. Le pot d'échappement dessinait une ligne éclatante, avec des gaz verts qui scintillaient en nuages à son extrémité. Le différentiel arrière était brûlant et les pneus chauds. La cabine l'était également : une masse verte uniforme, avec une légère surbrillance à l'endroit où le chauffeur assis attendait.

La caisse était froide à l'arrière, jusqu'à ce qu'elle se réchauffe soudain dans le dernier quart de sa longueur. Une partie d'un mètre cinquante de long, juste derrière la cabine, brillait fortement.

« Réduis-la encore un peu. »

Vaughan tapota une touche jusqu'à ce que les pneus virent au gris et se fondent avec la route, puis jusqu'à ce que les gris virent au noir et que l'image se réduise à cinq éléments désincarnés dans deux nuances de vert. Le moteur, brûlant. Le pot d'échappement, brûlant. La boîte de différentiel, chaude. La cabine, chaude.

Le premier mètre cinquante dans la caisse, chaud.

« Ça me rappelle le mur autour de l'usine de recyclage. Plus chaud à un bout qu'à l'autre », dit Vaughan.

Reacher acquiesça. Il tendit le bras par la fenêtre, fit signe au chauffeur d'y aller et décrocha le gyrophare sur le toit. Le camion avança par à-coups, le temps que les vitesses s'enclenchent, puis il traversa la bande d'arrêt d'urgence, se remit tout droit sur la voie et s'éloigna lourdement, avec lenteur : première, seconde puis troisième. L'écran afficha un panache brillant de gaz d'échappement brûlants qui gonfla, tourbillonna en un nuage vert citron avant de refroidir et de se dissiper.

« Que venons-nous de voir, au juste ? demanda Vaughan.

– Un camion en route pour le Canada.

– C'est tout.

– Tu as vu comme moi.

– Est-ce que c'est en partie ta théorie ?

– C'est pratiquement l'ensemble.

– Tu veux m'en dire davantage ?

– Plus tard.

– Comment ça, plus tard ?

– Quand il sera à l'abri de l'autre côté de la frontière.

– Pourquoi à ce moment-là ?

– Parce que je ne veux pas te mettre dans une position délicate.

– Pourquoi ?

– Parce que tu es policière.

– Tu veux m'éviter des ennuis, maintenant ?

– J'essaie d'en éviter à tout le monde. »

Ils firent demi-tour et revinrent à l'embranchement avec l'ancienne route. Ils sentirent un cahot à la fin du revêtement neuf et continuèrent leur chemin, cette fois-ci, en passant entre les deux fermes en ruine, jusqu'à la ville de Halfway. Ils l'atteignirent à dix heures du matin. Ils s'arrêtèrent d'abord au café-restaurant pour prendre un petit déjeuner tardif. Puis dans un Holiday Inn où ils prirent une chambre quelconque aux murs blanc cassé, se douchèrent, firent l'amour et s'endormirent. Ils se réveillèrent à quatre heures de l'après-midi et firent de même, dans l'ordre inverse, comme dans un film projeté à l'envers. Ils refirent l'amour, prirent une nouvelle douche, payèrent l'hôtel, retournèrent au café-restaurant pour y avaler un dîner précoce. Sur le coup de cinq heures et demie, ils étaient de nouveau en voiture, direction plein est, la route du retour vers Despair.

Vaughan était au volant. Le soleil couchant était dans son dos et brillait dans ses rétroviseurs. Il se reflétait en un rectangle de lumière sur son visage. La route des poids lourds était raisonnablement chargée dans les deux sens. L'usine de recyclage plus loin continuait à aspirer des matériaux et à en recracher. Reacher observa les plaques d'immatriculation. Il en vit de tous les États voisins du Colorado, plus un camion avec un conteneur du New Jersey qui sortait de l'usine, sans doute vide, et un semi-remorque à plateau de l'Idaho qui s'y rendait en grognant sous le poids d'un chargement de plaques d'acier rouillées.

Les plaques d'immatriculation, pensa-t-il.

« J'ai fait la guerre du Golfe, la première. Je t'en ai parlé, hein ? »

Vaughan hocha la tête.

« Tu as porté la même tenue de combat tous les jours pendant huit mois. Dans la chaleur. Quelle image ragoûtante. Moi qui ne me suis déjà pas sentie à l'aise en me rhabillant avec ces affaires-là.

– On a passé l'essentiel du temps en Arabie Saoudite et au Koweït, bien sûr. Mais il y a eu quelques incursions secrètes en Irak même.

– Et alors ?

– Je me souviens que leurs plaques d'immatriculation étaient argentées. Mais celles qu'on a vues hier soir dans ce conteneur étaient blanc cassé.

– Ils les ont peut-être changées, depuis le temps.

– Peut-être que oui. Peut-être que non. Ils ont peut-être eu d'autres chats à fouetter.

– Tu crois que ces voitures ne venaient pas d'Irak ?

– Je crois qu'ils ont des plaques blanc cassé en Iran.

– Qu'affirmes-tu là ? On se bat en Iran sans que personne le sache ? Ce n'est pas possible.

– On se battait au Cambodge sans que personne le sache. Mais je crois plutôt qu'il s'agit d'une bande d'Iraniens qui passent tous les jours à l'ouest, en Irak, pour participer aux réjouissances. Un peu comme s'ils se rendaient tous les jours au travail, peut-être. Peut-être les arrête-t-on à la frontière. À coups de canon.

– C'est très dangereux.

– Pour les passagers, sans aucun doute.

– Pour le monde entier, fit Vaughan. On a déjà assez d'ennuis comme ça. »

Ils passèrent devant la base de la police militaire, juste avant six heures et quart. Propre, tranquille, sans rien qui bouge, six Hummer au parking, quatre hommes dans la guérite à l'entrée. Tout en ordre, et récemment ravitaillée.

En quoi ?

Ils ralentirent sur les huit derniers kilomètres pour essayer d'arriver au bon moment. Le trafic sur la route était désormais nul. L'usine était fermée. Les lumières éteintes. Les derniers retardataires rentraient vraisemblablement chez eux, à l'est. Les Tahoe étaient vraisemblablement garés pour la nuit. Vaughan prit à gauche la vieille route qui menait à Despair, puis elle retrouva les ornières, dans la pénombre grandissante, et les suivit comme la nuit précédente, au-delà du croisement du grand huit, jusqu'au point derrière le hangar de l'avion. Elle se gara et, alors qu'elle allait retirer la clé de contact, Reacher mit sa main sur son poignet et déclara :

« Cette partie-là, je dois la faire seul.

– Pourquoi ?

– Parce que ce doit être un face-à-face. Ça pourrait tourner au vinaigre. Le problème, c'est que, toi, tu vis dans le coin, pas moi. Tu es policière dans la ville voisine, avec un paquet d'années de service devant toi. Tu ne peux pas te permettre d'entrer par effraction partout dans les environs.

– Je l'ai déjà fait.

– Mais personne ne le sait. Donc, ça passe. Cette fois-ci, ça ne passera pas.

– Tu me mets de côté ?

– Attends sur la route. Au moindre pépin, file chez toi et laisse-moi me débrouiller pour rentrer. »

Il laissa l'échelle, le pied-de-biche et la torche là où ils étaient dans la voiture. Mais il emporta sur lui les crans d'arrêt pris à l'ennemi. Il en mit un dans chaque poche, par précaution.

Puis il traversa cinquante mètres à travers les broussailles et escalada le mur en pierre apparente.

CINQUANTE-HUIT

Il faisait encore trop clair pour que ce soit la peine de se cacher. Reacher se contenta de se coller au mur en planches du hangar, près du coin en façade, sur le côté aveugle et loin de la maison. Il sentit l'odeur de l'avion. Métal froid, huile, hydrocarbures non consumés dans les réservoirs. Son horloge interne lui dictait qu'il était sept heures moins une du soir.

Il entendit des pas à sept heures une.

Des grands pas, une démarche lourde. Le colosse de l'usine venait trafiquer quelque chose. La lumière s'alluma dans le hangar. Un grand rectangle éclatant, éblouissant déborda au-dehors, avec les ailes et les pales de l'hélice en ombres projetées.

Rien d'autre pendant deux minutes.

Puis des pas, plus lents. Plus courts. Un homme plus âgé, bien chaussé, bedonnant, qui luttait contre les courbatures et boitait pour cause d'articulations douloureuses.

Reacher inspira profondément et émergea du coin du hangar, en pleine lumière.

Le colosse de l'usine se tenait derrière l'aile du Piper, aux ordres, tel un serviteur ou un majordome. Thurman était dans l'allée, arrivant de chez lui. Il avait mis son costume en laine. Il portait une chemise blanche et une cravate bleue.

Il portait un petit carton.

Le carton était de la taille d'un pack de bières. Il n'y avait rien d'écrit dessus. Aucune marque distinctive. Il était fermé, ses rabats repliés les uns sur les autres. Il ne pesait pas lourd.

Thurman le tenait à deux mains, devant lui, avec respect mais sans effort. Il s'arrêta net dans l'allée, mais n'ouvrit pas la bouche. Reacher le vit chercher ses mots puis abandonner. Il combla donc lui-même ce silence.

« Bonsoir, braves gens.

– Vous m'aviez dit que vous vous en alliez, dit Thurman.

– J'ai changé d'avis.

– Vous êtes entré sans autorisation.

– Probablement.

– Maintenant, il faut vous en aller.

– J'ai déjà entendu ça.

– J'étais sérieux et je le suis encore.

– Je partirai après avoir vu ce qu'il y a dans cette boîte.

– Pourquoi voulez-vous le savoir ?

– Parce que je serais curieux de savoir quel bien appartenant à l'Oncle Sam vous sortez d'ici en contrebande toutes les nuits. »

Le colosse de l'usine se fraya un passage derrière l'aile du Piper, sortit du hangar et se posta entre Reacher et Thurman, plus près de Thurman que de Reacher. Deux contre un, aucune ambiguïté. Thurman regarda droit vers Reacher, par-dessus l'épaule du grand type, et dit : « Vous dérangez. » Ce qui sembla à Reacher un choix de terme étrange. *Vous vous mêlez de ce qui ne vous regarde pas, vous n'avez aucun droit à être ici, vous tombez comme un cheveu sur la soupe*, il aurait compris.

« Je dérange quoi ?

– Vous voulez que je le flanque dehors ? » demanda le colosse à son patron.

Reacher vit Thurman réfléchir à sa réponse. Sa réflexion se lisait à livre ouvert, une sorte de calcul à long terme qui dépassait de loin le résultat positif ou négatif d'une bagarre de deux minutes devant un hangar d'avion. Comme si le vieux bonhomme la jouait stratégique et réfléchissait huit coups à l'avance.

« Qu'y a-t-il dans ce carton ? fit Reacher.

– Est-ce que je nous en débarrasse ? dit le grand type.
– Non, qu'il reste, fit Thurman.
– Qu'y a-t-il dans ce carton ? répéta Reacher.
– Rien qui appartienne à l'Oncle Sam. Mais plutôt à Dieu.
– Dieu vous envoie du métal ?
– Rien de métallique. »

Thurman resta figé une seconde. Puis il passa devant son sous-fifre, tenant toujours le carton à deux mains devant lui, tel un sage apportant un cadeau. Il s'agenouilla et le déposa aux pieds de Reacher. Puis il se redressa et fit un pas en arrière. Reacher baissa les yeux. Dans l'absolu, le paquet était peut-être piégé, à moins qu'on ne veuille lui flanquer un coup sur la tête quand il se baisserait. Il sentit pourtant que l'un comme l'autre tenaient de l'improbable. Les instructeurs de Fort Rucker disaient : *Soyez sceptique, mais pas trop*. Trop de scepticisme mène à la paranoïa et à la paralysie.

Reacher s'agenouilla devant la boîte.

Il défit les rabats entrecroisés.

Il les souleva.

Le carton contenait du papier journal en bouchon et un petit flacon en plastique calé au milieu. Le flacon était de ceux communément utilisés dans le domaine médical : stérile, presque transparent, avec un capuchon à vis. Un flacon de test d'urine ou d'autres sécrétions corporelles. Reacher en avait vu des centaines.

Ce flacon était au quart rempli de poudre noire.

Une poudre plus granuleuse que le talc, plus fine que le sel.

« Qu'est-ce que c'est ? demanda Reacher.
– Des cendres, répondit Thurman.
– Qui proviennent d'où ?
– Accompagnez-moi et vous le verrez.
– Vous accompagner ?
– Prenez l'avion avec moi, cette nuit.
– Êtes-vous sérieux ? »

Thurman hocha la tête.

« Je n'ai rien à cacher. Et je suis un homme patient. Ça ne me dérange pas de prouver mon innocence, encore et toujours, s'il le faut. »

Le colosse aida Thurman à monter sur l'aile et le regarda se plier pour passer l'étroite porte. Puis il lui tendit le carton. Thurman le prit et le déposa sur le siège arrière. Le grand type fit un pas en arrière et laissa Reacher se débrouiller pour monter. Reacher se baissa, passa les jambes en premier et réussit à se faufiler dans le siège du copilote. Il referma la porte d'un coup sec et se tortilla pour être aussi confortablement installé que possible, puis il boucla son harnais de sécurité. À ses côtés, Thurman boucla le sien et appuya sur un paquet de boutons. Des cadrans s'éclairèrent, des pompes se mirent à tourner, et la carlingue tout entière se tendit et vibra. Puis Thurman appuya sur l'allumage, le pot d'échappement crachota, les pales de l'hélice firent un quart de tour brutal et le moteur se mit alors en marche en rugissant, tandis que l'hélice tournait et que l'habitacle se remplissait de vacarme et de furieuses vibrations. Thurman ôta le frein, mit les gaz, et l'avion avança maladroitement, collé au sol, en piquant un peu à droite et à gauche. Il sortit du hangar en se dandinant, comme un canard. La poussière volait tout autour. L'avion progressa jusqu'à la piste de roulement, l'hélice à haut régime, les roues au ralenti. Reacher observa les mains de Thurman. Il manipulait les commandes comme un vieux au volant, carré dans son siège, nonchalant, en terrain connu, avec des automatismes, des petits gestes brefs issus d'une longue pratique.

La piste de roulement débouchait, par deux virages délicats, à l'extrémité nord de la piste de décollage. Les lumières étaient allumées. Thurman centra l'appareil sur la bande de terrain nivelée, mit pleins gaz, puis la vibration se transmit de la cabine au moteur, tandis que les roues frappaient plus vite le sol. Reacher se retourna et observa le carton qui glissait vers l'arrière du siège, sous le dossier. Il regarda devant et vit la terre éclairée en bas et les ténèbres en haut se rapprocher à toute vitesse. Puis l'avion se fit léger, son nez se releva et l'horizon se déroba au loin. L'appareil se fraya péniblement un chemin dans le ciel nocturne, monta, vira, puis Reacher jeta un œil vers le bas et il vit s'éteindre les lumières de piste, puis celles du hangar. Sans elles, on ne voyait pratiquement rien. Les murs qui entouraient l'usine de recyclage étaient à peine visibles : un gigantesque rectangle blanc dans le couchant.

L'avion monta encore sèchement pendant une minute, se stabilisa, et Reacher fut projeté en avant contre les sangles de son harnais. Il regarda le tableau de bord et vit l'altimètre afficher deux mille pieds. La vitesse de vol tournait autour de deux cents kilomètres à l'heure. L'indicateur de cap était au sud-est. La jauge de carburant était plus qu'à moitié pleine. L'assiette était bonne. L'horizon artificiel bien à plat. Il y avait plein de voyants verts, aucun rouge.

Thurman le vit balayer les instruments des yeux et il demanda :

« Avez-vous peur en avion, monsieur Reacher ?

– Non », dit celui-ci.

Le moteur faisait du raffut et les vibrations provoquaient une profusion de couinements et de claquements. Le vent hurlait autour de la carlingue et sifflait par les interstices. Tout compte fait, le petit Piper rappelait à Reacher les vieilles bagnoles que les gens prenaient comme taxi dans les gares de banlieue. Fatiguées, usées jusqu'à la corde, brinquebalantes, mais capables de survivre à la course. Probablement.

« Où allons-nous ? demanda-t-il.

– Vous verrez. »

Reacher observa l'indicateur de cap. Il se maintenait au sud-est. Deux chiffres s'affichaient dans une fenêtre numérique sous l'aiguille. Un affichage GPS : latitude et longitude. Ils se trouvaient sous le quarantième parallèle, à plus de cent degrés ouest. Les deux coordonnées baissaient lentement, de concert. Sud et est, une vitesse modérée. Il sortit quelques cartes dans sa tête. Devant eux, des espaces déserts : un coin du Colorado, un coin du Kansas, la langue de terre au nord-ouest de l'Oklahoma. Puis, l'aiguille vira un peu au sud et Reacher comprit que Thurman venait de contourner l'espace aérien au-dessus de Colorado Springs. Une ville de l'armée de l'air, probablement à la détente un peu facile. Mieux valait ne pas s'en approcher de près.

Thurman maintint l'altitude à deux mille pieds, la vitesse à deux cents kilomètres heure et le cap au sud-sud-est. Reacher consulta de nouveau les cartes dans sa tête et estima que, sous réserve d'atterrir avant ou de changer de direction, ils quitteraient le Colorado un peu à gauche du coin inférieur droit de l'État. L'horloge numérique du tableau de bord affichait sept heures dix-sept du soir, en avance de deux minutes. Reacher pensa à Vaughan, toute seule dans sa voiture. Elle avait entendu décoller l'avion. Elle devait se demander pourquoi il n'avait pas repassé le mur.

« Vous avez fracturé un conteneur, la nuit passée, dit Thurman.

– Vraiment ?

– C'est une hypothèse raisonnable. Qui d'autre, hormis vous ? »

Reacher se tut.

« Vous avez vu les voitures.

– Vraiment ?

– Supposons-le, en hommes intelligents.

– Pourquoi vous les apporte-t-on ?

– Il y a certains détails que n'importe quel gouvernement estime avisé de cacher.

– Qu'en faites-vous ?

– La même chose qu'avec les épaves ramassées sur l'I-70. Nous les recyclons. L'acier est quelque chose de merveilleux, monsieur Reacher. Il se recycle encore et encore. Les Peugeot et les Toyota du golfe Persique étaient peut-être autrefois des Ford et des Chevrolet fabriquées à Detroit, et, dans une vie antérieure, peut-être des Rolls-Royce anglaises ou des Holden australiennes. Ou des vélos, des frigos. Il existe de l'acier neuf, bien sûr, mais, chose surprenante, assez peu. Le recyclage, voilà où ça se passe.

– Et où sont les profits.

– Naturellement.

– Alors, pourquoi ne vous achetez-vous pas un meilleur avion ?

– Vous n'aimez pas celui-ci ?

– Pas tellement », fit Reacher.

Ils continuèrent leur vol. Le cap ne bougea pas du sud-sud-est, ni le carton de son siège à l'arrière. Il n'y avait rien à voir hormis l'obscurité devant eux, éclairée de temps à autre par de petites grappes de lumières jaunes au loin, plus bas. Des hameaux, des fermes, des stations-service. Un moment, Reacher distingua quelques lumières vives sur la droite et sur la gauche. Lamar, probablement, ainsi que La Junta. Des petites villes qui paraissaient plus grosses dans ce désert qui les entourait. Parfois, on devinait quelques voitures sur la route : de minuscules cônes de lumière bleue qui avançaient au pas.

« Comment va Underwood ? L'adjoint ? » s'enquit Reacher.

Thurman prit un moment avant de répondre.

« Il nous a quittés.

– À l'hôpital ?

– Avant qu'on puisse l'y transférer.

– Y aura-t-il une autopsie ?

– Il n'a aucun proche pour en demander une.

– Avez-vous fait appel au coroner ?

– Pas la peine. Il était vieux, malade. Il est mort.

– Il avait la quarantaine.

– C'était suffisamment vieux, à l'évidence. Tu es poussière, et tu redeviendras poussière. C'est ce qui nous attend tous.

– Ça n'a pas l'air de vous perturber.

– Un bon chrétien n'a rien à craindre de la mort. Et j'ai une ville entière à moi, monsieur Reacher. Je vois des naissances et des morts tout le temps. Une porte s'ouvre, une autre se referme. »

Ils continuèrent sur leur lancée dans le noir, sud-sud-est. Thurman s'adossa à son siège, son ventre le séparant du manche, les mains posées bas. Le moteur tenait bon, dans un rugissement moyen, et l'avion entier vibrait, tremblait, et se cabrait un peu de temps en temps sous l'effet d'une turbulence. Les coordonnées de la latitude baissèrent lentement, et celles de la longitude plus doucement encore. Reacher ferma les yeux. Le temps de vol jusqu'à la frontière de l'État devait être de soixante-dix à quatre-vingts minutes. Il se dit qu'ils n'allaient pas atterrir dans le Colorado. Il n'en restait plus grand-chose devant eux. Juste des prairies désertes. Il estima qu'ils allaient dans l'Oklahoma, ou au Texas.

Ils continuèrent leur vol. L'atmosphère se dégrada de plus en plus. Reacher rouvrit les yeux. Des trous d'air les faisaient tomber comme une pierre. Puis des courants ascendants les remontaient brutalement. Ils étaient balayés sur le côté par des bourrasques. Pas comme dans un gros Boeing. Pas de vibrations et d'à-coups sur les ailes. Aucune progression inexorable vers l'avant. Seulement de violents déplacements d'un point à un autre, comme une bille de flipper renvoyée d'un tampon à un autre. Il n'y avait aucun orage en vue. Ni pluie ni éclairs. Ni cumulo-nimbus. Simplement les courants thermiques du soir, venus des plaines, en vagues géantes, invisibles, qui montaient et descendaient, formant des murs épais et des vides abyssaux. Thurman tenait vaguement le manche et laissait l'avion plonger et se cabrer. Reacher se tourna dans son siège et caressa les sangles du harnais sur ses épaules.

« Vous, vous avez peur en avion.

– Pas de problème en avion, fit Reacher. Tant qu'il ne s'écrase pas.

– Une blague éculée.

– Elle est fondée. »

Thurman se mit à jouer du manche et à brusquer la gouverne. L'avion piqua, remonta, roula violemment d'un côté sur l'autre. Au début, Reacher pensa qu'il recherchait une atmosphère plus stable. Puis il comprit que Thurman empirait délibérément la situation. Il plongeait là où les trous d'air les aspiraient déjà, et il remontait sur les courants ascendants. Il se tournait face aux vents latéraux et les encaissait comme des coups en pleine figure. L'avion était ballotté dans tout le ciel. Il se retrouvait balancé ici et là comme un morceau de tôle insignifiant, ce qu'il était.

« Voilà pourquoi vous devez mettre de l'ordre dans votre existence. La fin peut survenir n'importe quand. Plus tôt que vous ne l'attendez, peut-être. »

Reacher se tut.

« Je pourrais y mettre un terme pour vous, dès maintenant. Je pourrais virer et descendre en piqué. Deux mille pieds. Nous frapperions le sol à cinq cents kilomètres à l'heure. Les ailes se détacheraient les premières. Le cratère ferait trois mètres de profondeur.

– Allez-y, fit Reacher.

– Vous êtes sérieux ?

– Je vous mets au défi de le faire. »

Un courant ascendant les jeta plus haut, puis ce fut le creux de la vague, la portance sous les ailes passa en négatif et l'appareil retomba de nouveau. Thurman abaissa le nez, mit les gaz, et le moteur hurla, le Piper partit dans une descente en piqué à quarante-cinq degrés. L'horizon artificiel du tableau de bord passa au rouge et une sirène d'alarme retentit, à peine audible au milieu des hurlements du moteur et des rafales de vent qui secouaient l'avion. Puis Thurman interrompit le plongeon. Il releva brusquement le nez de l'avion, la carlingue gémit sous la tension à laquelle était soumis le longeron principal, l'avion remonta vers l'horizontale et continua son ascension dans une atmosphère momentanément plus calme.

« Trouillard, dit Reacher.

– Je n'ai rien à craindre.

– Pourquoi arrêter, alors ?

– Quand je mourrai, ce sera pour un monde meilleur.

– Je croyais que c'était au grand patron de décider quand, pas à vous.

– J'ai été un fidèle serviteur.

– Allez-y donc dans votre monde meilleur. Je vous mets au défi de le faire. »

Thurman ne répondit pas. Il se contenta de piloter, en droite ligne, à une altitude stable, dans une atmosphère plus calme. Deux mille pieds, deux cents kilomètres à l'heure, sud-sud-est.

« Trouillard, répéta Reacher. Imposteur.

– Dieu veut que je termine ma tâche.

– Comment ça ? Il vous l'a dit durant ces deux dernières minutes ?

– Je pense que vous êtes athée.

– Nous sommes tous athées. Vous ne croyez ni en Zeus, ni en Thor, Neptune, César Auguste, Mars, Vénus ou Râ, le dieu solaire. Vous rejetez mille dieux. Pourquoi ça vous dérangerait que quelqu'un en rejette mille et un ? »

Thurman ne dit mot.

« Souvenez-vous-en, c'est vous qui avez eu peur de mourir, pas moi, reprit Reacher.

– Ce n'était qu'un petit jeu, entre hommes. Les courants thermiques sont toujours mauvais, dans le coin. C'est la même chose toutes les nuits. Quelque chose à voir avec le caractère sauvage de la région. »

Ils continuèrent leur vol, vingt minutes de plus. Les courants furent plus cléments. Reacher ferma de nouveau les yeux. Puis, après pile une heure quinze de temps de vol, Thurman remua dans son siège et Reacher ouvrit les yeux. Thurman appuya sur deux ou trois boutons, mit en marche sa radio, coinça le manche à balai entre ses genoux et se cala un casque d'écoute sur le crâne. Le casque avait un micro qui dépassait au bout d'une branche collée à l'oreillette gauche. Thurman l'alluma d'un coup d'ongle et fit : « C'est moi, en approche. » Reacher entendit grésiller une réponse étouffée et, plus bas, à l'horizon, il vit s'allumer des lumières. Des lumières de piste blanches et rouges, supposa-t-il, mais elles étaient tellement loin qu'on ne distinguait qu'un petit point rose. Thurman prit le manche, baissa un peu les gaz et entama une longue descente. Pas vraiment en douceur. L'avion était trop petit et trop léger pour le faire en finesse. Il tressautait, retombait, passait à l'horizontale avant de piquer de nouveau. Latéralement, il jouait de nervosité. Il pointait à gauche, puis à droite. Le point rose dansait partout devant eux, puis il se rapprocha et se transforma en deux lignes rouges et blanches. Les lignes semblaient courtes. L'appareil zigzagua, chancela, plongea puis se stabilisa en suivant une bande étroite tout le long de la descente. Les lumières de piste se rapprochèrent à toute vitesse, puis elles défilèrent, floues, à gauche et à droite. Pendant une seconde, Reacher crut que Thurman avait trop attendu, alors les roues touchèrent le sol, rebondirent une fois, accrochèrent la piste, et Thurman coupa les gaz. L'appareil ralentit, en roue libre, jusqu'à cinq à l'heure, avec la moitié de la piste devant lui. Le bruit du moteur enfla en un rugissement profond, les cinq à l'heure se transformèrent en vitesse normale de roulement. Thurman vira sèchement à gauche de la piste et roula une centaine de mètres sur une aire de parking déserte. Reacher distingua les vagues contours d'une construction en brique à mi-distance. Il vit approcher un véhicule, pleins phares. Gros, sombre, massif.

Un Hummer.

Une peinture de camouflage.

Le Hummer se rangea à six mètres du Piper, ses portières s'ouvrirent et deux types en émergèrent.

En uniforme de combat, treillis des bois.

Des soldats.

CINQUANTE-NEUF

Reacher demeura un moment assis dans le calme soudain, les oreilles bourdonnantes, puis il ouvrit la porte du Piper et monta sur l'aile. Thurman lui passa le carton sur le siège arrière. Reacher l'attrapa d'une main et se coula sur le tarmac. Les deux soldats firent un pas en avant, se mirent au garde-à-vous, saluèrent et ne bronchèrent plus, tel un peloton de cérémonie, avec l'air d'attendre quelque chose. Thurman descendit après Reacher et lui prit le carton. Un des soldats fit un nouveau pas en avant. Thurman s'inclina légèrement et lui présenta la boîte. Le soldat s'inclina légèrement, la prit, tourna les talons et retourna lentement au pas vers le Hummer. Son condisciple le suivit, en ligne. Thurman à sa suite. Reacher à la suite de Thurman.

Les soldats rangèrent le carton dans le coffre du Hummer, puis ils montèrent devant. Reacher et Thurman, à l'arrière. Gros véhicule, sièges étroits, bien séparés par l'imposant passage de l'arbre de transmission. Un moteur diesel. Ils décrivirent un petit cercle sur l'aire de stationnement et se dirigèrent vers un bâtiment isolé, au milieu d'un bout de pelouse. La lumière était allumée à deux fenêtres du rez-de-chaussée. Le Hummer se gara, les soldats récupérèrent le carton dans la soute et rentrèrent lentement avec, dans le bâtiment. Une minute plus tard, ils en ressortirent, les mains libres.

« Mission accomplie. Du moins, pour cette nuit, fit Thurman.

– Qu'y avait-il dans le flacon ?

– Des gens, dit Thurman. Des hommes, et peut-être des femmes. Nous les raclons sur le métal. Quand ça a brûlé, c'est tout ce qu'il en reste. De la suie cuite sur l'acier. Nous la raclons et la ramassons sur des tortillons de papier, puis nous mettons la moisson du jour dans des flacons. C'est le mieux que nous puissions faire pour leur donner une sépulture décente.

– Où sommes-nous ?

– À Fort Shaw, en Oklahoma. Dans le coin nord-ouest. Ici, on s'occupe des restes qu'on a pu retrouver. Entre autres choses. Ils travaillent en collaboration avec le laboratoire d'identification à Hawaii.

– Vous venez ici chaque nuit ?

– Aussi souvent que nécessaire. C'est-à-dire presque toutes les nuits, malheureusement.

– Et maintenant ? Qu'est-ce qui se passe ?

– Ils m'offrent à dîner et font le plein de mon avion. »

Les soldats reprirent leur place à l'avant, puis le Hummer fit un nouveau virage et roula une centaine de mètres jusqu'au groupe de bâtiments principaux. Une base militaire des années cinquante : une parmi des milliers dans le monde. De la brique, de la peinture verte, des bordures de trottoir peintes en blanc, une route goudronnée bien balayée. Reacher n'y avait jamais mis les pieds. Ni n'en avait entendu parler. Le Hummer se rangea devant une porte sur le côté, qu'un panneau signalait comme l'entrée du mess des officiers. Thurman se tourna vers Reacher et dit : « Je ne vous retiens pas à dîner avec moi. Ils n'ont préparé qu'un couvert et ça risquerait de les embarrasser. »

Reacher acquiesça. Il savait comment trouver de la nourriture sur la base. Probablement meilleure que ce que l'on servirait à Thurman au mess.

« Je vais me débrouiller, fit-il. Et merci pour l'invitation. »

Thurman descendit et disparut par la porte du mess. Les troufions assis dans le Hummer tournèrent la tête, sans trop savoir que faire. C'étaient deux soldats de première classe, probablement stationnés en permanence aux États-Unis. Peut-être avaient-ils un peu d'expérience en Allemagne à leur actif, mais rien d'autre d'importance. Aucun service en Corée. Rien dans le désert, certainement. Ils n'en avaient pas l'apparence.

« Vous vous souvenez quand vous portiez des couches, à l'âge de deux ans ? demanda Reacher.

– Pas spécialement, monsieur, dit le chauffeur.

– À cette époque-là, j'étais major dans une unité de police militaire. Je vais donc maintenant faire un tour à pied et vous n'avez pas à vous inquiéter. Si vous voulez vous en inquiéter, je trouverai votre commandant, nous nous la jouerons entre officiers, il donnera son accord et vous aurez l'air idiots. Ça vous va ? »

Le type n'était pas totalement à la ramasse. Pas totalement stupide. Il demanda :

« Quelle unité, monsieur ? Et où ça ?

– Le 110e de police militaire. Elle était basée à Rock Creek, en Virginie. »

L'autre hocha la tête.

« Elle y est toujours. Le 110e est toujours actif.

– Je l'espère bien.

– Passez une bonne soirée, monsieur. La bouffe au mess ordinaire est servie jusqu'à dix heures, si ça vous intéresse.

– Merci, soldat », fit Reacher.

Il descendit et le Hummer s'éloigna. Il resta un moment immobile à respirer l'air nocturne vivifiant, puis il se mit en marche vers le bâtiment isolé. Sa fonction d'origine ne lui était pas très claire. Il n'y avait aucune raison d'avoir des bâtiments séparés les uns des autres, sauf pour y mettre des patients contagieux, ou des explosifs, et celui-ci ne ressemblait ni à un hôpital ni à un arsenal. Les hôpitaux étaient plus vastes, et les armureries mieux protégées.

Il franchit la porte principale et se retrouva dans un petit vestibule carré avec une volée de marches devant lui et des portes de chaque côté. Les fenêtres éclairées étaient au rez-de-chaussée. *En cas de doute, prends à gauche* était sa devise. Il tenta donc la porte de gauche et fit chou blanc. Un bureau administratif, toutes lumières allumées, personne à l'intérieur. Il retourna dans le vestibule et tenta la porte de droite. Il y trouva un toubib avec le grade de capitaine, le flacon de Thurman posé devant lui. Il était jeune pour un capitaine, mais les toubibs avançaient vite. Ils étaient en général en avance sur tout le monde.

« Je peux vous aider ? fit le type.

– J'accompagnais Thurman dans son avion. Je me posais des questions sur son flacon.

– Quel genre de questions ?

– Contient-il bien ce qu'il affirme ?

– Êtes-vous accrédité pour le savoir ?

– Je l'étais, autrefois. J'étais dans la police militaire. J'ai fait de la médecine légale avec Nash Newman, sans doute votre chef à tous quand vous étiez premier lieutenant. Il est probablement à la retraite, de nos jours.

– Oui, il l'est. Mais j'en ai entendu parler.

– Alors, ce sont bien des gens, dans ce flacon ?

– Probablement. En fait, c'est une quasi-certitude.

– Carbonisés ?

– Aucun carbone, fit le type. Dans un feu vif, tout le carbone s'échappe sous forme de dioxyde. Ce qui reste d'un humain après crémation, ce sont des oxydes de potassium, du sodium, du fer, du calcium et, peut-être, un peu de magnésium, tous à l'état minéral.

– Et c'est ce que contient ce flacon. »

L'autre acquiesça.

« Ça concorde tout à fait avec des restes d'os et de chairs brûlés.

– Qu'en faites-vous après ?

– Nous l'envoyons au laboratoire central d'identification, à Hawaii.

– Et eux qu'en font-ils ?

– Rien, dit le type. Ça ne renferme aucun ADN. C'est rien que de la suie, au final. Ce truc est embarrassant, à vrai dire. Mais Thurman se pointe tout le temps. C'est un vieux sentimental. On ne peut pas l'envoyer promener, évidemment. Alors, on met en scène une jolie petite cérémonie et on prend tout ce qu'il nous apporte. Pas question de le flanquer à la poubelle, non plus. Ce serait manquer de respect. Donc, on s'en débarrasse en l'expédiant à Hawaii. J'imagine qu'ils le flanquent dans un placard et l'oublient aussi sec.

– J'en suis sûr. Thurman vous informe-t-il d'où ça provient ?

– D'Irak, évidemment.

– Mais, de quel type de véhicules ?

– Est-ce que ça a une importance ?

– J'aurais tendance à dire que oui.

– On ne nous donne pas ces détails-là.

– À quoi servait ce bâtiment, à l'origine ?

– C'était un service de soin pour maladies vénériennes, dit le toubib.

– Vous avez un téléphone dont je pourrais me servir ? »

Le type lui montra une console téléphonique sur son bureau.

« Allez-y », fit-il.

Reacher composa le 411, les chiffres à l'envers, pour lui, et il obtint le numéro de David Robert Vaughan, Fifth Street, à Hope dans le Colorado. Il se le répéta une fois à voix basse, pour le mémoriser, puis il le composa.

Aucune réponse.

Il reposa le téléphone sur ses fourches et demanda :

« Où se trouve le mess ordinaire ?

– Fiez-vous à votre nez », dit le toubib.

Ce qui constituait un bon conseil. Reacher repartit vers le groupe de bâtiments principaux, dont il fit le tour, jusqu'à ce qu'il sente une odeur de friture, qui provenait d'un puissant extracteur. Son tuyau sortait du mur d'un appentis accolé à une grosse bâtisse de plain-pied. Le mess et la cuisine du mess. Reacher entra, fut l'objet de quelques regards interrogateurs, mais d'aucune question directe. Il se mit dans la queue, prit un cheeseburger gros comme une balle molle, plus des frites, plus des haricots, plus une tasse de café. Il apporta le tout à une table et attaqua son repas. Le burger était excellent, ce qui était normal dans l'armée. Les cuisiniers des mess étaient en concurrence féroce pour déterminer qui ferait le meilleur steak haché. Le café était également excellent. Une seule marque, la même partout, la meilleure au monde, de l'avis de Reacher. Il en avait bu toute sa vie. Les frites étaient correctes et les haricots passables. Tout compte fait, un repas sans doute meilleur que le morceau de poisson grillé et flasque servi aux officiers.

Il reprit du café, s'installa dans un fauteuil et parcourut les journaux militaires. Il se dit que les deux soldats de première classe viendraient le chercher quand Thurman serait prêt à partir. Ils allaient accompagner leurs invités jusqu'à leur avion, faire un beau salut et clore en beauté leur petit cérémonial, juste après minuit. Rouler jusqu'à la piste d'envol, décoller, voler quatre-vingt-dix minutes. Ça les ramenait à Despair sur le coup de deux heures du matin, l'horaire habituel, apparemment. Trois heures de kérosène gratuit, plus un dîner de quatre heures à l'œil. Pas mal, pour un flacon rempli au quart de suie. *Un Américain qui a trouvé la voie de Notre Seigneur et un homme d'affaires*, ainsi se décrivait Thurman. Quelles que soient ses qualités chrétiennes, il faisait un sacré homme d'affaires. C'était fichtrement sûr.

La cuisine du mess ferma. Reacher finit les journaux et somnola. Les soldats de première classe ne vinrent jamais. À minuit dix, Reacher se réveilla et entendit le moteur du Piper au loin et, le temps qu'il l'enregistre dans sa tête, il vrombissait déjà. Le temps qu'il sorte, le petit avion blanc était en bout de piste. Il le regarda prendre de la vitesse, décoller et disparaître dans l'obscurité du ciel.

SOIXANTE

Le Hummer revint de l'aire de parking et les deux soldats de première classe en sortirent, puis ils firent un signe de tête à Reacher, comme si de rien n'était.

« J'étais censé prendre cet avion, leur dit Reacher.

– Non, monsieur. Monsieur Thurman nous a informés que vous n'aviez qu'un billet aller, cette nuit. Il nous a dit que vous continueriez vers le sud. Il nous a dit que vous n'aviez plus rien à faire au Colorado, répliqua le chauffeur.

– Merde », fit Reacher.

Il repensa à Thurman devant le hangar de l'avion. Sa pause calculée. *Son expression pensive, une sorte de calcul à long terme. Comme s'il la jouait stratégique et réfléchissait huit coups à l'avance.*

Prenez l'avion avec moi, cette nuit.

Je ne vous retiens pas à dîner avec moi.

Reacher secoua la tête. Il était à quatre-vingt-dix minutes de vol d'où il devait être, au beau milieu de la nuit, au beau milieu de nulle part, sans avion.

Roulé par un prédicateur de soixante-dix ans.

Stupide.

Et tendu.

Je pense que la perspective d'une fin prévisible les excite.

Laquelle ? Il n'en savait rien.

Quand ? Il n'en avait aucune idée.

Il consulta la carte dans sa tête. Aucune autoroute ne traversait la bande nord-ouest de l'Oklahoma. Absolument aucune. Juste quelques petits traits rouges, des routes à quatre voies de l'État d'Oklahoma et des routes secondaires. Il regarda le Hummer, puis les soldats.

« Vous voudriez bien m'emmener jusqu'à la route ? dit-il.

– Laquelle ?

– N'importe laquelle, pourvu qu'il y passe plus d'une voiture par heure.

– Vous pourriez essayer la 287. Elle va vers le sud.

– Il faut que j'aille vers le nord. Je retourne au Colorado. Thurman n'a pas été totalement honnête avec vous.

– La 287 va aussi vers le nord. Jusqu'à l'I-70.

– Ça fait quelle distance ?

– Je crois que ça fait pile trois cent vingt kilomètres, monsieur. »

Le stop était devenu de plus en plus difficile au cours des dix ans passés, depuis que Reacher avait quitté l'armée. Les conducteurs se montraient moins généreux, plus craintifs. Ça marchait parfois mieux dans l'Ouest que dans l'Est, un point positif. Mieux de jour que de nuit, un point qui l'était moins. Le Hummer de Fort Shaw le lâcha à minuit quarante-cinq, et il était une heure et quart lorsqu'il vit une première voiture se diriger vers le nord, une Ford F150 qui ne ralentit même pas pour mieux le voir. Elle passa devant lui à toute allure. Dix minutes après, une vieille Chevrolet Blazer fit de même. Reacher maudit le cinéma. Il rendait les gens peureux envers les étrangers. Bien que, en réalité, la plupart des films montrent des étrangers maltraités par des gens du cru, et non l'inverse. Des familles étranges, consanguines, qui chassaient l'humain pour le plaisir. Mais Reacher s'en voulait surtout à lui-même. Il savait qu'il ne faisait pas bonne figure au bord de la route. *Regardez-vous. Qu'est-ce que vous voyez ?* Maria, de San Diego, était de celles qui se faisaient facilement prendre en stop. Mignonne, petite, inoffensive, dans le besoin. Vaughan y arriverait bien, elle aussi. Un sauvage d'un mètre quatre-vingt-seize dans son genre était une proposition plus risquée.

À deux heures moins dix, un pick-up Toyota de couleur sombre ralentit pour le détailler avant de poursuivre son chemin, ce qui était déjà un progrès. À deux heures cinq, une Cadillac de vingt ans d'âge le dépassa à toute vitesse. Elle avait un moteur mal réglé, une suspension arrière fichue et était conduite par une vieille femme disparaissant derrière le volant. Cheveux blancs, cou épais. Ce que Reacher appelait un Coton-Tige, en son for intérieur. Pas une bonne cliente. Puis, à deux heures et quart, une vieille Chevrolet Suburban pointa lentement son nez. La vie avait appris à Reacher que les nouveaux modèles de Suburban avaient pour conducteurs des crétins coincés, mais que les anciens modèles, des véhicules utilitaires sans chichis, étaient souvent conduits par des gens simples et pragmatiques. Leur côté massif révélait en général une sorte de confiance en soi réaliste de la part de leurs propriétaires. Cette confiance en soi qui proclame que les étrangers ne posent pas nécessairement problème.

Son meilleur espoir, jusque-là.

Reacher quitta l'accotement et posa un pied sur la voie. Il leva le pouce dans un geste qui disait le besoin, mais pas le désespoir.

La Chevrolet Suburban alluma ses feux de route.

Elle ralentit.

Elle s'arrêta quatre bons mètres avant la position de Reacher. Une manœuvre intelligente. Elle permettait au type au volant de passer en revue son éventuel passager sans la sorte de pression sociale que pouvait causer un face-à-face direct. Reacher ne voyait rien du conducteur. Trop de lumière crue provenant des phares.

Une décision fut prise. Les pleins phares passèrent en feux de croisement, le pick-up avança puis stoppa. La vitre s'abaissa. Le chauffeur était un homme rubicond d'une cinquantaine d'années. Il s'accrochait au volant comme s'il allait tomber de son siège.

« Où allez-vous ? dit-il d'une voix pâteuse.

– Vers le nord, au Colorado. J'essaie de me rendre à un endroit appelé Hope.
– Jamais entendu parler.
– Moi non plus, jusqu'à il y a quelques jours.
– Ça fait loin ?
– Quatre heures, peut-être.
– Est-ce sur la route de Denver ?
– Ça ferait un petit détour.
– Êtes-vous un type honnête ?
– Oui, en général.
– Êtes-vous bon conducteur ?
– Pas vraiment.
– Êtes-vous saoul ?
– Pas le moins du monde.
– Ben, moi, je le suis. Bien saoul. Alors, emmenez-moi où que vous vouliez aller, évitez-moi des ennuis, laissez-moi cuver, puis vous m'indiquerez la route de Denver, d'accord ?
– Marché conclu », dit Reacher.

Le stop implique d'habitude des promesses de rencontres de hasard et de conversations d'autant plus soutenues que leur durée serait forcément limitée. Pas cette fois-là. Le rougeaud se transféra avec difficulté sur le siège passager, fit basculer le mécanisme usé du dossier et s'endormit sur-le-champ, sans autre commentaire. Il ronfla, fit des bruits de gorge, le sommeil agité en permanence. À en juger par son haleine, il s'était envoyé du bourbon toute la soirée. En grande quantité, avec quelques bières pour faire passer. Il ne serait toujours pas légalement en état de conduire quand il se réveillerait quatre heures plus tard pour filer sur Denver.

Pas le problème de Reacher.

Le Suburban était vieux, crasseux et fatigué. Son kilométrage s'affichait dans une fenêtre au milieu du compteur, en chiffres à cristaux liquides qui rappelaient ceux d'une montre bon marché. Un paquet de chiffres, avec un trois devant. Le moteur n'était pas en grande forme. Il lui restait de la puissance, mais il avait un bon poids à tracter et il refusait de dépasser les cent kilomètres à l'heure. Un téléphone portable était posé entre les deux sièges. Il était éteint. Reacher jeta un coup d'œil sur son passager en plein sommeil, puis il mit l'appareil en marche. Celui-ci refusa de s'allumer. La batterie était à plat. Il y avait un chargeur branché dans l'allume-cigare. Reacher cala le volant entre ses genoux, récupéra le bout libre du câble et l'enficha dans un orifice en bas du téléphone. Il appuya de nouveau sur le bouton. Le téléphone s'alluma avec une petite musique tintinnabulante. L'homme endormi n'y prêta aucune attention. Il continua de ronfler.

L'écran du téléphone indiqua qu'il n'avait pas de réception. Le trou du cul du monde.

La route passa de quatre voies à deux. Huit kilomètres devant lui, il distingua deux feux rouges, très bas, très espacés. Ils progressaient vers le nord, un peu moins vite que la Suburban. La différence de vitesse se situait dans les huit kilomètres à l'heure, et il lui fallut donc bien soixante minutes pour combler l'écart. Les feux arrière étaient ceux d'un camion de location U-Haul, un camion de déménagement. Il faisait environ du quatre-vingt-dix de moyenne. Lorsque Reacher arriva derrière lui, il monta à cent. Reacher se déporta sur la gauche et essaya de le doubler, mais son véhicule refusa d'accélérer. Il resta coincé à cent cinq, ce qui aurait laissé Reacher bien trop longtemps du mauvais côté de la route. Sinon pour l'éternité. Il leva donc le pied et rongea son frein d'avoir à rouler un peu plus lentement qu'il l'aurait voulu. Le portable n'indiquait toujours pas de réseau. Il n'y avait rien à voir dans le rétro. Rien non plus sur les côtés. Le monde était noir et désert. Vingt mètres devant lui, le panneau arrière du camion était éclairé par les phares de la Suburban. On aurait dit un panneau publicitaire mobile. Une vraie pub. On y voyait une image de trois camions garés côte à côte en chevron : un petit, un moyen et un grand. Tous portaient la livrée distinctive rouge et blanc d'U-Haul. Tous avaient une inscription *U-Haul* peinte sur l'avant. Toutes promettaient une boîte automatique, un parcours tranquille, un plateau de chargement bas, l'air conditionné et des sièges recouverts de tissu. Un prix de dix-neuf dollars et quatre-vingt-dix-neuf cents s'affichait en gros chiffres. Reacher rapprocha son véhicule pour lire les petits caractères. Ce prix d'appel était valable pour la location d'un petit camion dans les limites de la ville, pour une journée, kilométrage en sus, dans le respect des termes du contrat. Reacher leva le pied et reprit ses distances.

U-Haul.

Traduction : Vous effectuez le transport, pas nous. Indépendance, autonomie, initiative.

En général, Reacher n'aimait pas les gauchissements de la langue écrite. « C » à la place de « c'est », « G » à la place de « j'ai », « K7 » à la place de « cassette », « Koi » à la place de « Quoi ». Il avait passé de nombreuses années à l'école à apprendre à lire et à écrire correctement et aimait se dire que ça servait à quelque chose. Pourtant, il n'arrivait pas à détester *U-Haul*. Quelle était l'alternative ? *Véhicules de déménagement en location* ? Trop long. Trop banal. Pas un nom qui sonnait bien à l'oreille. Il resta une vingtaine de mètres en retrait du panneau publicitaire lumineux à quatre roues, et les trois logos U-Haul se fondirent en un seul et lui remplirent son champ de vision.

Bi1 c'est bien.

Puis il pensa : *Bien c'est bi1.*

2m1 c'est demain.

Supposer : poser ce qui n'est pas su.

Lu m'a fait ça.

Il vérifia de nouveau le téléphone.

Aucun signal. Ils étaient au milieu du Comanche National Grassland. Autant dire, en pleine mer. L'antenne la plus proche se trouvait probablement à Lamar, à environ une heure de route.

L'ivrogne avait le sommeil bruyant, et Reacher suivit le U-Haul lambin pendant soixante minutes d'affilée. Lamar se signala par un faible halo de lumière à l'horizon. Sans doute pas plus de deux ou trois rues éclairées, mais, comparé à la prairie dans le noir qui les entourait, elle faisait figure de lieu de villégiature. Elle disposait d'un petit aérodrome municipal, à l'ouest. Et le portable passait. Reacher jeta un coup d'œil et vit que l'indicateur de force du signal affichait deux barres. Il composa de mémoire le numéro de Vaughan.

Pas de réponse.

Il raccrocha et appela les renseignements. Il demanda qu'on lui passe la police de Despair. Il laissa l'opérateur de téléphone le faire pour lui. Il estima que son passager endormi pouvait payer le service. Il entendit sonner à l'autre bout, puis un « clic » suivi d'autres sonneries. *Un transfert d'appel automatique,* se dit-il. Le poste de police de Hope était inoccupé la nuit. Vaughan avait parlé d'un type de jour, mais pas de nuit. Les appels entrants étaient directement retransmis à la voiture de patrouille de nuit. Sur un portable de service ou sur une ligne personnelle. Dix nuits sur quatorze, Vaughan répondait. Mais pas cette nuit-là. Elle était de congé. Un autre policier était chargé de courir après les papiers de chewing-gum. Un adjoint, peut-être.

Une voix dans son oreille fit : « Police de Hope.

– Il faut que je parle à l'officier de police Vaughan. »

Le type sur le siège passager bougea, mais il ne se réveilla pas.

La voix dans l'oreille de Reacher répondit :

« L'officier de police Vaughan n'est pas de service, ce soir.

– Je sais. Mais j'ai besoin de son numéro de portable.

– Je ne peux pas vous le donner.

– Alors, appelez-la et demandez-lui de me rappeler à ce numéro.

– Je risque de la réveiller.

– Non, aucun risque. »

Silence.

« C'est important. Faites vite. Je vais quitter la zone de couverture d'une minute à l'autre », ajouta Reacher.

Il raccrocha. Lamar se profilait à l'horizon. Des immeubles bas, sombres, un grand château d'eau, une station-service éclairée. L'U-Haul s'arrêta prendre du carburant. Reacher regarda la jauge de la Suburban. À mi-plein. Un gros réservoir. Mais un moteur gourmand et beaucoup de kilomètres à parcourir. Il suivit l'U-Haul à la pompe. Il débrancha le téléphone. Il affichait une batterie correcte et un peu de réception. Il le mit dans sa poche de chemise.

Les pompes fonctionnaient, mais la guérite où l'on réglait était fermée, dans le noir. Le type de l'U-Haul inséra une carte de crédit dans la fente sur la pompe, puis la retira. Reacher utilisa sa carte de retrait et en fit autant. La pompe se mit en marche et Reacher choisit du sans-plomb ordinaire, puis il regarda avec horreur les chiffres défiler. L'essence coûtait cher. C'était fichtrement sûr. Presque un dollar le litre. La dernière fois qu'il avait fait le plein d'une voiture, il en avait eu pour un dollar. Il adressa un hochement de tête en direction du type de l'U-Haul, qui le lui rendit. Il était plutôt jeune, bien proportionné, et avait de longs cheveux noirs. Il portait une chemise à manches courtes noire cintrée et un col d'ecclésiastique. Une sorte de pasteur. Il jouait probablement de la guitare.

Le téléphone sonna dans la poche de Reacher. Il laissa le tuyau coincé dans le réservoir et se retourna pour répondre.

« Vaughan n'a pas décroché son portable, dit le flic de Hope.

– Essayez votre radio. Elle est dans la voiture du chef de poste.

– Où ça ?

– Je n'en suis pas sûr.

– Que fabrique-t-elle dans la voiture du chef de poste ?

– C'est une longue histoire.

– C'est vous, le type avec qui elle traîne ?

– Appelez-la, c'est tout.

– Elle est mariée, vous savez.

– Je sais. Appelez-la donc. »

Le type ne coupa pas et Reacher l'entendit manœuvrer la radio. Un signal d'appel, un code, une demande de réponse immédiate, l'ensemble répété une fois, puis une autre. Ensuite le son du vide. Des bourdonnements, des craquements, le gémissement hétérodyne des interférences nocturnes qui venait de l'ionosphère, là-haut. Plein de bruits douteux.

Mais rien d'autre.

Aucune réponse de Vaughan.

SOIXANTE ET UN

Reacher quitta la station-service avant le pasteur du U-Haul et il fila plein nord, aussi vite que le pouvait la vieille Suburban. L'ivrogne cuvait à ses côtés. Ses pores dégorgeaient d'alcool. Reacher entrouvrit une vitre. L'air nocturne lui permit de rester sobre et éveillé, et son sifflement couvrit les ronflements. La réception téléphonique cessa quinze kilomètres au nord de Lamar. Reacher se dit qu'elle ne reviendrait pas avant qu'ils approchent du corridor de l'I-70, soit dans deux heures. Il était quatre heures trente du matin. Arrivée estimée à Hope : début de matinée. Un délai de cinq heures qui constituait un problème, mais peut-être pas un désastre.

Et le moteur de la Suburban éclata.

Reacher n'était pas vraiment expert en voitures. Il ne vit pas arriver l'incident. Il nota que la jauge de température montait d'un cran et ne s'en inquiéta pas. *Un simple effet des efforts soutenus demandés à la machine,* se dit-il, du long trajet à vive allure. Mais l'aiguille n'arrêta pas de grimper. Elle atteignit la zone rouge et ne s'arrêta que sur la butée supérieure. Le moteur lâcha et une odeur chaude et moite monta des évents. Un coup étouffé se fit entendre sous le capot et des filets de liquide marron fusèrent du ventilateur, devant le pare-brise, qu'ils éclaboussèrent entièrement. Le moteur s'arrêta brutalement et la Suburban ralentit sèchement. Reacher tourna vers l'accotement et s'arrêta, en roue libre.

Rien de bon, pensa-t-il.

L'ivrogne dormait toujours.

Reacher sortit dans le noir et fit le tour du véhicule jusqu'au capot. Il se servit de ses paumes pour rediriger un peu la lumière des phares sur la voiture. Il vit de la fumée. Une boue liquide gluante sortant de la moindre faille. Épaisse, mousseuse. Un mélange d'huile de moteur et de liquide de refroidissement. Joints de culasse éclatés. Panne totale. Réparable, mais au moins pour plusieurs centaines de dollars et une immobilisation d'une semaine à l'atelier.

Rien de bon.

Huit cents mètres plus au sud, il vit les phares de l'U-Haul approcher dans sa direction. Il fit le tour jusqu'à la porte passager, se pencha au-dessus du type endormi et trouva un stylo et une vieille facture de réparations dans la boîte à gants. Il retourna la facture et écrivit au dos : *Il faut vous acheter une nouvelle voiture. J'ai emprunté votre portable. Je vous le réexpédierai par la poste.* Il signa le mot : *Votre auto-stoppeur.* Il prit la vignette d'immatriculation affichée sous le pare-brise, pour avoir l'adresse du type, et la plia dans sa poche. Puis il parcourut environ cinq mètres en courant vers le sud, se planta sur la route, les bras levés, et attendit l'U-Haul pour lui faire signe de s'arrêter. Celui-ci l'accrocha dans la lumière de ses phares environ cinquante mètres en amont. Reacher agita les bras au-dessus de la tête. Le signe universel de détresse. L'U-Haul fit un appel de phares. Le camion ralentit, comme s'y attendait Reacher. Une route isolée, un véhicule en panne, un chauffeur coincé, l'un ou l'autre évoquant vaguement quelque chose au bon samaritain derrière son volant.

L'U-Haul s'arrêta un mètre devant Reacher, à moitié sur le bas-côté. La vitre s'abaissa et le type au col d'ecclésiastique sortit la tête.

« Besoin d'un coup de main ? lança-t-il. Puis il fit un grand sourire, de toutes ses dents : Question idiote, j'imagine.

– J'ai besoin qu'on m'emmène, dit Reacher. Le moteur a claqué.

– Vous voulez que je jette un coup d'œil ?

– Non. »

Reacher ne voulait pas que le pasteur voie l'ivrogne. De loin, il était invisible. De près, il se voyait comme le nez au milieu de la figure. Abandonner un pick-up en rade au milieu de nulle part était une chose. Laisser derrière soi un passager dans les vapes en était une autre.

« Pas la peine, croyez-moi. Faudra que je fasse venir une dépanneuse. Ou que je flanque le feu à ce tas de boue.

– Je vais sur Yuma, au nord. Vous êtes le bienvenu à mes côtés, pour une partie du trajet ou sa totalité. »

Reacher hocha la tête. Il fit défiler la carte dans son esprit. La route de Yuma croisait celle de Hope à environ deux heures de là. Celle qu'il avait prise au tout début, avec le vieux dans sa Grand Marquis. Il lui faudrait être pris en stop une troisième fois, pour le dernier tronçon à l'ouest. Son heure d'arrivée estimée se situait désormais autour de dix heures du matin, s'il avait de la chance.

« Merci, je vous abandonnerai à peu près à mi-chemin de Yuma. »

Le type au col d'ecclésiastique lui adressa de nouveau son sourire parfait.

« Montez », dit-il.

L'U-Haul était un pick-up grand modèle surmonté d'une caisse de fret un peu plus longue, plus large et bien plus haute que l'espace arrière habituel d'un tel véhicule. Il ployait et se traînait, ralenti par la charge supplémentaire et la résistance aérodynamique. Il eut du mal à approcher les cent kilomètres à l'heure et ne les dépassa jamais. Pas moyen de le faire aller plus vite. Dans l'habitacle, ça sentait les gaz d'échappement, l'huile chaude et le plastique. Mais les sièges étaient en tissu, comme le promettait la pub, et raisonnablement confortables. Reacher dut lutter pour rester éveillé. Il voulait être de bonne compagnie. Il ne voulait pas imiter les manières de l'ivrogne.

« Que transportez-vous ? demanda-t-il.

– Des vieux meubles. Des dons. Nous avons une mission de charité à Yuma, dit l'homme au col d'ecclésiastique.

– Nous ?

– Notre Église.

– Quelle sorte de mission ?

– Une mission d'aide aux nécessiteux et aux sans-abri.

– Et quelle sorte d'Église ?

– Nous sommes des anglicans, tout ce qu'il y a de plus classiques, modérés.

– Jouez-vous de la guitare ? »

L'autre sourit de nouveau.

« On essaie d'être ouverts.

– Là où je vais, il y a une Église de la Fin des Temps. »

Le pasteur secoua la tête.

« Peut-être une congrégation de l'Apocalypse. Il ne s'agit pas d'une Église reconnue.

– Que savez-vous d'eux ?

– Avez-vous lu le livre de l'Apocalypse, dans le Nouveau Testament ?

– J'en ai entendu parler.

– Son titre exact est la Révélation de saint Jean. L'essentiel de l'original a été perdu, bien sûr. Il a été écrit soit en hébreu ancien, soit en araméen, et recopié moult fois à la main, puis traduit en grec koinè, recopié encore moult fois à la main, traduit en latin, recopié moult fois à la main, traduit en anglais élisabéthain, avec des possibilités d'erreurs et de confusions à chaque passage. Aujourd'hui, ça se lit comme un mauvais trip sous acide. Je soupçonne qu'il en est ainsi depuis l'origine. Il est possible que toutes ces traductions et ces copies l'aient finalement plutôt amélioré.

– Que dit-il ?

– Votre interprétation vaut la mienne.

– Vous êtes sérieux ?

– Certains de nos sans-abri sont plus cohérents.

– Comment les gens l'interprètent-ils ?

– En gros, les vertueux montent au paradis, les impurs restent sur terre et sont sujets à un catalogue de plaies et de désastres hauts en couleur, le Christ revient pour combattre l'Antéchrist dans un scénario d'Armageddon, et personne ne finit très heureux.

– Est-ce la même chose que l'Extase ?

– L'Extase décrit la montée au ciel. Les plaies et le combat sont à part. Ils viennent après.

– Quand tout ça est-il censé arriver ?

– D'un moment à l'autre, apparemment. »

Reacher repensa au petit discours lénifiant de Thurman dans son usine. *Il y a des signes*, disait-il. *Et la possibilité de précipiter les événements.*

« Quel serait le déclencheur ? demanda Reacher.

– Je ne suis pas sûr qu'il y en ait un, en tant que tel. On peut supposer que la volonté divine serait impliquée. On peut certainement l'espérer.

– Des échos par anticipation, alors ? Un moyen de savoir que ça va arriver ? »

Le pasteur haussa les épaules sans lâcher le volant.

« Les gens des Églises de l'Apocalypse lisent la Bible comme d'autres écoutent les disques des Beatles à l'envers. Il existe un passage sur un veau rouge qui naîtrait en Terre sainte. Les fanatiques de la Fin des Temps y sont très accrochés. Ils passent les élevages au peigne fin à la recherche de bétail un peu plus roux qu'à l'ordinaire. Ils en envoient des couples en Israël, dans l'espoir qu'ils engendrent un animal parfaitement roux. Ils veulent précipiter les événements. Un autre de leurs traits caractéristiques : ils ne savent pas attendre. Vu qu'ils sont tous terriblement persuadés de faire parti des Justes. Ce qui, pour le coup, fait d'eux des pharisiens. La plupart des gens acceptent que la décision de qui sera sauvé revienne à Dieu, pas aux hommes. Finalement leur affaire a tout du snobisme. Ils se croient meilleurs que nous autres.

– Rien que des veaux rouges ?

– La majorité de ces fanatiques croient à l'absolue nécessité d'une guerre au Moyen-Orient, et c'est pourquoi ils sont mécontents de ce qui se passe en Irak. Apparemment, ça n'y va pas assez mal à leur goût.

– Vous avez l'air sceptique. »

L'autre sourit de nouveau.

« Bien sûr que je suis sceptique, fit-il. Je suis anglican. »

Après quoi, il n'y eut plus de conversation, religieuse ou profane. Reacher était trop fatigué et l'homme au volant, trop dans son mode de survie de conduite nocturne, où rien n'existait que la portion de route éclairée par les phares devant lui. Il s'efforçait de garder les yeux ouverts, penché en avant, comme si le moindre relâchement aurait été fatal. Reacher demeura également éveillé, en attente de la route pour Hope. Il savait qu'aucun panneau ne la signalerait et qu'il ne s'agissait pas précisément d'une grande route. Le type à son volant ne la repérerait pas tout seul.

Elle se présenta après deux heures exactement : une chaussée défoncée, à deux voies, croisa leur route à angle droit parfait. Elle était équipée de panneaux stop, au contraire de la nationale nord-sud. Le temps que Reacher la signale, que le pasteur réagisse et que les freins sous-dimensionnés de l'U-Haul fassent leur travail, ils l'avaient dépassée de deux cents mètres. Reacher sortit, fit un signe d'au revoir au camion et attendit que ses feux arrière et le bruit de son moteur aient disparu. Puis il rebroussa chemin à travers la vaste pénombre déserte. L'aube commençait à poindre, au loin, à l'est, au-dessus du Kansas ou du Missouri. Il faisait encore une nuit d'encre dans le Colorado. Il n'y avait aucune réception téléphonique.

Ni aucune circulation.

Reacher prit position sur le côté ouest de l'intersection, sur le bas-côté correspondant à sa direction. Les conducteurs qui se rendaient d'est en ouest devaient s'arrêter au stop, de l'autre côté de la route, et ils auraient le temps de le détailler à vingt mètres de distance. Mais aucun chauffeur n'allait visiblement d'est en ouest. Idem au bout de dix minutes. De quinze, puis de vingt. Un véhicule solitaire apparut au nord, vingt minutes après le passage de l'U-Haul, mais il ne tourna pas. Il fila sans ralentir. Un 4 x 4 arriva du sud, ralentit, prêt à bifurquer, mais il prit à l'est, à l'opposé de Hope.

Il faisait froid. Le vent venait de l'est et amenait des nuages de pluie. Reacher remonta son col, croisa les bras sur sa poitrine et coinça les mains sous ses biceps pour les réchauffer. La terre tourna et des traînées nuageuses diffuses, roses et mauves, éclairèrent l'horizon au loin. Un nouveau jour, disponible, innocent, encore sans tache. Peut-être une bonne journée. Peut-être une mauvaise. Peut-être la dernière. *La fin approche*, affirmait l'Église de Thurman. Peut-être qu'une météorite de la taille de la lune fondait à toute vitesse sur la terre. Peut-être que les gouvernements avaient censuré la nouvelle. Peut-être que des rebelles étaient à l'instant même en train de forcer le cadenas d'un vieux silo nucléaire ukrainien. Peut-être que dans un laboratoire de recherche, quelque part, une fiole s'était fendue, un gant s'était déchiré ou un masque avait glissé.

Ou peut-être que non. Reacher tapa des pieds et rentra la tête entre les épaules. Il avait froid au nez. Lorsqu'il releva les yeux, il vit des phares à l'est. Brillants, très espacés, assez loin pour sembler immobiles. Un gros véhicule. Un camion. Sans doute un semi-remorque. Il venait droit sur lui, l'aube naissante dans son dos.

Quatre possibilités. Un : arrivé au croisement, il tournerait à droite vers le nord. Deux : arrivé au croisement, il tournerait à gauche vers le sud. Trois : il marquerait le stop et continuerait à l'ouest sans s'arrêter. Quatre : il marquerait le stop, traverserait la route principale et s'arrêterait de nouveau pour le laisser monter à bord.

La probabilité d'un heureux dénouement : vingt-cinq pour cent. Ou moins, s'il s'agissait d'un véhicule appartenant à une entreprise qui interdisait de prendre des passagers, pour des questions d'assurance.

Reacher attendit.

Lorsque le camion fut à quatre cents mètres, il vit qu'il s'agissait d'une grosse fourgonnette à caisse rigide, peinte en blanc. À trois cents mètres, il nota qu'il avait un frigo monté sur le toit de la cabine. Un livreur de produits frais, ce qui aurait diminué la probabilité d'un heureux dénouement s'il n'y avait pas eu le panneau stop. Ils devaient respecter certains horaires et arrêter un poids lourd, puis le relancer, pouvait faire perdre au chauffeur un temps non négligeable. Mais le panneau stop signifiait qu'il devait ralentir, de toute façon.

Reacher attendit.

Il entendit le type lever le pied deux cents mètres avant l'intersection. Il entendit chuinter les freins. Il leva haut la main, pouce vers le haut. *J'ai besoin d'être pris en stop*. Puis il leva les deux mains et les agita. Le signal de détresse. J'ai *vraiment* besoin d'être pris en stop.

Le camion s'arrêta au niveau du panneau, côté est du croisement. Aucun clignotant n'était en marche. Un bon signe. Il n'y avait aucune circulation venant du nord ou du sud, et il repartit donc sans attendre, en faisant rugir son moteur diesel et grincer les vitesses, traversa la route principale en direction de l'ouest, droit sur Reacher. Il accéléra. Le chauffeur regarda vers le bas-côté. Le camion continua sur sa lancée.

Puis il ralentit de nouveau.

Les freins à air comprimé sifflèrent bruyamment, les amortisseurs couinèrent et le camion s'arrêta, la cabine à douze mètres à l'ouest du croisement, le pare-chocs arrière dépassant de un mètre sur la voie nord-sud. Reacher se retourna, trotta vers l'ouest et monta sur le marchepied. La vitre s'abaissa et le chauffeur le détailla, deux mètres plus loin au sud. C'était un petit homme sec, dont la petitesse était incongrue dans une si grosse cabine.

« Il va pleuvoir, fit-il.
– C'est le cadet de mes soucis. Ma voiture est tombée en panne.
– Je m'arrête d'abord à Hope.
– C'est vous qui approvisionnez le supermarché. Vous venez de Topeka.
– Je suis parti à quatre heures du matin. Vous voulez embarquer ?
– C'est à Hope que je me rends.
– Alors, cessez de tergiverser. Grimpez. »

L'aube poursuivit le camion jusqu'à l'ouest et le dépassa en moins de trente minutes. Le monde se réveilla sous un ciel nuageux et légèrement cuivré, et le livreur du supermarché éteignit ses feux, se cala dans son siège et se détendit. Il conduisait comme Thurman pilotait son avion, avec de petits mouvements efficaces, les mains posées bas sur le volant. Reacher lui demanda s'il prenait souvent des passagers, et l'autre lui répondit que, un matin sur cinq, il trouvait quelqu'un à prendre en stop. Reacher lui dit qu'il connaissait certaines des femmes qu'il avait prises comme passagères.

« Des touristes, dit le type.
– Plus que ça, fit Reacher.
– Vous croyez ?
– Je le sais.
– Combien ?
– Toutes.
– Comment ?
– Je l'ai déduit. »

L'homme au volant hocha la tête.

« Des femmes et des copines, fit-il. Elles veulent être tout près quand leur mari ou leur copain passe la frontière de l'État.
– Compréhensible, dit Reacher. C'est un moment délicat pour eux.

– Vous savez donc qui sont leurs maris et leurs copains ?

– Oui, dit Reacher. Je le sais.

– Et alors ?

– Alors, rien. Pas mes affaires.

– Vous n'allez le dire à personne ?

– Il y a une policière du nom de Vaughan, fit Reacher. Il faudra bien que je le lui dise. Elle a le droit de savoir. Elle est concernée, à deux titres différents.

– Je la connais. Elle ne sera pas ravie.

– Peut-être qu'elle le sera. Peut-être que non.

– Je ne suis pas concerné, fit le type. Je suis juste un compagnon de route.

– Vous l'êtes, dit Reacher. Nous le sommes tous. »

Puis il vérifia l'écran de son portable d'emprunt. Aucune réception.

Il n'y avait rien non plus à la radio. Le livreur du supermarché appuya sur un bouton pour balayer la bande passante des grandes ondes d'un bout à l'autre, et il ne capta rien. Sinon des grésillements. Un continent géant, vide pour l'essentiel. Le camion avançait à fond de train en rebondissant et en tanguant sur le revêtement rugueux.

« Où Despair se fournit-il en nourriture ? demanda Reacher.

– Je n'en sais rien, fit l'autre. Et je m'en fiche.

– Vous y êtes déjà allé ?

– Une fois. Juste pour voir. Ça m'a suffi.

– Pourquoi les gens y restent-ils ?

– Je ne sais pas. Par inertie, peut-être.

– Y a-t-il du boulot, ailleurs ?

– Plein. Ils pourraient aller voir à l'ouest, à Halfway. Il y a plein de jobs, là-bas. Ou à Denver. Une ville en pleine expansion, pour sûr. Bon sang, ils pourraient même aller vers l'est, à Topeka. On se développe comme des fous. Chouettes maisons, bonnes écoles, bons salaires, juste à se baisser pour les prendre. C'est un pays où l'on peut saisir sa chance. »

Reacher hocha la tête et regarda encore son portable. Aucune réception.

Ils rallièrent Hope avant dix heures du matin. La ville avait l'air calme, tranquille et pareille à elle-même. Des nuages se pressaient dans le ciel et il faisait froid. Reacher descendit dans First Street et y fit un rapide point. Son portable affichait une bonne réception. Pourtant il ne composa pas de numéro. Il marcha jusqu'à Fifth Street et tourna vers l'est. Cinquante mètres avant, il nota qu'aucun véhicule n'était garé sur le trottoir, face à la maison de Vaughan. Ni voiture de patrouille ni Crown Victoria noire. Rien du tout. Il se rapprocha pour avoir une vue de biais et vérifier son allée.

Le vieux pick-up Chevrolet bleu y était. Nez en avant, collé à la porte du garage. Il avait retrouvé des vitres à ses fenêtres. Le verre avait encore des codes barres en papier et il était bien transparent, sauf là où il portait des taches de cire et des empreintes de doigt. Il paraissait particulièrement neuf à côté de la vieille peinture passée. L'échelle, le pied-de-biche et la torche étaient dans le plateau de chargement. Reacher remonta l'allée de pierres plates qui menait à la porte et sonna. Il entendit bouger dans la maison. Le voisinage était calme et silencieux. Il attendit trente longues secondes, debout sur le seuil, puis la porte s'ouvrit.

Vaughan le regarda.

« Salut », fit-elle.

SOIXANTE-DEUX

Vaughan avait sur le dos les mêmes vêtements noirs que la nuit précédente. Elle semblait calme, tranquille et maîtresse d'elle-même. Un peu distante, aussi. Un peu préoccupée.

« Je m'inquiétais à ton sujet, dit Reacher.

– Vraiment ?

– J'ai tenté deux fois de t'appeler. Ici et dans la voiture. Où étais-tu ?

– Ici et là. Tu ferais mieux d'entrer. »

Elle lui fit traverser le hall et le conduisit à la cuisine, qui était exactement comme avant. Rangée, propre, décorée, trois chaises et une table. Un verre d'eau sur le plan de travail et du café dans la machine.

« Désolé de n'être pas revenu tout de suite.

– Ne t'excuse pas auprès de moi.

– Quel est le problème ?

– Tu veux du café ?

– Après que tu m'auras dit ce qui cloche.

– Rien ne cloche.

– Bien sûr que si.

– D'accord. Nous n'aurions pas dû faire ce que nous avons fait, la nuit d'avant-hier.

– Quoi ?

– Tu sais quoi. Tu as profité de la situation. Je me suis sentie mal à l'aise à ce sujet. Alors, quand tu n'es pas rentré avec l'avion, j'ai coupé mon téléphone, ma radio, je me suis rendue à Colorado Springs et j'ai tout raconté à David.

– Au milieu de la nuit ? »

Vaughan haussa les épaules.

« Ils m'ont laissé entrer. D'ailleurs, ils se sont montrés tout à fait charmants. Ils m'ont très bien traitée.

– Et qu'en a dit David ?

– Ça, c'est vraiment cruel.

– Ce n'est pas cruel. Rien qu'une question.

– Que veux-tu dire ?

– Que David n'est plus là. Celui que tu as connu. Plus d'une quelconque manière significative. Et tu dois faire un choix. Ce n'est pas un choix nouveau, d'ailleurs. Il y a déjà eu des pertes massives dans le passé, depuis la guerre de Sécession. Des dizaines de milliers d'hommes dans la situation de David, depuis plus d'un siècle. Donc, des dizaines de milliers de femmes dans la tienne.

– Et alors ?

– Toutes ont fait un choix.

– David est toujours là.

– Dans ton souvenir. Plus dans ce monde.

– Il n'est pas mort.

– Il n'est pas non plus vivant. »

Vaughan se tut. Elle se détourna, prit un mug en porcelaine fine dans un placard et le remplit de café. Elle le tendit à Reacher.

« Qu'y avait-il dans le carton de Thurman ? demanda-t-elle.

– Tu as vu ce carton ?

– J'étais de l'autre côté du mur, dix secondes après toi. Il n'a jamais été question que j'attende dans la voiture.

– Je ne t'ai pas vue.

– C'était mon plan. Moi, je t'ai vu. J'ai tout vu. *Accompagnez-moi, ce soir*. Il t'a largué quelque part, c'est ça ? »

Reacher acquiesça.

« À Fort Shaw, dans l'Oklahoma. Une base militaire.

– Tu es tombé dans le panneau.

– Tu peux le dire.

– Tu n'es pas si malin que tu le crois.
– Je n'ai jamais prétendu être malin.
– Qu'y avait-il dans ce carton ?
– De la suie, dit Reacher. Des restes humains, après un incendie. Ils les raclent sur le métal. »
Vaughan s'assit à la table.
« C'est horrible, fit-elle.
– Plus qu'horrible, reprit Reacher. Compliqué.
– Comment ça ? »
Reacher s'assit en face d'elle.
« Tu peux respirer, dit-il. Il n'y a pas de carcasses de Hummer dans cette usine. Elles sont envoyées ailleurs.
– Comment le sais-tu ?
– Parce que les Hummer ne brûlent pas comme ça. En général, ils explosent et leurs occupants sont éjectés. »
Vaughan hocha la tête.
« David n'a pas été brûlé.
– Il n'y a que les tanks pour cramer ainsi. Aucun moyen de sortir d'un tank en feu. Il ne reste que de la suie.
– Je vois. »
Reacher se tut.
« Mais, en quoi serait-ce compliqué ?
– C'est la première d'une suite de conclusions. Comme une réaction en chaîne logique. On utilise des tanks lourds, là-bas. Ce qui ne constitue pas une énorme surprise, j'imagine. Mais on en perd quelques-uns, ce qui en est une énorme. On s'est toujours attendu à en laisser quelques-uns face aux Soviétiques. Mais on ne s'attendait foutrement pas à en perdre face à une bande de terroristes dépenaillés équipés d'engins improvisés. En moins de quatre ans, ils ont trouvé comment fabriquer des charges creuses suffisamment efficaces pour dégommer des tanks lourds de l'armée américaine. Voilà qui n'aide pas en termes d'image. Je suis vraiment content que la guerre froide soit terminée. L'Armée rouge serait tordue de rire. Pas étonnant que le Pentagone

expédie les carcasses dans des conteneurs plombés vers une destination tenue secrète. »

Vaughan se leva, s'approcha du plan de travail et saisit son verre d'eau. Elle le vida dans l'évier et le remplit à une bouteille dans le réfrigérateur. Elle en but une gorgée.

« J'ai reçu un appel, ce matin, fit-elle. Du laboratoire public du Colorado. Mon échantillon d'eau du robinet approchait de très près les cinq milliardièmes de TCE. Tout juste acceptable, mais ça va devenir bien pire si Thurman continue à consommer autant de ce produit.

– Il pourrait s'arrêter, dit Reacher.

– Pourquoi le ferait-il ?

– C'est la conclusion finale, le dernier maillon de la chaîne. Nous n'y sommes pas. Et ce n'est qu'une esquisse.

– Quelle est la seconde conclusion, alors ?

– Que fait Thurman des carcasses de tank ?

– Il en recycle l'acier.

– Pourquoi le Pentagone déploierait-il une unité de police militaire pour garder de l'acier ?

– Je n'en sais rien.

– Le Pentagone ne le ferait pas. Tout le monde se fiche de l'acier. La police militaire est là pour autre chose.

– Quoi, par exemple ?

– Une seule possibilité. Le blindage frontal et latéral d'un tank lourd comprend une couche épaisse d'uranium appauvri. Il s'agit d'un sous-produit de l'enrichissement de l'uranium pour les réacteurs nucléaires. C'est un métal incroyablement dense et résistant. Absolument idéal pour un blindage. La seconde conclusion est que Thurman est un spécialiste de l'uranium. Et voilà qui justifie la présence de la police militaire. Car l'uranium appauvri est toxique et quelque peu radioactif. C'est le genre de produit qu'on veut suivre à la trace.

– Comment ça, toxique ? Comment ça, radioactif ?

– Les équipages des tanks ne tombent pas malades en restant assis derrière. Mais, après un souffle ou une explosion, s'il se transforme en poussière, en fragments ou en vapeur, tu peux tomber gravement malade rien qu'en le respirant, ou en étant touché par un simple éclat. Voilà pourquoi on ramène les carcasses aux États-Unis. Voilà ce qui préoccupe la police militaire, même ici. Des terroristes pourraient s'en emparer, le découper en petits morceaux pointus et l'introduire dans un engin explosif. Ça ferait une bombe sale parfaite.

– C'est lourd.

– Incroyablement lourd.

– Il leur faudrait un camion pour le voler. Comme tu le disais.

– Un gros camion. »

Reacher avala une gorgée de son café et Vaughan un peu de son eau.

« Ils le débitent à l'usine. Avec des marteaux et des chalumeaux coupeurs. Ça doit produire de la poussière, des éclats et de la vapeur. Pas étonnant qu'ils aient tous l'air malades », dit-elle.

Reacher acquiesça.

« L'adjoint en est mort, fit-il. Tous ces symptômes ? Perte de cheveux, nausées, vomissements, diarrhées, ampoules, ulcères cutanés, déshydratation, organes qui lâchent. Il ne s'agissait pas de vieillissement naturel ou de TCE. Mais d'empoisonnement par radiation.

– En es-tu sûr ? »

Reacher acquiesça de nouveau.

« Tout à fait sûr. Parce qu'il me l'a dit lui-même. Sur son lit de mort, il a fait Le, puis il s'est arrêté, et il a recommencé. Il a dit : *Lu m'a fait ça*. J'ai cru qu'il s'agissait d'une nouvelle phrase. J'ai cru qu'il m'accusait, ou quelqu'un d'autre. Mais, en fait, il répétait la même phrase. Il avait juste repris sa respiration. Il disait : *L'U m'a fait ça*. Une sorte d'appel, d'explication, ou peut-être même d'avertissement. Il donnait le symbole chimique de l'uranium. Un argot de métallo, j'imagine. Il disait : "L'uranium m'a fait ça."

– L'air de l'usine doit en être saturé. Et nous nous y sommes rendus.

– Tu te rappelles comme le mur brillait. Sur l'écran de la caméra infrarouge ? Il n'était pas chaud. Il était radioactif », indiqua Reacher.

SOIXANTE-TROIS

Vaughan but un peu de son eau minérale et regarda dans le vide afin de se faire à une situation nouvelle, bien meilleure, sous certains aspects, que ce qu'elle avait imaginé, et bien pire sous d'autres.

« Pourquoi affirmes-tu qu'il n'y a pas de Hummer, là-bas ? dit-elle.

– Parce que le Pentagone sépare les spécialités. Comme je te l'ai dit. Il en a toujours été et il en sera toujours ainsi. L'usine de Despair sert au recyclage de l'uranium. Point final. Les Hummer vont ailleurs. Là où l'on demande moins cher. Parce que c'est plus facile. Il ne s'agit que de voitures.

– Ils envoient aussi des voitures à Despair. Nous les avons vues. Dans ce conteneur. Celles qui viennent d'Irak ou d'Iran. »

Reacher hocha la tête.

« Exactement, fit-il. Ce qui nous mène à une troisième conclusion. Ils y envoient ces voitures pour une raison précise.

– Laquelle, selon toi ?

– Une seule possibilité, logiquement. On n'utilise pas l'uranium appauvri seulement pour les blindages. Mais aussi pour fabriquer des obus de tank, d'artillerie. Vu son incroyable dureté, sa densité.

– Et alors ?

– Alors, la troisième conclusion est que ces voitures ont été touchées par des munitions à l'uranium appauvri. Elles sont polluées et elles doivent donc être traitées de manière appropriée. Sans compter qu'on doit les cacher. Parce qu'on emploie des tanks et des obus à l'uranium appauvri contre des petits véhicules civils. C'est surdimensionné. Très, très mauvais en termes d'image. Thurman affirmait qu'il y a certains détails que n'importe quel gouvernement pense judicieux de cacher, et il avait raison.

– Mais que se passe-t-il donc, là-bas ?

– Ton opinion vaut la mienne. »

Vaughan reprit son verre. Elle le leva à moitié, se ravisa, le regarda comme si elle éprouvait finalement des réticences à avaler quoi que ce soit, puis elle le reposa sur la table.

« Raconte-moi ce que tu sais des bombes sales, dit-elle.

– C'est la même chose que les propres, fit Reacher. Sauf qu'elles sont sales. Une charge explosive produit une onde de pression massive, en forme de sphère, qui renverse et broie sur son passage tout ce qui est mou, comme les humains, sans compter qu'en général elle projette de petits morceaux métalliques vers l'extérieur sur la crête de l'onde, pareils à des balles, qui provoquent des dégâts supplémentaires. On peut en renforcer l'effet en plaçant plus de grenaille autour de la charge explosive : des clous ou des billes de roulement, par exemple. Une bombe sale utilise du métal contaminé comme grenaille supplémentaire, et surtout des déchets radioactifs.

– En quoi le résultat est-il plus moche ?

– Ça se discute. Dans le cas de l'uranium appauvri, les oxydes pulvérisés après une explosion à haute température sont certainement à redouter. Il en résulte des problèmes de fertilité, de fausses couches et de malformations à la naissance. La plupart des gens pensent que les radiations en elles-mêmes ne sont pas un énorme problème. Mais, comme je le disais, ça se discute. Personne ne peut vraiment rien affirmer. C'est ça le vrai problème. Parce que tu peux parier tout ce que tu veux que tout le monde va pécher par excès de prudence. D'où un effet multiplié sur un plan psychologique. Un cas classique de guerre asymétrique. Si une bombe sale explose dans une ville, on abandonnera la ville, que ce soit nécessaire ou non.

– Quelle taille devrait faire une telle bombe ?

– Plus grosse elle est, mieux c'est.

– Combien d'uranium devrait-on dérober ?

– Plus il y en aurait, plus on rirait.

– Je crois qu'ils ont déjà commencé à en voler. Ce camion que nous avons passé au scanner ? L'avant du chargement, juste après la cabine, il brillait comme le mur. »

Reacher secoua la tête.

« Non, dit-il. Il s'agit là d'une autre histoire. »

SOIXANTE-QUATRE

« Accompagne-moi à pied en ville. Jusqu'au motel, demanda Reacher.

– Je ne suis pas sûre de vouloir être vue en ta compagnie. Surtout au motel. Ça commence à jaser.

– Pas méchamment.

– Tu crois ?

– Ils sont tous avec toi.

– Je n'en suis pas certaine.

– Dans tous les cas, je ne serai plus là demain. Qu'ils jasent un jour de plus.

– Demain ?

– Plus tôt, peut-être. Il est possible que je reste un peu, le temps de passer un coup de fil. Sinon, j'en ai terminé ici.

– Qui dois-tu appeler ?

– Un numéro. Je doute que quelqu'un décroche.

– Et, c'est quoi, cette autre histoire ?

– Jusque-là, nous n'avons que le Pentagone qui lave son linge sale en privé. Rien de criminel.

– Qu'y a-t-il au motel ?

– Nous constaterons que la chambre 4 est libre, j'imagine. »

Ils s'y rendirent ensemble, à pied, en cette fin de matinée humide : deux pâtés de maisons vers le nord, de Fifth Street à Third Street, puis trois vers l'ouest jusqu'au motel. Ils ignorèrent la réception et se dirigèrent au bout de la rangée de chambres. La 4 était grande ouverte. Le chariot d'une femme de chambre était parqué devant. Le lit n'avait plus de draps et les serviettes étaient en pile par terre. Les armoires étaient vides. La femme de chambre faisait marcher un aspirateur.

« Madame Rogers est partie », dit Vaughan.

Reacher acquiesça.

« Allons voir quand et comment. »

Ils rebroussèrent chemin jusqu'à la réception. La gérante était sur son tabouret derrière le comptoir. La clé numéro 4 pendait de nouveau au crochet. Seules deux clés manquaient désormais sur le tableau. Celle de Reacher, chambre 12, et celle de Maria, chambre 8.

La gérante glissa de son tabouret et se mit debout, les mains collées au comptoir. Serviable et attentive. Reacher jeta un coup d'œil au téléphone à côté d'elle.

« Madame Rogers a-t-elle reçu un appel ?

– À six heures, hier soir.

– De bonnes nouvelles ?

– Elle avait l'air très contente.

– Et après ?

– Elle a quitté l'hôtel.

– Pour aller où ?

– Elle a commandé un taxi pour se faire emmener à Burlington.

– Qu'y a-t-il à Burlington ?

– Rien, sinon le bus pour l'aéroport de Denver. »

Reacher hocha la tête.

« Merci de votre aide.

– Y a-t-il un problème ?

– Ça dépend de quel point de vue on se place. »

Reacher avait besoin de manger et de davantage de café, il conduisit donc Vaughan un pâté de maisons au nord, plus un autre à l'ouest, jusqu'à la cafétéria. L'établissement était pratiquement vide. Trop tard pour le petit déjeuner, trop tôt pour le déjeuner. Reacher réfléchit une seconde, puis il se glissa dans le box occupé par Lucy Anderson, le soir où il l'avait rencontrée. Vaughan s'assit en face de lui, à la place de Lucy. La serveuse leur apporta de l'eau et des couverts, et ils commandèrent du café.

« Que se passe-t-il, au juste ? demanda Vaughan.

– Tous ces jeunes hommes, fit Reacher. Qu'avaient-ils en commun ?

– Je n'en sais rien.

– Ils étaient jeunes. Et c'étaient des hommes.

– Et alors ?

– Ils venaient de Californie.

– Et alors ?

– Et le seul Blanc qu'on ait pu voir avait un sacré bronzage.

– Et alors ?

– J'étais assis à cette place même, face à Lucy Anderson. Elle était prudente, un peu sur ses gardes, mais on a finalement réussi à s'entendre. Elle a demandé à voir mon portefeuille pour vérifier que je n'étais pas détective. Puis, plus tard, je lui ai révélé que j'avais été flic et elle a paniqué. J'en ai tiré des conclusions et me suis dit que son mari était en fuite. Plus elle y a repensé, plus ça l'a travaillée. Elle était très hostile à mon égard, le lendemain.

– Ça se comprend.

– Puis j'ai entrevu son mari à Despair, et j'y suis retourné pour fouiller la pension de famille où il séjournait. Elle était vide, mais très propre.

– Est-ce si important ?

– Crucial, dit Reacher. J'ai alors revu Lucy Anderson, après le départ de son mari. Elle m'a affirmé qu'ils avaient des avocats. Elle a parlé de gens dans sa situation. On aurait dit qu'elle faisait partie d'une sorte d'organisation. Je lui ai indiqué que je pourrais la suivre pour remonter jusqu'à son mari, et elle m'a répliqué que ça ne me servirait à rien. »

La serveuse leur apporta le café. Deux mugs, deux cuillères, une cafetière pleine de café fraîchement moulu. Elle les servit, s'éloigna, et Reacher huma l'arôme puis but une gorgée.

« Pourtant, je m'étais trompé dans mes souvenirs, depuis le départ, fit-il. Je n'ai pas dit à Lucy Anderson que j'avais été flic. Je lui ai dit que j'avais été dans la police *militaire*. Voilà ce qui l'a paniquée. Et ça explique aussi pourquoi la pension de famille était si propre. On aurait cru une caserne prête pour l'inspection. Les vieilles habitudes meurent difficilement. Les gens qui y ont dormi étaient tous des soldats. Lucy croyait que je les traquais.

– Des déserteurs », lâcha Vaughan.

Reacher acquiesça.

« Voilà pourquoi Anderson avait un tel bronzage. Il avait été en Irak. Mais il ne voulait pas y retourner.

– Où est-il, maintenant ?

– Au Canada, fit Reacher. C'est la raison pour laquelle Lucy Anderson se fichait que je la suive. Ça ne m'aurait servi à rien. Hors de toute juridiction. C'est un pays souverain et ils offrent l'asile, là-bas.

– Ce camion, dit Vaughan. Il venait de l'Ontario. »

Reacher fit oui de la tête.

« Une espèce de taxi. La brillance captée par la caméra ne venait pas d'uranium volé. Il s'agissait de monsieur Rogers, caché dans un compartiment secret. De sa chaleur corporelle, pareille à celle du chauffeur. La nuance de vert était la même. »

SOIXANTE-CINQ

Vaughan demeura un long moment muette, sans broncher. La serveuse revint deux fois remplir la tasse de Reacher. Vaughan ne toucha pas à la sienne.

« C'était quoi, le lien avec la Californie ? demanda-t-elle.

– Un groupe de militants antiguerre a dû monter une filière à Despair pour exfiltrer les fugitifs. Possible que certaines familles locales de militaires soient impliquées. Ils ont trouvé un système. Ils amènent les types ici, cachés dans des chargements de métaux tout à fait légitimes, puis leurs copains canadiens viennent les chercher pour leur faire passer la frontière du nord. Un couple a séjourné à l'hôtel de Despair, il y a sept mois : des Californiens. Je parierais à dix contre un qu'il s'agissait d'organisateurs qui recrutaient des sympathisants locaux. Et ces sympathisants se sont occupés de la sécurité. Ce sont eux qui ont brisé les vitres de ton pick-up. Ils se sont dit que je fouinais trop et ils ont tenté de m'intimider pour que je m'en aille. »

Vaughan posa sa tasse un peu plus loin, puis plaça le sel, le poivre et le sucre devant elle. Selon une droite. Elle tendit l'index et donna une pichenette au poivrier. Elle le décala. Un nouveau coup de doigt le fit tomber.

« Un petit groupe à part, fit-elle. Quelques personnes, cette main gauche qui agit dans le dos de Thurman. Celles qui aident les déserteurs. »

Reacher se tut.

« Sais-tu qui ils sont ?

– Aucune idée.

– Je veux les démasquer.

– Pourquoi ?

– Parce que je tiens à ce qu'on les arrête. Je veux appeler le FBI et leur donner une liste de noms.

– D'accord.

– Et toi, tu n'y tiens pas ? »

– Moi ? Non », fit Reacher.

Vaughan était trop bien élevée, trop soucieuse des commérages, pour se disputer dans la cafétéria. Elle se contenta de lancer de l'argent sur la table et de sortir d'un pas décidé. Reacher la suivit, comme il pensait devoir le faire. Elle prit à droite sur Second Street et fila à l'est. Vers les confins de la ville, plus calmes, ou encore vers le motel ou le poste de police. Reacher ne savait pas où précisément. Elle voulait s'isoler, ou exiger de voir le registre des appels téléphoniques du motel, ou être devant son ordinateur. En rogne, elle marchait vite, mais Reacher la rattrapa aisément. Il se cala derrière elle, lui emboîta le pas et attendit qu'elle ouvre la bouche.

« Tu le savais, hier.

– Avant-hier, dit-il.

– Comment ?

– De la même façon que j'en ai déduit que les patients à l'hôpital de David étaient des militaires. Des jeunes hommes, tous.

– Tu as attendu que ce camion ait passé la frontière pour me le dire.

– Exact.

– Pourquoi ?

– Je voulais que Rogers s'échappe. »

Vaughan s'arrêta net.

« Bon Dieu, tu étais dans la police militaire, autrefois. »

Reacher acquiesça.

« Treize ans.

– Tu traquais les types comme Rogers.

– Exact.

– Et tu es passé à l'ennemi, maintenant ? »

Reacher se tut.

« Connaissais-tu Rogers ?

– Jamais entendu parler. Mais j'en ai croisé des milliers comme lui. »

Vaughan reprit sa route. Reacher lui emboîta de nouveau le pas. Elle s'arrêta cinquante mètres avant le motel. Devant le poste de police. Sa façade en brique avait l'air froide sous la lumière grise. Les lettres en aluminium parfaitement découpées semblaient glaciales.

« Ils avaient un devoir à accomplir, dit Vaughan. C'était ton devoir, autrefois. David a fait le sien. Ils devraient faire le leur, et toi le tien. »

Reacher resta silencieux.

« Les soldats devraient aller là où on les envoie, ajouta-t-elle. Ils devraient obéir aux ordres. Ils n'ont pas à choisir. Tu as prêté serment. Tu dois t'y tenir. Ils trahissent leur patrie. Ce sont des lâches. Et toi aussi. Je n'arrive pas à croire que j'aie couché avec toi. Tu n'es rien. Tu me dégoûtes. Tu me flanques la chair de poule.

– Le devoir est un château de cartes.

– Qu'est-ce que tu veux dire encore ?

– Je suis allé là où l'on m'a dit. J'ai obéi aux ordres. J'ai fait tout ce qu'on me demandait et j'ai vu des milliers de types en faire autant. Et nous étions heureux, au fond de nous. Bon, on râlait, on geignait et on grognait comme tout bon soldat. Mais on acceptait l'échange. Parce que le devoir est une transaction, Vaughan. Ça marche dans les deux sens. On doit quelque chose, on nous doit quelque chose. Ce qu'on nous doit, c'est l'engagement solennel de mettre notre peau en danger si, et seulement si, il y a une sacrée bonne raison de le faire. La plupart du temps, les responsables se gourent, mais on aime à se dire qu'ils sont de bonne foi, quelque part. Au moins un petit peu. Et tout ça a disparu, aujourd'hui. Désormais, ce ne sont qu'ambition politique et électoralisme. Et les gars le savent. Tu peux essayer, mais tu ne feras jamais avaler de conneries à un soldat. Ce sont les autres qui ont tout cassé, pas nous. Ils ont enlevé la carte maîtresse en bas du château de cartes et tout s'est écroulé. Alors les types comme Anderson et Rogers, qui sont là-bas, voient leurs copains se faire tuer ou mutiler, se demandent : Pourquoi ? Pourquoi ferions-nous cette saloperie ?

– Et, à ton avis, disparaître sans laisser d'adresse serait la bonne réponse ?

– Pas vraiment. Je crois que la réponse serait que les civils remuent leur gros cul et flanquent les autres crétins dehors, aux élections. Ils devraient se servir de leur pouvoir de contrôle. C'est leur devoir à eux. C'est la plus forte carte en bas du château. Mais celle-là aussi est aux abonnés absents. Alors, ne me parle pas de disparaître sans laisser d'adresse. Pourquoi seuls les troufions n'y auraient pas droit ? En quoi y a-t-il encore réciprocité ?

– Toi qui as servi treize ans sous les drapeaux, tu soutiens les déserteurs ?

– Au vu des circonstances, je comprends leur décision. Précisément du fait de mes treize ans de service. J'ai bénéficié du bon temps. Et j'aurais bien aimé qu'il en soit de même pour eux aussi. J'ai adoré l'armée. Et je déteste ce qu'il lui est arrivé. Je ressentirais la même chose si j'avais une sœur et si elle avait épousé un sale type. Lui faudrait-il être fidèle à son serment de mariage ? Jusqu'à un certain point, sans doute, mais pas au-delà.

– Si tu y étais encore aujourd'hui, aurais-tu déserté ? »

Reacher fit non de la tête.

« Je ne crois pas que j'aurais été assez courageux.

– Tu appelles ça du courage ?

– Il en faut pour la plupart d'entre eux, davantage que tu ne le penses.

– Les gens ne veulent pas entendre que leurs proches sont morts pour rien.

– Je sais. Mais ça ne change rien à la vérité.

– Je te déteste.

– Non, ce n'est pas vrai, fit Reacher. Tu détestes ces politiciens, ces généraux, ces électeurs, le Pentagone. Puis il ajouta : Et tu n'acceptes pas que David ne soit pas parti sans laisser d'adresse, après sa première période en Irak. »

Vaughan se détourna et regarda la rue. Elle se figea. Ferma les yeux. Elle resta un long moment ainsi, pâle, avec un tremblement de la lèvre inférieure. Puis elle parla. Un tout petit filet de voix.

« Je le lui ai demandé. Je l'en ai prié à genoux. Je lui ai dit qu'on referait notre vie où il le voudrait, n'importe où dans le monde. Je lui ai dit qu'on pourrait changer de nom, sinon tout changer. Mais il n'a rien voulu entendre. L'idiot ! L'idiot ! »

Puis elle éclata en sanglots au beau milieu de la rue, juste en face de son travail. Ses jambes se dérobèrent sous elle et elle chancela en avant, alors Reacher la rattrapa et la serra dans ses bras. Les larmes de Vaughan trempèrent sa chemise. Ses épaules étaient agitées de soubresauts. Elle l'étreignit. Écrasa son visage contre sa poitrine. Pleura, bruyamment, sur sa vie en morceaux, sur ses rêves en miettes, sur ce coup de téléphone reçu deux ans plus tôt, sur cette visite de l'aumônier militaire chez elle, sur ces radios, ces hôpitaux crasseux, le sifflement de ce respirateur que rien ne pouvait arrêter.

Ensuite ils firent le tour du pâté de maisons, sans but précis, juste pour aller de l'avant. Le ciel était bas, chargé de nuages gris, et l'air sentait la pluie à venir. Vaughan s'essuya le visage sur un pan de chemise de Reacher et se passa les doigts dans les cheveux. Elle cligna des yeux pour se les éclaircir, ravala sa salive et inspira profondément. Ils se retrouvèrent de nouveau devant le poste de police et Reacher la vit balayer du regard les vingt lettres en aluminium rivées sur la brique. *Hope Police Department.*

« Pourquoi Raphaël Ramirez ne s'en est pas tiré ? dit-elle.

– Ramirez était différent », répondit Reacher.

SOIXANTE-SIX

« Un coup de fil de ton bureau suffira à l'expliquer. Autant rentrer le donner. Puisqu'on est là. Maria a suffisamment attendu, déclara Reacher.

– Un coup de fil à qui ?

– Au poste de la police militaire. On t'a parlé d'eux, on a dû leur parler de toi. Conclusion : ils coopéreront.

– Qu'est-ce que je leur demande ?

– Demande-leur de te faxer un résumé du dossier de Ramirez. Ils vont dire : Qui ça ? Tu leur réponds : Ne vous fichez pas de moi, nous savons que Maria est passée chez vous. Donc, vous savez de qui je parle. Et ajoute que nous sommes au courant qu'elle est restée chez eux vingt-quatre heures, suffisamment longtemps pour qu'ils récupèrent toute la paperasse du monde.

– Qu'est-ce qu'on va trouver ?

– À mon avis, Ramirez était en prison, il y a deux semaines. »

Le fax du poste de police de Hope était une vieille machine carrée, seule sur un chariot à roulettes. Il était anguleux, sans charme à l'origine, et désormais sale et usé. Mais il marchait. Onze minutes après que Vaughan eut terminé sa conversation au téléphone, il s'anima, ronronna, aspira une feuille blanche dans sa réserve de papier et la recracha avec du texte dessus.

Peu de texte. C'était un résumé qui allait droit à l'essentiel. Bien peu de résultats pour vingt et une heures de harcèlement administratif. Mais ça s'expliquait par le fait que l'armée de terre posait les questions et que les marines devaient y répondre. La collaboration entre les différents corps n'était pas en général des plus coopératives.

Raphael Ramirez était seconde classe dans les marines. À dix-huit ans, on l'avait envoyé en Irak. À dix-neuf, il avait effectué une seconde rotation là-bas. À vingt ans, il avait disparu dans la nature, juste avant une troisième rotation. Il s'était enfui, mais on l'avait arrêté cinq jours plus tard à Los Angeles, puis enfermé à la base de Camp Pendleton en attendant de le traduire en cour martiale.

Date de l'arrestation : trois semaines plus tôt.

« Allons trouver Maria », dit Reacher.

Ils la trouvèrent dans sa chambre de motel. Son lit présentait un creux là où elle s'asseyait, se réchauffait, économisait son énergie, passait le temps, souffrait. Elle ouvrit sa porte avec hésitation, comme si elle était certaine que les nouvelles ne pouvaient qu'être mauvaises. Rien dans l'expression de Reacher ne pouvait lui faire penser le contraire. Vaughan et lui l'invitèrent à aller s'asseoir dehors sur la chaise en plastique, devant la fenêtre de sa salle de bains. Reacher prit la chaise de la chambre 9 et Vaughan celle de la chambre 7. Ils les installèrent pour former un petit triangle resserré sur la plate-forme en béton.

« Raphael était un marine », déclara Reacher.

Maria hocha la tête. Sans rien dire.

« Il était allé deux fois en Irak et il ne voulait pas y retourner une troisième. Donc, il y a un peu moins de quatre semaines, il s'est sauvé. Il s'est rendu à L.A. Peut-être y avait-il des amis. Vous a-t-il appelée ? »

Maria se tut.

« Vous ne risquez rien. Personne ne viendra vous embêter pour quoi que ce soit, précisa Vaughan.

– Il m'appelait pratiquement tous les jours, répondit Maria.

– Comment était-il ? demanda Reacher.

– Terrorisé. Mort de trouille. Effrayé à l'idée d'être porté manquant, effrayé à l'idée d'y retourner.

– Qu'est-il arrivé en Irak ?

– À lui ? Pas grand-chose, vraiment. Mais il en a vu d'autres. Il racontait que les gens que nous étions censés aider nous tuaient et que nous tuions ceux que nous étions censés secourir. Tout le monde s'entretuait. De façon épouvantable. Ça le rendait fou.

– Alors, il s'est enfui et il vous a appelée tous les jours. »

Maria confirma d'un hochement de tête.

« Puis il ne vous a plus appelée pendant deux ou trois jours. Est-ce exact ?

– Il a perdu son téléphone portable. Il n'arrêtait pas de bouger. Pour sa sécurité. Puis il a eu un nouveau portable.

– Comment vous semblait-il, avec ce nouveau téléphone ?

– Toujours effrayé. Très inquiet. Et même pire.

– Et alors ?

– Il a appelé pour dire qu'il avait rencontré des gens. Ou que ces gens l'avaient trouvé. Ils allaient l'emmener au Canada. En passant par une ville qui s'appelait Despair, dans le Colorado. Je lui ai dit que je me rendrais ici, à Hope, et que j'attendrais son coup de fil. Puis que je me rendrais au Canada.

– A-t-il appelé de Despair ?

– Non.

– Pourquoi êtes-vous allée voir la police militaire ?

– Pour leur demander s'ils l'avaient trouvé et arrêté. Je m'inquiétais. Mais ils m'ont dit qu'ils n'avaient jamais entendu parler de lui. Ils faisaient partie de l'armée de terre. Lui, il était dans les marines.

– Et vous êtes revenue ici pour attendre encore un peu. »

Maria hocha la tête.

« Ça ne s'est pas exactement passé ainsi. On l'a arrêté à Los Angeles. Les marines l'avaient retrouvé. Il n'a pas perdu son téléphone. Il a passé deux ou trois jours en prison, expliqua Reacher.

– Il ne me l'a pas dit.

– Il n'en avait pas le droit.

– Il s'échappé une nouvelle fois ?

– À mon avis, il a passé un accord. Le corps des marines lui a présenté un choix. Cinq ans de détention à Leavenworth ou infiltrer la filière d'évasion entre la Californie et le Canada, pour la faire tomber. Noms, adresses, descriptions, techniques, itinéraires, toutes ces choses-là. Il a accepté et ils l'ont reconduit à L.A. et relâché. Voilà pourquoi la police militaire ne vous a pas répondu. Ils ont découvert ce qu'il en était et on leur a ordonné de faire barrage à vos questions.

– Alors, où est Raphael ? Pourquoi il n'appelle pas ?

– Mon père était marine. Les marines ont un code d'honneur. Raphael vous en a-t-il parlé ?

– Unité, corps, Dieu, pays. »

Reacher acquiesça.

« C'est la liste de ce à quoi ils jurent fidélité, dans l'ordre décroissant. Raphael devait d'abord fidélité à son unité. En fait, à sa compagnie. Un tout petit groupe d'hommes, à vrai dire. Des hommes comme lui.

– Je ne comprends pas.

– Je pense qu'il a accepté cet accord, mais qu'il ne pouvait pas se résoudre à l'exécuter. Il lui était impossible de trahir des gens comme lui. Je pense qu'il est allé à Despair, mais qu'il n'a pas appelé les marines. Je crois qu'il a traîné aux abords de la ville, sans se faire voir, parce qu'il était déchiré. Il ne voulait pas savoir qui était dans le coup parce qu'il avait peur de devoir les donner plus tard. Il a traîné des jours entiers, torturé. Il a commencé à avoir faim et soif. Il a commencé à avoir des hallucinations et a décidé de marcher jusqu'à Hope, de vous y retrouver, de s'échapper par un autre moyen.

– Où est-il, alors ?

– Il n'y est jamais arrivé, Maria. Il s'est écroulé à mi-chemin. Il est mort.
– Mais où est son cadavre ?
– Les gens de Despair s'en sont occupés.
– Je vois. »
Alors, pour la deuxième fois en moins d'une heure, Reacher vit une femme éclater en sanglots. Vaughan la prit dans ses bras et Reacher lui dit : « C'était un homme bien, Maria. C'était juste un gamin qui ne pouvait pas en encaisser davantage. Et, au final, il n'a pas trahi ce en quoi il croyait. » Il le lui répéta à satiété, dans des ordres différents, en mettant l'accent ici ou là, en pure perte.

Au bout de vingt minutes, Maria avait pleuré toutes les larmes de son corps et Vaughan la raccompagna dans sa chambre. Puis elle rejoignit Reacher et ils repartirent du motel.
« Comment le savais-tu ? demanda Vaughan.
– Aucune autre explication rationnelle.
– A-t-il vraiment fait ce que tu as dit ? S'est-il ainsi torturé et sacrifié ?
– Les marines savent se sacrifier. D'un autre côté, il les a peut-être floués dès le départ. Peut-être avait-il, depuis le début, l'idée de filer à Hope, de récupérer Maria et de disparaître.
– Il ne faut pas quatre jours pour se rendre de Despair à Hope à pied.
– Non, dit Reacher. Pas tant.
– Alors, il a peut-être bien agi.
– J'espère que Maria le pense.
– Crois-tu qu'il leur a parlé de ces gens en Californie ?
– Je n'en sais rien.
– Ça va continuer, sinon.
– À t'entendre, ce serait une mauvaise chose.
– Ça pourrait déraper.

– Tu peux donner quelques coups de fil. Ils sont inscrits dans le registre de l'hôtel de Despair, avec leurs nom et adresse. Tu pourrais vérifier qui ils sont, s'ils sont encore dans le coin, s'ils ont disparu dans les geôles fédérales.

– Je m'excuse pour ce que j'ai dit, tout à l'heure.

– Ne t'en fais pas pour ça. »

Ils continuèrent leur chemin en silence, jusqu'à ce que Reacher dise : « Et tu n'as pas eu tort de faire ce que tu as fait, avant-hier soir. Autrement celui qui a tué David t'aurait aussi tuée. Tu veux le lui concéder ? Moi, non. Je veux que tu aies une vie à toi.

– On dirait le début d'un discours d'adieu.

– Vraiment ?

– Pourquoi rester ici ? Le Pentagone lave son linge sale en privé, ce qui n'a rien de criminel. Et on semble s'accorder sur le fait que le reste n'est pas non plus un crime.

– Il y a une autre chose qui me tracasse », fit Reacher.

SOIXANTE-SEPT

Reacher et Vaughan retournèrent à la cafétéria, où Reacher put manger un morceau : le premier depuis le burger qu'il avait pris à la cantine de Fort Shaw, la nuit précédente. Il fit le plein de caféine en buvant quatre tasses de café.

« Il faut qu'on aille rendre visite à ces policiers militaires. Maintenant que tu as pris contact avec eux, on devrait se permettre une rencontre en tête à tête, dit-il ensuite.

– On va retraverser Despair en voiture ? demanda Vaughan.

– Non, on va couper à travers la plaine avec ton pick-up. »

Ils décollèrent les codes barres sur les vitres toutes neuves et Vaughan alla chercher des serviettes en papier dans sa cuisine pour y effacer les traces de cire et de doigts. Ils se mirent en route en début d'après-midi. Vaughan prit le volant. Ils franchirent les huit kilomètres à l'ouest, sur la route de Hope, jusqu'à la limite de juridiction, et se risquèrent sur les quinze suivants dans celle de Despair. L'air était pur et les montagnes devant eux dégagées, d'abord toutes proches, attirantes, puis incroyablement lointaines. Cinq kilomètres avant le premier terrain vague de Despair, ils ralentirent, passèrent en cahotant de la route au désert et entamèrent une grande boucle vers le nord. Ils gardèrent la ville sur leur gauche dans un rayon de cinq kilomètres. Elle dessinait une masse floue au loin. Impossible de dire si elle était gardée par une foule, des sentinelles, ou laissée grande ouverte.

La progression sur ces terres désertiques prit du temps. Ils contournèrent des rochers, des buissons et ils roulèrent sur tout ce qui n'était pas assez gros pour constituer un véritable obstacle. Les broussailles raclaient le châssis et les arbustes battaient les flancs du véhicule. L'échelle et le pied-de-biche sur le plateau à l'arrière rebondissaient dans un bruit de ferraille. La torche roulait d'un côté à l'autre. De temps à autre, ils croisaient des rigoles à sec et en suivaient les méandres en accélérant. Puis ils se frayèrent encore un chemin à travers des rochers plus gros que le pick-up, tout en gardant le soleil bien au milieu du pare-brise. À quatre reprises, ils s'enferrèrent dans des enceintes naturelles et durent rebrousser chemin. Au bout d'une heure, la ville rétrécit dans leur dos et l'usine apparut devant eux sur la gauche. Le blanc de ses murs était éclatant sous le soleil. Le parking avait l'air désert. Aucun véhicule. Aucune fumée ne montait de l'usine. Aucune étincelle, aucun bruit. Pas la moindre activité.

« Quel jour est-on ? fit Reacher.

– Un jour ouvrable ordinaire.

– Pas un jour de congé ?

– Non.

– Alors, où sont-ils tous ? »

Ils virèrent à gauche et se rapprochèrent de l'usine. Le pick-up Chevrolet soulevait un beau nuage de poussière derrière lui. Il aurait été visible par n'importe quel observateur. Mais il n'y en avait aucun. Ils ralentirent, s'arrêtèrent trois kilomètres en amont et attendirent. Cinq minutes. Dix. Puis un quart d'heure. Aucun Tahoe en maraude n'émergea.

« Qu'as-tu exactement en tête ? demanda Vaughan.

– J'aimerais pouvoir me l'expliquer, fit Reacher.

– Qu'est-ce que tu ne t'expliques pas ?

– Cette manière qu'ils avaient de vouloir tenir les étrangers à l'écart, à tout prix. La raison pour laquelle ils ont fermé l'enceinte secrète pour la journée, juste parce que je me suis pointé à moins d'un kilomètre. La façon dont ils ont découvert le corps de Ramirez et dont ils s'en sont débarrassés aussi vite, aussi efficacement. On les croirait programmés pour être en permanence sur leurs gardes vis-à-vis des intrus. Qu'ils les attendent, même. Qu'ils ont des procédures préétablies à suivre. Et tout le monde en ville est dans le coup. Le premier jour où je suis arrivé, même la serveuse du restaurant savait exactement ce qu'elle avait à faire. Pourquoi se donner tant de mal ?

– Ils jouent dans l'équipe du Pentagone. Pour garder confidentiel ce qui doit le rester.

– Peut-être. Mais je n'en suis pas sûr. Le Pentagone ne leur en demanderait certainement pas tant. Despair se trouve au milieu de nulle part, l'usine est à cinq kilomètres de la ville et les choses pas nettes ont lieu dans une enceinte intérieure isolée par des murs. Ça suffit pour le Pentagone. Il ne demanderait pas aux autochtones de s'interposer. Ils font confiance aux murs, aux distances et à la géographie. Pas aux gens.

– Peut-être Thurman l'a-t-il demandé lui-même aux habitants.

– J'en suis sûr. Persuadé. Mais pourquoi ? Pour le compte du Pentagone ou pour une raison qui lui serait propre ?

– Laquelle, par exemple ?

– Une seule possibilité logique. À vrai dire, une seule possibilité, et elle défie la logique. Ou une impossibilité logique. Un seul mot des policiers militaires en décidera. S'ils acceptent de nous parler.

– Quel mot ?

– Soit oui, soit non. »

Ils repartirent et roulèrent en ligne droite, plein ouest, autant que le leur permettait le terrain. Ils atteignirent la route des poids lourds trois kilomètres après l'usine, franchirent le bas-côté sablonneux et montèrent sur l'asphalte après un dernier cahot. Vaughan se mit directement sur sa voie et appuya sur le champignon. Deux minutes plus tard, ils aperçurent la base de la police militaire au loin. Une minute après, ils y arrivèrent.

Il y avait quatre hommes dans la guérite à l'entrée, ce qui semblait constituer le nombre habituel. Bien trop, de l'avis de Reacher, ce qui voulait dire que le poste était commandé par un lieutenant et non par un sergent. Un sergent aurait laissé deux hommes de garde dans la guérite et les deux autres au repos, ou en patrouille volante dans un Hummer, suivant le niveau de menace. Or les officiers devaient valider les demandes de carburant, ce qui éliminait les Hummer en patrouille volante, et ils n'aimaient pas que les hommes se tournent les pouces, d'où la surpopulation de la guérite. Mais Reacher ne voyait pas ces troufions s'en plaindre. Ni eux, ni les autres. Ils étaient allés en Irak et ils n'y étaient plus. La seule question qu'il se posait était de savoir si leur officier avait été en Irak avec eux. Dans l'affirmative, il pourrait être raisonnable. Dans le cas contraire, il pourrait se montrer emmerdant au possible.

Vaughan passa devant la base, fit demi-tour, revint sur ses pas et se gara face à la voie de droite, collée au bas-côté, tout près de l'entrée sans la bloquer. Comme devant une caserne de pompiers. Respectueuse. Décidée à éviter un faux pas dans la danse qui ne manquerait pas de suivre.

Deux types sortirent immédiatement de la guérite. Les deux mêmes déjà croisés par Reacher. Morgan, le caporal binoclard, avec des rides autour des yeux, et son acolyte, le soldat de première classe muet. Reacher plaça ses mains bien en évidence et se coula hors du pick-up. Vaughan l'imita de son côté. Elle déclina son nom et sa qualité de policière à Hope. Morgan la salua d'une manière qui indiqua à Reacher que la police militaire avait vérifié son immatriculation la première fois, malgré toutes ses précautions, et qu'elle avait découvert ce qu'avait été son mari et où il se trouvait désormais.

Ce qui va nous aider, pensa-t-il.

Puis Morgan se retourna et le regarda droit dans les yeux.

« Monsieur ? fit-il.

– J'ai moi aussi été dans la police militaire, dit Reacher. J'ai été à la place de votre lieutenant, il y a un million d'années.

– Oui, monsieur. Quelle unité ?

– Le 110e.

– Rock Creek, en Virginie », dit Morgan.

Une affirmation, pas une question.

« Je m'y suis rendu deux ou trois fois pour me faire botter le cul. Le reste du temps, j'étais en vadrouille, dit Reacher.

– En vadrouille, où ça ?

– Partout où vous êtes allé, plus une centaine d'autres endroits.

– Voilà qui est intéressant, monsieur. Mais je vais devoir vous demander de déplacer votre véhicule.

– Repos, caporal. Nous l'enlèverons dès que nous aurons parlé à votre lieutenant.

– À quel sujet, monsieur ?

– C'est entre lui et nous, dit Reacher.

– Monsieur, je ne peux pas justifier de le déranger sur cette base-là.

– Bougez-vous, soldat. Moi aussi, j'ai lu le manuel. Sautons quelques pages et allons jusqu'au passage où vous avez décidé qu'il s'agit d'une affaire importante.

– Serait-ce au sujet de ce marine disparu ?

– Beaucoup plus intéressant.

– Monsieur, ça m'aiderait beaucoup d'avoir des détails.

– Ça vous aiderait aussi beaucoup d'avoir un million de dollars et un rendez-vous avec Miss Amérique. Mais quelles en sont les chances, soldat ?

Dix minutes plus tard, Reacher et Vaughan étaient de l'autre côté des barbelés, dans l'un des six préfabriqués en métal, en tête à tête avec un lieutenant nommé Connor. C'était un petit homme mince. Il avait peut-être vingt-six ans. Il avait servi en Irak. Une évidence. Son treillis était défraîchi, râpé par le sable, et ses pommettes luisaient tant elles étaient brûlées. Il avait l'air compétent et l'était probablement. Il était toujours en vie et n'était pas tombé en disgrâce. En fait, il pouvait sans doute se retrouver promu capitaine, la paperasse remplie. Avec peut-être quelques médailles à la clé.

« Est-ce une visite officielle des services de police de Hope ? demanda-t-il.

– Oui, répondit Vaughan.

– Vous êtes tous deux membres de cette police municipale ?

– Monsieur Reacher est un consultant extérieur au service.

– Que puis-je donc pour vous ?

– Pour faire court, nous sommes au courant des opérations de récupération d'uranium appauvri à l'usine de Thurman, lança Reacher.

– Voilà qui m'ennuie un peu, fit Connor.

– Ça nous ennuie un peu, nous aussi. Les règles du ministère de la Sécurité intérieure nous obligent à tenir à jour un registre des sites chimiques potentiellement dangereux dans un périmètre de trente kilomètres. »

Reacher l'affirma comme si c'était la vérité et ça aurait pu l'être. Rien d'impossible, avec la Sécurité intérieure.

« On aurait dû nous tenir informés, ajouta-t-il.

– Vous êtes à plus de trente kilomètres de l'usine.

– Trente du centre-ville, pour être précis, dit Reacher. Moins de vingt-cinq seulement des limites du territoire municipal.

– C'est classé secret défense, dit Connor. Vous ne pouvez pas l'inscrire dans un registre. »

Reacher acquiesça.

« On le comprend. Mais on aurait dû être mis au courant, à titre privé.

– On dirait que vous l'êtes.

– Mais nous voudrions vérifier certains détails. Chat échaudé craint l'eau froide.

– Alors, il faudra vous adresser au ministère de la Défense.

– Mieux vaudrait l'éviter. Ils se demanderont comment ça nous est venu aux oreilles. Une indiscrétion de vos hommes sera leur première hypothèse.

– Mes hommes ne parlent pas.

– Je vous crois. Mais, êtes-vous prêt à prendre le risque que le Pentagone doive vous croire sur parole ?

– Quels détails ? demanda Connor.

– Nous estimons avoir le droit de savoir quand et comment l'uranium appauvri récupéré est expédié à l'extérieur, et suivant quel itinéraire.

– Vous avez peur de le voir traverser First Street ?

– Et comment.

– Eh bien, ce n'est pas le cas.

– Tout part à l'ouest ?

– Il ne va nulle part, dit Connor.

– Qu'entendez-vous par là ? demanda Vaughan.

– Vous n'êtes pas les premiers à vous affoler. L'État du Colorado est lui-même passablement tendu. Ils veulent fermer l'autoroute et y faire passer un convoi sous escorte armée. Ce qu'ils n'envisagent pas de façon régulière. Une fois tous les cinq ans, voilà leur idée.

– De quand date le dernier convoi ?

– Il n'est pas encore parti. Le premier est prévu dans deux ans.

– Donc, ils stockent actuellement ce produit dans l'usine ? dit Reacher.

– L'acier sort, l'uranium appauvri reste à l'intérieur.

– Combien en ont-ils accumulé ?

– Au jour d'aujourd'hui : dans les vingt tonnes.

– L'avez-vous vu ? »

Connor secoua la tête.

« Thurman nous envoie un rapport mensuel par courrier.

– Ça vous satisfait ?

– Qu'est-ce qui ne nous satisferait pas ?

– Ce type est assis sur une montagne de produit dangereux.

– Et alors ? Que pourrait-il bien en faire ? »

SOIXANTE-HUIT

Reacher et Vaughan remontèrent dans le pick-up.

« Cette réponse : était-ce un oui ou un non ? demanda Vaughan.

– Les deux, dit Reacher. Non, on ne l'emmène pas ailleurs. Oui, c'est toujours là.

– Un bon signe, ce mélange ? »

Reacher baissa la tête et regarda de l'autre côté du pare-brise. Quatre heures de l'après-midi. Le soleil brillait faiblement à travers les nuages, mais il était bien au-dessus de l'horizon.

« Quatre heures avant qu'il fasse noir, dit-il. Nous avons le temps de prendre une décision réfléchie.

– Il va pleuvoir.

– Probablement.

– Ça va pousser davantage de TCE dans la nappe phréatique.

– Probablement.

– Nous n'allons pas attendre la tombée de la nuit, ici, en nous tournant les pouces sous la pluie.

– Non, pas vraiment. Nous allons retourner à l'Holiday Inn de Halfway.

– Uniquement si l'on prend deux chambres séparées.

– Tais-toi, Vaughan. On prendra la même chambre que la dernière fois et on y refera la même chose. »

Cette chambre-là n'était pas disponible, mais on leur en donna une toute pareille. Même taille, même décoration, même couleur. Impossible de distinguer l'une de l'autre. Ils suivirent le même programme. Se doucher, passer au lit, faire l'amour. Vaughan se montra d'abord un peu réservée, mais elle se relâcha au bout d'un moment. Après quoi, elle affirma à Reacher que David était meilleur que lui au lit. Reacher ne s'en offusqua pas. Elle avait besoin de s'en convaincre. Et c'était sans doute vrai.

Toujours allongée sur les draps en bataille, Vaughan passa en revue les cicatrices de Reacher. Elle avait de petites mains. Le creux laissé par la balle dans la poitrine de Reacher était trop grand pour le bout de son petit doigt. Son annulaire y logeait. Toutes les femmes devant lesquelles il s'était montré nu en étaient fascinées, à l'exception de celle pour qui il l'avait reçue. Celle-là avait préféré oublier. La pluie se mit à tomber au bout d'une heure. Une pluie battante. Elle résonna sur le toit de l'hôtel et cogna en rafales contre la fenêtre. Une sensation douillette, de l'avis de Reacher. Il appréciait d'être à l'abri, au lit, à écouter la pluie. Au bout d'une heure, Vaughan se leva et alla se doucher. Reacher resta au lit et feuilleta la bible que les Gédéons avaient déposée sur la table de nuit.

Quand Vaughan revint, elle demanda :

« Pourquoi est-ce important ?

– Qu'est-ce qui serait important ?

– Le fait que Thurman stocke de l'uranium appauvri ?

– Je n'aime pas cette conjonction. Il dispose de vingt tonnes de déchets radioactifs et de vingt tonnes de TNT. C'est un fervent croyant de la Fin des Temps. J'ai parlé à un pasteur, la nuit dernière. Il m'a dit que les adeptes de la Fin des Temps en avaient assez d'attendre. Thurman lui-même affirmait que certains événements annonciateurs allaient se précipiter. Il le disait sur un ton un peu content de lui, comme si, en son for intérieur, il savait que c'était vrai. Et la ville entière paraît attendre quelque chose.

– Thurman ne peut pas déclencher la Fin des Temps. Elle surviendra quand elle le devra.

– Ces gens sont des fanatiques. Ils semblent se croire capables de donner un coup de pouce. Ils tentent d'élever des vaches rousses en Israël.

– En quoi ça les aiderait ?

– Ne me le demande pas.

– Les vaches ne présentent aucun danger.

– Une autre condition : un conflit majeur au Moyen-Orient.

– On en a déjà un.

– Pas suffisamment sérieux.

– Comment pourrait-il empirer ?

– De tas de façons différentes.

– Personnellement, je ne vois pas.

– Imagine qu'un autre pays entre dans la danse.

– Ce serait de la folie pour lui.

– Imagine que quelqu'un ait tiré le premier coup de feu à sa place.

– Comment ça se pourrait ?

– Imagine qu'une bombe sale explose dans Manhattan, dans Washington ou dans Chicago. Que ferions-nous ? dit Reacher.

– Selon toi, nous évacuerions la ville.

– Et après ?

– Nous enquêterions. »

Reacher hocha la tête.

« On aurait des gens en combinaison de protection étanche qui passeraient tous les débris au peigne fin. Que trouveraient-ils ?

– Des preuves.

– Certainement. Ils identifieraient les matériaux employés. Imagine qu'ils découvrent du TNT et de l'uranium appauvri.

– Ils dresseraient la liste des sources possibles.

– Exact. N'importe qui au monde peut se procurer du TNT, mais l'uranium appauvri est plus rare. C'est un sous-produit d'un processus d'enrichissement pratiqué dans une vingtaine d'endroits, peut-être.

– Des puissances nucléaires ?

– Parfaitement.

– Une liste de vingt suspects ne serait d'aucune utilité.

– Parfaitement, répéta Reacher. Et le bouc émissaire désigné ne va pas revendiquer lui-même cette explosion, parce que ce bouc émissaire ne sera au courant de rien depuis le début. Mais imaginons que l'on nous oriente dans une certaine direction.

– Comment ?

– Tu te rappelles Oklahoma City ? Le bâtiment fédéral ? Il s'agissait d'une grosse explosion, mais ils ont su que c'était un camion de location Ryder. En quelques heures. Ils sont très bons pour reconstituer le puzzle à partir de tout petits fragments.

– Pourtant, on peut supposer que rien ne distingue un fragment d'uranium d'un autre.

– Mais imagine-toi en terroriste à la solde d'un État étranger. Tu voudrais maximiser l'impact de ton investissement. Donc, s'il te manquait un peu d'uranium au moment de fabriquer ta bombe, tu utiliserais peut-être quelque chose d'autre pour bien la remplir.

– Quoi d'autre ?

– Peut-être des morceaux de carcasses automobiles », dit Reacher.

Vaughan se tut.

« Imagine que les types en combinaison de protection découvrent des morceaux de Peugeot et de Toyota vendues seulement sur certains marchés. Imagine qu'ils trouvent des fragments de plaques d'immatriculation iraniennes. »

Vaughan garda un moment le silence. Puis elle dit :

« L'Iran travaille l'uranium. Il s'en vante.

– Et voilà, fit Reacher. Que se passerait-il, alors ?

– Nous émettrions certaines hypothèses.

– Et alors ?

– Nous attaquerions l'Iran.

– Et après ?

– L'Iran attaquerait Israël. Israël riposterait. Tout le monde se taperait dessus.

– Une façon de précipiter les événements, dit Reacher.

– C'est dingue.

– Ces gens-là croient des vaches rousses capables d'annoncer la fin du monde.

– Les mêmes se sentent assez concernés pour faire donner à des cendres un enterrement décent.

– Parfaitement. Car, pour n'importe qui d'autre, c'est un geste qui n'a pas de sens. Il s'agit peut-être d'une manœuvre de camouflage. Pour faire en sorte que personne ne vienne y regarder de trop près.

– Nous disposons de preuves.

– Nous avons un fêlé de la Fin des Temps avec la compétence technique, vingt tonnes de TNT, vingt tonnes d'uranium appauvri, quatre voitures iraniennes et une réserve inépuisable de conteneurs, dont certains ont dernièrement transité par le Moyen-Orient.

– Tu crois que c'est possible ?

– Tout est possible.

– Mais aucun juge en Amérique ne délivrerait un tel mandat de perquisition. Pas avec le peu dont nous disposons. On n'a même pas de preuves indirectes. Rien qu'une théorie invraisemblable.

– Je n'attends aucun mandat de perquisition. J'attends la tombée de la nuit », dit Reacher.

Il fit noir deux heures plus tard. L'obscurité réveilla les doutes de Vaughan.

« Si tu prends ça tant au sérieux, tu devrais appeler la police du Colorado. Ou le FBI.

– Je devrais leur donner mon nom. Je n'aime pas ça.

– Alors, adresse-toi au lieutenant du poste de police militaire. Il le connaît déjà, ton nom. Et puis, c'est son problème, après tout.

– Il attend une promotion et des médailles. Il ne veut pas de vagues. »

Il pleuvait toujours. Un déluge sans interruption.

« Tu n'es pas le ministère de la Justice à toi tout seul, dit Vaughan.

– À quoi tu penses ?

– Hors complications juridiques ?

– Oui, mis à part ça.

– Je ne veux pas que tu y ailles à cause des radiations.

– Elles ne me feront rien.

– D'accord. Moi, je ne veux pas y aller. Tu disais qu'elles causent des problèmes de fertilité et de malformations congénitales.

– Tu n'es pas enceinte.

– J'espère que non.

– Moi aussi.

– Mais ces choses-là sommeillent parfois des années. Je voudrais peut-être des enfants, un jour. »

Voilà un progrès, pensa Reacher.

« Le seul problème, c'est la poussière. Et la pluie va la coller au sol. De plus, tu n'as pas besoin d'entrer. Seulement de me conduire à la porte. »

Ils partirent trente minutes plus tard. Halfway était une petite ville, mais ils mirent du temps à en sortir. Les voitures allaient lentement. Les gens roulaient prudemment, comme ils le font généralement en cas de tempête, là où il fait sec d'ordinaire. Des cascades d'eau dévalaient les rues. Vaughan mit les essuie-glaces au maximum. Ils battaient à folle allure dans un sens et dans l'autre. Elle retrouva l'embranchement vers l'est et s'y engagea. Moins d'une minute après, il ne resta plus que le vieux pick-up Chevrolet sur la route. La pluie fouettait le pare-brise et cognait sur le toit.

« C'est une bonne chose, fit Reacher.

– Tu crois ?

– Chacun restera chez soi. Nous aurons l'usine pour nous tout seuls. »

Ils passèrent devant le poste de la police militaire, une demi-heure plus tard. Il y avait toujours quatre hommes dans la guérite. Ils portaient des capes imperméables. Leur veilleuse orange était allumée. Elle transformait en perles mates les milliers de gouttes collées aux vitres.

« Thurman décollera-t-il par un temps pareil ? demanda Vaughan.

– Il n'en a pas besoin. L'usine n'a pas travaillé, aujourd'hui. »

Ils poursuivirent leur route. Au loin devant eux, ils distinguèrent une bande de lumière bleue. L'usine, éclairée. Bien plus petite qu'avant. Comme si on l'avait déplacée quinze kilomètres au sud, vers l'horizon. En se rapprochant, ils constatèrent pourtant qu'elle n'avait pas bougé. La lueur était moindre car seul le quart le plus à l'est était illuminé. L'enceinte secrète.

« Là, ils travaillent, remarqua Vaughan.

– Bien, dit Reacher. Ils ont peut-être laissé les portes ouvertes. »

Ce n'était pas le cas. L'entrée du personnel et l'accès principal pour les véhicules étaient tous deux fermés. L'essentiel de l'usine était dans le noir. Près d'un kilomètre et demi au-delà, l'enceinte secrète jetait ses feux, lointaine, tentante.

« Ta décision est prise, vraiment ?

– Absolument, répliqua Reacher.

– D'accord. Où ça ?

– Au même endroit que la dernière fois. »

Les ornières creusées par les Tahoe étaient grasses et pleines d'eau, le pick-up Chevrolet glissa, chassa et avança par à-coups. Vaughan retrouva l'endroit exact et Reacher dit : « Approche-toi en marche arrière. » Les roues patinèrent, le pick-up quitta les ornières en cahotant et Vaughan positionna le véhicule, le hayon nettement au-dessous des courbes du cylindre métallique : la fenêtre arrière, à peu près au niveau de la rigole du pare-brise de la Crown Victoria, la fois d'avant.

« Bonne chance, dit-elle. Fais attention.

– Ne t'inquiète pas, répondit Reacher. Le pire que je risque d'attraper, c'est une pneumonie. »

Il sortit sous la pluie et se retrouva trempé jusqu'aux os avant même d'avoir tiré son matériel du plateau de chargement. Il s'agenouilla dans la boue à côté du pick-up et régla son échelle pour qu'elle décrive le L approximatif qui avait fonctionné la fois précédente. Il mit la torche dans une poche et accrocha le pied-de-biche à l'autre. Puis il souleva l'échelle à la verticale, la posa à l'arrière du pick-up et en coinça les pieds à angle droit avec le fond du plateau et la paroi arrière de l'habitacle. Il la laissa retomber en avant et la petite branche du L atterrit à plat au sommet du cylindre, aluminium contre acier, un étrange bruit de métal qui se fit entendre par deux fois : la première, sur le coup, puis une autre, quelques longues secondes plus tard, comme si le bruit d'impact avait parcouru à toute vitesse les kilomètres de mur creux pour en revenir amplifié. Reacher se hissa dans le plateau de chargement. La pluie qui battait le métal lui rebondissait sur les genoux. Elle frappait le cylindre d'acier au-dessus de sa tête et retombait du point culminant, en rideaux, comme une petite chute d'eau. Reacher fit un pas de côté, un autre vers le haut, puis il entama son ascension. La pluie lui martelait les épaules. La gravité déplaça à la verticale le pied-de-biche, qui heurta chaque marche de l'échelle. Les harmoniques résonnèrent de nouveau : un étrange son métallique plaintif, tempéré par le vacarme de la pluie. Reacher passa le coin du L et s'arrêta. Le cylindre était recouvert d'une peinture brillante que l'eau ruisselante rendait glissante. La première fois, manœuvrer s'était avéré difficile. Là, ça allait être très délicat.

Il tâtonna pour tirer la torche de sa poche et l'alluma. Il la tint entre les dents, observa l'eau et repéra un endroit où elle coulait pour moitié d'un côté, pour moitié de l'autre. Le centre géométrique précis du cylindre. La ligne de partage des eaux. Il s'aligna dessus, se dégagea de l'échelle et s'assit. Une sensation inquiétante. Celle du coton humide sur de la peinture mouillée. Aucun frottement. L'eau qui lui dégoulinait dessus menaçait de le faire glisser à sa surface comme un pneu en aquaplaning.

Il resta un long moment assis sans broncher. Il lui fallait tourner la taille, soulever l'échelle et l'inverser. Mais il était incapable de bouger. Le moindre mouvement le décollerait. La loi de l'action et de la réaction selon Newton. Chaque action produit une réaction égale en sens opposé. S'il tournait le torse vers la gauche, la force de rotation tordrait le bas de son corps vers la droite et il tomberait du cylindre. *Un profil efficace inspiré des recherches pour les prisons.*

Quatre mètres trente jusqu'au sol. Il survivrait à une chute maîtrisée, à condition qu'il n'atterrisse pas dans un amas de ferraille acérée. Mais, sans échelle posée à l'intérieur, ses chances de ressortir étaient des plus incertaines.

Les portes avaient peut-être des systèmes de fermeture moins sophistiqués à l'intérieur. Sans combinaison à chiffres.

Il arriverait peut-être à improviser une échelle avec des morceaux de ferraille. Il apprendrait peut-être à souder et à s'en construire une.

Ou non.

Il pensa : *Tout ça, je m'en inquiéterai plus tard.*

Il demeura encore un peu assis sous la pluie, se pencha, roula en avant, glissa sur le ventre, les paumes crissant contre le métal mouillé, le pied-de-biche cognant encore et encore, puis, quatre-vingt-dix degrés après le haut de la ligne de partage des eaux, il partit en vol plané pendant une fraction de seconde, puis deux, puis trois.

Il toucha le sol bien plus tard qu'il ne l'aurait cru. Mais, ne trouvant aucune ferraille sous lui, il fit un roulé-boulé, les genoux ramassés, et le pied-de-biche vola dans la direction opposée. La torche décrivit un arc de cercle. Il eut le souffle coupé. Mais ce fut tout. Il s'assit et un rapide inventaire de tête lui indiqua qu'il n'avait rien, sinon la boue, l'huile et la graisse qui maculaient ses vêtements sur ce sol gluant.

Il se releva et s'essuya les mains sur son pantalon. Et retrouva sa torche. Elle était un mètre plus loin et brillait toujours fort. Il la prit d'une main, le pied-de-biche dans l'autre, et il resta un moment à l'abri derrière la pyramide de vieux bidons d'huile. Puis il en sortit et se mit en marche, vers le sud-ouest. Des silhouettes ténébreuses se dressaient devant lui. Des grues, des portiques, des concasseurs, des creusets, des monceaux de métal. Au loin derrière eux, l'enceinte intérieure était toujours éclairée.

Les lumières formaient un T.

Un T pas bien haut. Sa barre horizontale dessinait une ligne bleue incandescente de huit cents mètres de long. La barre verticale dessous était toute petite. Quatre mètres trente de haut. Sans plus. Sur une profondeur de peut-être neuf mètres. Une base bien trapue pour une telle horizontale.

Mais elle était bel et bien ainsi.

La porte qui donnait à l'intérieur était ouverte.

Une invitation. Un piège, presque à coup sûr. *Comme des phalènes sur une flamme*. Reacher l'observa un bon moment, puis il reprit sa pénible marche. Le faisceau de sa torche lui révéla partout des mares irisées. Du pétrole et de la graisse. La pluie s'infiltrait dans le sable et les déchets remontaient par capillarité. Poser un pied devant l'autre était difficile. Au bout de dix mètres, Reacher soulevait des kilos de boue sous et sur ses chaussures. Il grandissait à chaque pas. Chaque fois que sa torche lui montrait une pile d'anciennes poutrelles ou un amas de vieux rebars, il s'arrêtait et raclait ses semelles dessus. Il avait les cheveux collés au visage et l'eau lui coulait dans les yeux.

Il distingua au loin les Tahoe blancs du service de sécurité, flous, fantomatiques dans l'obscurité. Ils étaient garés côte à côte, à gauche de l'entrée principale. À trois cents mètres de lui. Il se dirigea droit dessus. Les rejoindre lui prit sept minutes. Une allure réduite de moitié à cause du sol meuble. Lorsqu'il atteignit son but, il prit sur la droite et contrôla la porte d'accès aux véhicules. Pas de chance. Elle était équipée du même boîtier gris dedans et dehors. Du même clavier. Des mêmes trois millions de combinaisons potentielles, sinon davantage. Il s'en éloigna, longea le mur, dépassa le bureau des services de sécurité, celui de Thurman et celui de la direction de l'exploitation. Il s'arrêta devant celui des achats. Il essuya ses chaussures, grimpa les marches et ôta, de l'ongle, les vis du loquet qui tenaient le cadenas. La porte s'affaissa un peu et s'entrebâilla. Il entra.

Il alla directement vers les meubles de rangement des dossiers. Directement vers ceux au bout à droite. Il ouvrit le tiroir des T. En sortit le dossier Thomas. L'opérateur de téléphonie. Le fournisseur de téléphones portables. Attachée au dos de la commande d'origine se trouvait une épaisse liasse de paperasses. Les contrats, les détails, les minutes de forfait, les taxes, les prix, les marques, les modèles. Et les numéros. Il déchira la feuille avec les numéros, la plia et la rangea dans une poche de son pantalon. Puis il ressortit sous la pluie.

Un kilomètre et demi plus loin, près de quarante minutes plus tard, il approchait de la porte de l'enceinte intérieure.

SOIXANTE-NEUF

La porte était toujours ouverte. L'enceinte intérieure toujours brillamment éclairée. De près, cette lumière faisait mal aux yeux. Elle s'échappait sous la forme d'une barre compacte, large comme l'ouverture de la porte, puis se diffusait sur une centaine de mètres de long, tel le faisceau d'un phare.

Reacher se colla au mur et approcha par la droite. Il s'arrêta dans le dernier carré de pénombre et tendit l'oreille. Il n'entendait rien avec cette pluie battante. Il attendit une minute, qui lui parut une éternité, puis posa le pied en pleine lumière. Son ombre le suivit, longue de plus de quinze mètres.

Aucune réaction.

Il avança d'un pas vif et détaché. Aucune alternative. Il était sous le feu des projecteurs, aussi vulnérable qu'une strip-teaseuse sur scène. Le sol sous ses semelles était creusé de profondes ornières. Il avait de l'eau jusqu'aux chevilles. Devant lui, sur sa gauche, se trouvait un premier empilement astucieux de conteneurs. Ils étaient superposés de façon à former un V ouvert, la pointe en avant. Sur leur gauche, quinze mètres plus loin, il y avait un second V. Il se dirigea vers l'espace libre entre les deux. Il le franchit et se retrouva tout seul au milieu d'une arène, incluse dans une autre arène, elle-même encore incluse dans une autre.

Au total, huit empilements de conteneurs formaient un cercle géant. Ils masquaient une zone d'environ quinze hectares de superficie. Sur ces quinze hectares, on trouvait des grues, des portiques, des concasseurs, des pelleteuses et des bulldozers au repos, des chariots de toutes sortes et des remorques couvertes de matériel plus petit. Des bobines de fil de bottelage, des chalumeaux coupeurs, des bombonnes de gaz, des marteaux pneumatiques, des tuyaux pour jets à haute pression, et des outils. Crasseux, cabossés et plus tout neufs. Ici et là, des tabliers en cuir et des lunettes de soudure noires étaient entassés en vrac.

Hormis ces équipements industriels, deux éléments attiraient l'attention.

Le premier, sur la droite, était un énorme tas de carcasses de tanks lourds.

Il faisait dans les dix mètres de haut et quinze de diamètre à la base. On aurait dit un cimetière d'éléphants, tout droit sorti d'une préhistoire de cauchemar. Des canons tordus pointés vers le haut qui rappelaient des défenses ou des côtes. Des tourelles démontées étaient entassées n'importe comment, minces, larges, plates, comme on pouvait s'y attendre, et ouvertes comme des boîtes de conserve. Des capots de moteur arrondis étaient alignés sur la tranche, telles des assiettes sur un égouttoir, certains explosés et démolis. Partout, des jupes latérales, déchirées parfois comme du papier aluminium. Des morceaux de caisses désossées étaient mélangés aux débris. Certains avaient été démontés par les hommes de Thurman. La plupart l'avaient été bien loin de là, par d'autres, suivant des techniques différentes. C'était clair. Des traces de peinture de camouflage du désert ressortaient par endroits. Assez rares, pourtant. L'essentiel des pièces métalliques étaient devenues noires et mates sous les flammes. Elles avaient l'air sinistre sous la lumière bleue et luisaient sous la pluie, mais Reacher sentit qu'il pouvait y voir encore monter la fumée et y entendre hurler les hommes à l'intérieur. Il se retourna. Un coup d'œil sur la gauche.

L'autre élément digne d'intérêt se trouvait une centaine de mètres plus à l'est.

Un semi-remorque à neuf essieux.

Un gros bahut. Prêt à partir. Un tracteur, une remorque, un conteneur bleu de douze mètres de long aux couleurs de China Lines sur le plateau. Le tracteur était un gros Peterbilt carré. Un ancien modèle, mais en bon état. La remorque était un plateau basique. Le conteneur ressemblait à tous ceux déjà vus par Reacher. Il s'en rapprocha d'une centaine de mètres : deux minutes à patauger dans l'eau et la boue. Il en fit le tour. Le Peterbilt était impressionnant. Belle peinture, un filtre à air gros comme un baril de pétrole, des couchettes derrière les sièges, deux cheminées d'échappement jumelles chromées, une forêt d'antennes, une douzaine de rétros de la taille d'une assiette. Le conteneur paraissait banal et miteux en comparaison. Peinture passée, lettres à demi effacées, un peu cabossé. Il était fermement arrimé à la remorque. Il avait une double porte fermée par les mêmes quatre barres d'un mètre vingt et les mêmes quatre solides ferrures que Reacher avait vues auparavant. Les leviers étaient tous bloqués en position fermée.

Aucun cadenas.

Aucun sceau distinctif en plastique.

Reacher saisit le pied-de-biche dans une main, se hissa en s'aidant de l'autre et prit appui, en équilibre sur la corniche inférieure du conteneur. Il posa la main sur le levier le plus proche et le poussa vers le haut.

Le levier refusa de bouger.

Il était soudé à son support. Un serpentin de deux centimètres de long avait été coulé dans l'interstice. Les trois autres étaient pareils. De plus, on avait soudé les portes entre elles et à leur cadre. Des points de soudure précisément alignés, patiemment appliqués tous les quinze centimètres, leur éclat tout neuf dissimulé sous une couche de peinture bleu sale. Reacher jongla avec le pied-de-biche, en inséra le croc dans un espace entre deux soudures et poussa de toutes ses forces.

Aucun résultat. Impossible. Autant soulever une voiture avec une lime à ongles.

Il redescendit et examina de nouveau les crampons métalliques entre le conteneur et la remorque. On les avait serrés au maximum. Puis soudés.

Il lâcha le pied-de-biche et s'éloigna. Il parcourut toute la zone secrète, chaque mètre du no man's land au-delà des piles de conteneurs et enfin le périmètre intérieur du mur. Un long périple. Il mit plus d'une heure à le boucler. Il regagna le saint des saints par l'autre côté. Celui opposé aux portes. Elles se trouvaient à deux cents mètres de là. Et elles se fermaient.

SOIXANTE-DIX

Ces portes avaient un moteur. Un moteur électrique. Ce fut la première conclusion, absurde, que tira Reacher. Elles bougeaient lentement, mais sans à-coup. À vitesse constante. Inexorable. Environ trente centimètres par seconde. Trop régulière et trop constante pour une manœuvre à la main. Chaque porte mesurait un peu plus de quatre mètres cinquante de large. L'arc de cercle qui leur restait donc chacune à couvrir faisait dans les huit mètres.

Vingt-quatre secondes.

Elles se trouvaient deux cents mètres plus loin. Sans problème pour un athlète universitaire sur une piste. Limite pour un sprinter universitaire dans quinze centimètres de boue. Perdu d'avance pour Reacher. Il s'élança pourtant, par instinct, puis il ralentit en prenant conscience de la réalité des chiffres.

Il stoppa net en voyant quatre silhouettes émerger dans l'espace libre qui rétrécissait.

Il les reconnut immédiatement, à leur taille, leur morphologie, leur posture et leurs gestes. Celui de droite était Thurman. Celui de gauche, le colosse à la clé à molette. Celui du milieu était le contremaître de l'usine. Il poussait Vaughan devant lui. Les trois hommes avançaient tranquillement. Ils portaient des cirés jaunes, des suroîts et des bottes en caoutchouc. Vaughan ne disposait d'aucune protection contre les éléments. Elle était trempée jusqu'aux os. Elle avait les cheveux collés au visage. Elle trébuchait comme si on la poussait dans le dos tous les trois pas.

Ils se rapprochèrent encore.

Reacher se remit en route.

Les portes se refermèrent avec un fracas métallique qui résonna deux fois : la première en temps réel, la seconde avec un temps de retard. L'écho mourut et Reacher entendit s'ouvrir un solénoïde et un pêne claquer dans son logement : un bruit clair et net qui rappelait celui d'un coup de fusil dans le lointain.

Les quatre silhouettes avancèrent.

Reacher en fit autant.

Ils se rejoignirent au centre de la zone secrète. Thurman et ses hommes s'immobilisèrent un mètre cinquante avant une ligne fictive reliant le tas de carcasses de tanks au gros bahut à dix-huit roues. Reacher s'arrêta à la même distance de l'autre côté. Vaughan continua à avancer. Elle se fraya un chemin dans la boue, arriva aux côtés de Reacher et se retourna. Elle posa une main sur son bras.

Deux contre trois.

« Que fichez-vous ici ? » lança Thurman.

Reacher entendit la pluie battre sur les cirés. Trois hommes, trois paires d'épaules, trois chapeaux, un plastique épais.

« Je jette un coup d'œil.

– À quoi ?

– À ce que vous avez ici.

– Je commence à perdre patience, dit Thurman.

– Qu'avez-vous dans ce camion ?

– Quelle arrogance invraisemblable est la vôtre pour vous faire croire que vous pouvez exiger une réponse à cette question ?

– Aucune, dit Reacher. C'est uniquement la loi de la jungle. Vous répondez, je m'en vais. Sinon, je reste.

– Ma patience à votre égard est presque épuisée.

– Qu'y a-t-il dans ce camion ? »

Thurman prit une profonde inspiration, puis souffla entre ses dents. Il jeta un coup d'œil sur sa droite, vers son contremaître, et, derrière le contremaître, au colosse à la grosse clé.

Il dévisagea Vaughan, puis reporta son attention sur Reacher.

« Qu'y a-t-il dans ce camion ? répéta celui-ci.

– Dans ce camion, il y a des cadeaux.

– De quelle sorte ?

– Des vêtements, des couvertures, du matériel médical, des lunettes, des jambes et des bras artificiels, de la nourriture lyophilisée, de l'eau purifiée, des antibiotiques, des vitamines, des panneaux de contreplaqué de construction. Ce genre de choses.

– D'où provient tout ça ?

– Tout a été acheté avec les versements de la population de Despair au denier de l'église.

– Pourquoi ?

– Parce que Jésus a dit : "Il est plus méritoire de donner que de recevoir."

– À qui sont destinés ces dons ?

– À l'Afghanistan. Aux réfugiés, aux personnes déplacées, à ceux qui vivent dans le dénuement.

– Pourquoi alors ce conteneur est-il clos par des soudures ?

– Parce qu'un long et périlleux voyage l'attend, à travers nombre de pays et nombre de zones tribales où les chefs de guerre pratiquent le pillage systématique. Et un cadenas d'un conteneur se fracture. Comme vous le savez parfaitement.

– Pourquoi tout rassembler ici ? Dans le secret ?

– Parce que Jésus a dit : "Lorsque tu fais l'aumône, arrange-toi pour que ta main gauche ignore ce que fait ta droite, pour que ton aumône demeure un secret." Nous suivons les Écritures à la lettre, ici, monsieur Reacher. Vous devriez en faire autant.

– Et pourquoi donc mobiliser la ville entière pour défendre un camion rempli de dons ?

– Parce que nous pensons que la charité devrait dépasser races et croyances. Nous donnons à des musulmans. Et tout le monde en Amérique n'est pas ravi d'une telle démarche.

Certains pensent que nous devrions réserver nos dons à nos coreligionnaires. Une part de militantisme s'est insinuée dans le débat. Même si, en réalité, c'est le prophète Mahomet en personne qui affirmait que charité bien ordonnée commence par soi-même. Et non Jésus. Jésus a dit : "Agis envers autrui comme tu voudrais qu'autrui agisse envers toi." Il a dit : "Aime tes ennemis et prie pour ceux qui te persécutent, tu seras alors le fils du Père qui est aux cieux."

– Où sont les voitures iraniennes ?

– Les quoi ?

– Les voitures iraniennes.

– Recyclées, réexpédiées.

– Où est le TNT ?

– Le quoi ?

– Vous avez acheté vingt tonnes de TNT à Kearney Chemical. Il y a trois mois. »

Thurman sourit.

« Oh, ça… fit-il. Il s'agissait d'une erreur. Une faute de frappe. Un code erroné. Une nouvelle secrétaire a oublié un chiffre sur un bon de commande destiné à Kearney. On s'est retrouvé avec du TNT au lieu de TCE. Ils se suivent dans le catalogue de Kearney. Si vous étiez chimiste, vous sauriez pourquoi. Nous l'avons immédiatement retourné par le même camion. Sans même le décharger. Si vous vous étiez donné la peine de pénétrer par effraction dans notre service de facturation, comme vous l'avez fait dans celui des achats, vous auriez vu notre demande d'avoir.

– Où est l'uranium ?

– Le quoi ?

– Vous avez retiré vingt tonnes d'uranium appauvri de ces tanks. Je viens de faire tout le tour de l'enceinte et je ne l'ai pas vu.

– Vous marchez dessus. »

Vaughan baissa les yeux. Reacher en fit autant.

« Il est enterré. Je prends la sécurité très au sérieux. On pourrait le voler, en faire une bombe sale. L'État rechigne à demander à l'armée de le déplacer. Alors, je le garde dans le sol.

– Je ne vois aucune trace d'excavation, dit Reacher.

– À cause de la pluie. Tout est effacé. »

Reacher ne dit mot.

« Satisfait ? »

Reacher ne répondit toujours pas. Il regarda à droite, en direction du camion. À gauche, vers la pelleteuse au repos. Et par terre. La pluie rebondissait partout en flaques et battait sur les cirés à quelques mètres de lui.

« Satisfait ? demanda encore Thurman.

– Ça se pourrait. Après avoir donné un coup de téléphone.

– Quel coup de téléphone ?

– Je pense que vous le savez.

– Non, vraiment. »

Reacher resta silencieux.

« De toute façon, ce n'est pas le bon moment pour téléphoner, dit Thurman.

– Ni même le bon endroit. J'attendrai d'être de retour en ville. Ou bien à Hope. Ou au Kansas. »

Thurman se tourna et jeta un coup d'œil vers la porte. Puis il se retourna vers Reacher, qui hocha la tête.

« Tout à coup, vous voudriez bien savoir à quels numéros je faisais référence, dit-il.

– Je ne vois pas de quoi vous parlez.

– Je crois que si.

– Dites-le-moi.

– Non.

– J'aimerais un peu de respect et de courtoisie.

– Et moi, je voudrais réussir un grand chelem au stade des Yankees. J'ai dans l'idée que nous allons être déçus tous les deux.

– Retournez vos poches, ordonna Thurman.

– Ces numéros de téléphone vous inquiètent ? Je les ai peut-être appris par cœur.

– Retournez vos poches.

– Forcez-moi à le faire. »

Thurman se raidit, fronça les sourcils, et une intense réflexion anima son visage, la même expression calculatrice que Reacher lui avait vue devant le hangar de l'avion. L'option stratégique, à huit coups d'avance. Thurman demeura ainsi une ou deux secondes, puis il recula brusquement et leva le bras droit. Sa manche en plastique fit du bruit en se décollant sous la pluie. Il signala à ses employés d'avancer. Ils firent deux grands pas avant de s'arrêter de nouveau. Le contremaître garda les bras ballants et le colosse tapa la clé au creux de sa main, métal trempé contre peau mouillée.

« Un combat à armes inégales, dit Reacher.

– Vous auriez dû y penser plus tôt.

– Non, à armes inégales pour eux. Ils ont découpé de l'uranium. Ils sont malades.

– Ils prendront leurs risques.

– Comme Underwood ?

– Underwood était un imbécile. Je leur fournis des respirateurs. Underwood refusait de mettre le sien. Trop paresseux.

– Ces types-là portent-ils le leur ?

– Ils ne travaillent pas ici. Ils sont en parfaite santé. »

Reacher jeta un coup d'œil en direction du contremaître, puis vers le colosse

« C'est vrai ? Vous ne travaillez pas ici ? » demanda-t-il.

Les deux types secouèrent la tête.

« Êtes-vous en bonne santé ? »

Les deux hommes firent signe que oui.

« Vous voulez toujours l'être dans plus de deux minutes ? »

Les deux types sourirent et avancèrent d'un pas.

« Laisse faire, Reacher. Vide tes poches, dit Vaughan.

– Tu veux encore m'éviter des ennuis ?

– Ils sont à deux contre un. Un comme toi, l'autre plus costaud.

– Deux contre un, fit Reacher. Plus toi.

– Je ne sers à rien. On passe ça en pertes et profits et on s'en va.

– Ce qu'il y a dans mes poches ne regarde que moi. »

Les deux hommes avancèrent encore d'un pas. Le contremaître était sur la droite de Reacher et le colosse sur sa gauche. L'un et l'autre tout près, mais pas encore à portée de main. La pluie tambourinait sur leurs cirés. L'eau dégoulinait des cheveux de Reacher dans ses yeux.

« On n'est pas obligés d'en arriver là. On pourrait se séparer bons amis, dit Reacher.

– Je ne crois pas, répliqua le contremaître.

– Alors, tu n'en ressortiras pas debout.

– Vantard ! »

Reacher se tut.

Le contremaître jeta un coup d'œil au colosse de l'autre côté.

« On y va », dit-il.

Venge-toi par avance.

Reacher feinta un geste sur la gauche, en direction du géant. Le colosse bondit en arrière, surpris, et le contremaître fonça en avant, au cœur de la bagarre. Un bel élan. Un parfait ballet. Reacher planta soigneusement les talons dans la boue, pivota brusquement de l'autre côté, sur sa droite, et frappa violemment le contremaître en plein estomac, du coude. Un choc de deux cent cinquante kilos. Un type bougeant vers la gauche, l'autre vers la droite, un coude gros comme un pamplemousse, à toute volée. L'estomac se trouve assez haut dans le tronc. Il protège le plexus cœliaque, le nerf autonome le plus important de la cavité abdominale. Parfois désigné sous le nom de plexus solaire. Un coup violent peut contracter l'ensemble. Résultat : une forte douleur et des spasmes dans le diaphragme. Conséquence : les jambes qui lâchent, plus des efforts désespérés pour respirer.

Le contremaître s'écroula.

Il tomba tête la première dans une ornière de trente centimètres, pleine d'eau. Reacher le dégagea d'un coup dans les flancs. Il ne voulait pas qu'il se noie. Il passa par-dessus le corps tordu de douleur, se dirigea vers une zone plus dégagée et jeta un coup d'œil autour de lui, sous la lumière bleue crue. Thurman avait reculé de quelques mètres. Vaughan jouait la statue. Accroupi deux mètres cinquante plus loin, le colosse tenait sa clé comme un frappeur qui doit dégager loin et attend une balle haute et rapide.

Reacher le fixa du regard et dit : « Écarte-toi, Vaughan. Il va faire tournoyer sa clé. Il pourrait te toucher par accident. » Mais il sentit que Vaughan ne bougerait pas. Il glissa donc de quelques pas vers l'est, entraînant le combat à sa suite. Le colosse suivit le mouvement, traversant lourdement les flaques d'eau et éclaboussant tout sur son passage avec ses grandes bottes en caoutchouc. Reacher se déplaça vers Thurman. Celui-ci recula pour rester à distance. Reacher s'arrêta. Le colosse se prépara à frapper. Il balança un coup avec sa clé monstrueuse, à hauteur d'épaule. Reacher fit un pas en arrière, la clé le manqua et le colosse fit un tour complet, entraîné par son élan furieux.

Reacher recula encore d'un pas.

Le colosse suivit.

Reacher s'arrêta.

Le colosse frappa.

Reacher recula.

Quinze hectares. Reacher n'était ni rapide ni agile, mais il se déplaçait bien mieux qu'un type qui pesait quarante-cinq kilos de plus que lui. Et il avait cette endurance naturelle de celui qui est bien dans son corps. Il n'était pas sur la pente descendante après vingt ans passés dans des salles de musculation, à prendre des stéroïdes. À l'inverse de son adversaire. Le colosse soufflait comme un phoque et à chaque coup dans le vide sa fureur et ses montées d'adrénaline le poussaient un peu plus vers la maladresse. Reacher bougea encore, s'arrêta, évita le coup, s'arrêta de nouveau. Le colosse finit par comprendre. Pour son cinquième coup, il visa un mètre derrière Reacher. Reacher devina la manœuvre dans son regard furieux et il l'esquiva par un mouvement opposé. Vers l'avant. La clé siffla dans le vide et Reacher roula dans le dos du type qui tournait sur place, puis il plia les genoux et il lui envoya son coude dans les reins. Il recula alors de deux pas, puis de trois, et s'immobilisa, il secoua ses bras et roula ses épaules. Le colosse se retourna. Il avait le dos raide et les genoux chancelants. Il chargea, fit tournoyer sa clé, manqua sa cible.

Une sorte de corrida. À ceci près que le colosse avait un QI à peine plus élevé que celui d'un taureau. Une demi-douzaine de coups dans le vide plus tard, il comprit que sa tactique ne menait à rien. Il envoya valser la clé dans le sol boueux et se prépara à charger. Reacher sourit. Les dégâts étaient déjà évidents. L'autre haletait, avait le pas incertain. Les violents efforts et la surcharge d'adrénaline l'avaient épuisé. Il allait perdre le combat. Il l'ignorait. Mais Reacher le savait.

Et Thurman aussi.

Thurman se hâtait vers la porte. Mais lentement. Tel un vieillard empêtré dans un ciré, chaussé de bottes peu pratiques, sur un terrain boueux.

« Ne le laisse pas s'en aller, Vaughan. Il faut qu'il reste ici », cria Reacher.

Du coin de l'œil, il la vit se mettre en mouvement. Une petite silhouette trempée qui courait plein nord. Puis il vit s'élancer le colosse. Une charge furieuse de trois mètres cinquante. Cent soixante-quinze kilos lancés comme un train. Reacher se sentit petit et statique en comparaison. Si ce type était rapide autrefois sur un terrain de football, il était désormais bien lent. Ses bottes brassaient la boue molle. Aucune adhérence. Aucune puissance. Il déboula en battant des bras, Reacher feinta à gauche, se déplaça d'un pas sur la droite, et lui fit un croche-pied. L'autre s'étala dans une gerbe d'eau et glissa sur un bon mètre. Reacher se retourna et crut qu'un camion venait de lui rouler dans le dos. Il tomba lourdement, avala une gorgée de boue, roula instinctivement sur lui-même, se remit à demi debout et évita de quelques centimètres un coup de poing du contremaître.

De nouveau à deux contre un.

Manque d'efficacité.

Le contremaître décocha un nouveau coup, que Reacher para, avant de voir le colosse se relever avec difficulté. Ses mains et ses genoux dérapaient dans la boue, en manque de prise. Quinze mètres plus au nord, Vaughan avait saisi Thurman par le col. Il se débattait pour se dégager. Peut-être avec succès. Le contremaître revint alors à la charge et Reacher recula, le coup de poing rebondit sur son épaule. Non sans avoir provoqué un bleu là même où il en avait déjà encaissé un, dans le bar.

Un coup qui lui fit mal.

Bon. Terminées, les amabilités.

Reacher planta fermement le talon de son pied dans la boue, se pencha et enchaîna une volée de quatre coups appuyés, à un rythme rapide, dévastateur : droite, gauche, droite, gauche, *un*, dans le ventre, *deux*, dans la mâchoire, *trois*, dans la tête, *quatre*, un uppercut ravageur sous le menton, comme s'il était redevenu le petit garçon de cinq ans déchaîné d'autrefois, mais cinq fois plus lourd et huit fois plus expérimenté. Le contremaître était déjà presque au tapis quand l'uppercut fit mouche. Celui-ci le redressa avant de l'enfoncer comme si la terre venait de s'ouvrir sous ses pieds. Reacher se retourna d'un bond, se replaça et donna un coup en pleine tête au géant qui peinait à se relever, comme dans un ballon de football, la pointe du pied dans l'oreille. Le corps du type tournoya, sur presque un mètre, sous l'impact et s'étala dans la boue.

Le contremaître gisait, immobile.

Le colosse gisait, immobile.

Match terminé.

Reacher passa ses mains en revue, chercha des doigts abîmés et n'en vit aucun. Il demeura un moment immobile, reprit le contrôle de sa respiration et jeta un regard vers le nord. Thurman s'était dégagé de la prise de Vaughan et filait de nouveau vers la porte en glissant sur la boue, zigzaguant pour lui échapper. Il avait perdu son chapeau. Il avait les cheveux trempés et en bataille. Reacher se dirigea dans leur direction. Il s'arrêta pour récupérer la grosse clé du colosse là où elle avait atterri. Il la souleva et la porta à l'épaule, telle une hache. Il se mit lourdement en marche. Une poursuite au ralenti. Il rattrapa Vaughan dix mètres avant la porte, la dépassa, posa la main sur l'épaule de Thurman et appuya fort vers le bas. Le vieux s'effondra à genoux. Reacher continua jusqu'à la porte. Il trouva le petit boîtier gris. En ouvrit le couvercle d'un coup sec. Face au clavier, il brandit la clé et cogna. Des coups répétés. Le clavier se détacha de son logement en petits morceaux. Une armature métallique pendait au bout d'une poignée de fils minces. Reacher frappa avec la clé, comme s'il fendait du bois, jusqu'à ce que les fils lâchent et se rompent, et l'armature tomba par terre.

« Qu'avez-vous fait ? On ne pourra plus sortir, maintenant, s'exclama Thurman, toujours à genoux.

– Faux, dit Reacher. Vous, non. Nous, si.

– Comment ?

– Attendez de voir.

– C'est impossible.

– Est-ce que vous nous auriez donné la combinaison ?

– Jamais.

– Quelle différence alors ?

– Que diable as-tu dans les poches, Reacher ? demanda Vaughan.

– Plein de choses. Dont nous allons avoir besoin. »

SOIXANTE ET ONZE

Reacher revint péniblement sur ses pas, et mit les sbires de Thurman dans la position que les toubibs appellent *position latérale de sécurité*. Sur le côté, bras repliés vers le haut, le cou en arrière, une jambe tendue, l'autre repliée. Aucun risque d'étouffement. Un léger risque de noyade si le niveau des flaques continuait de monter. La pluie tombait toujours dru. Elle rebondissait sur leurs cirés et tambourinait sur leurs bottes.

Thurman se traîna jusqu'à la porte et appuya sur le boîtier démantibulé là où le clavier était avant. Sans aucun effet. La porte demeura close. Il retourna vers le centre de la zone interdite en glissant tous les trois pas. Les lumières brillaient toujours. Reacher et Vaughan se démenaient pour rejoindre le camion. Moteur éteint, silencieux, indifférent, il n'avait pas bougé.

« Es-tu vraiment sûr qu'il s'agisse d'une bombe ? demanda Vaughan.

– Pas toi ?

– Thurman avait l'air très crédible quand il parlait de dons pour l'Afghanistan.

– C'est un prédicateur. La crédibilité, c'est son métier.

– Et si tu te trompais ?

– Et si j'avais raison ?

– Quels dégâts pourrait-elle provoquer ?

– S'ils l'ont fabriquée correctement, je ne voudrais pas me trouver à moins de cinq kilomètres lorsqu'elle sautera.

– Cinq kilomètres !

– Vingt tonnes de TNT, vingt tonnes d'éclats de ferraille. Ça ne va pas être joli.

– Comment va-t-on se tirer d'ici ?

– Où est ton pick-up ?

– Là où nous l'avons laissé. Ils m'ont tendu une embuscade. Ils ont ouvert la porte de l'enceinte extérieure et m'ont conduite dans l'usine avec le 4 × 4 de Thurman. Il est garé derrière la porte de l'enceinte intérieure. Celle dont tu as fait en sorte qu'elle ne s'ouvre plus jamais.

– Pas de quoi s'inquiéter.

– Tu ne peux pas escalader ce mur.

– Mais, toi, tu le peux », fit Reacher.

Ils prirent cinq petites minutes pour passer en revue les gestes et les outils nécessaires. Couteaux, soudures, taille moyenne et épaisseur d'un toit de voiture, toiles, sangles, nœuds, attaches de remorque, 4 × 4, boîte de réduction. Thurman errait sans but, une centaine de mètres plus loin. Ils l'abandonnèrent et pataugèrent dans la boue jusqu'au mur. Ils se placèrent à trois mètres à gauche de la porte. Reacher tira les deux crans d'arrêt de sa poche et les tendit à Vaughan. Puis il se tourna, dos au mur, à l'aplomb du cylindre couché à l'horizontale. La pluie qui tombait en cascade lui trempa les mains et les épaules. Il s'inclina et referma la paume gauche en forme d'étrier. Vaughan se positionna face à lui, et posa son pied dans l'étrier. Il amortit son poids, puis elle assura son équilibre, les poignets contre les épaules de Reacher, tendit la jambe et se hissa d'un coup. Il serra la main droite sous son pied gauche. Elle se retrouva debout sur les mains de Reacher et son poids l'entraîna vers l'avant, sa boucle de ceinture frappant le front de son partenaire.

« Désolée, fit-elle.

– Pas de problème. On a déjà donné, répliqua-t-il d'une voix sourde.

– Je suis prête. »

Reacher faisait un mètre quatre-vingt-seize et il avait de grands bras. Dans les chambres des motels modestes, il posait les mains à plat sur des plafonds de deux mètres quarante de haut. Vaughan faisait dans les un mètre soixante-deux. Les bras levés, elle touchait tout juste deux mètres dix plus haut. Total : autour de quatre mètres cinquante. Et ce mur ne faisait qu'un peu moins de quatre mètres vingt.

Il la souleva. Rien de plus qu'une flexion du biceps avec une barre à disques de cinquante-cinq kilos. Facile, à ceci près qu'il avait les mains tournées dans un angle étrange. À ceci près qu'il n'était pas bien planté sur ses pieds et que Vaughan n'était pas une barre à disques. Elle n'était pas raide et elle oscillait pour garder son équilibre.

« Prête ? lança-t-il.

– Une seconde », fit-elle.

Il sentit son poids passer d'une main à l'autre, de gauche à droite, de droite à gauche, à tâtons, pour mieux le répartir et se préparer.

« Vas-y », dit-elle.

Il effectua une quadruple manœuvre. Il la poussa brutalement vers le haut, se servit de l'apesanteur momentanée de Vaughan pour mettre les mains bien à plat sous ses semelles, avança d'un demi-pas et tendit les bras bien droit.

Vaughan bascula en avant de quelques degrés et cogna le renflement du cylindre avec le plat des avant-bras. Le métal creux résonna une fois, puis une autre, bien plus tard.

« Ça va ?

– J'y suis », dit-elle.

Il sentit dans ses paumes qu'elle se hissait sur la pointe des pieds. Il la sentit tendre les bras vers le haut. Au jugé, elle estima qu'elle avait les mains exactement là où il fallait : tout en haut du cylindre. Il entendit la première lame de cran d'arrêt sortir d'un coup sec. Il tourna un peu les poignets et serra les orteils de Vaughan. Pour plus de stabilité. Elle allait en avoir besoin.

Il s'écarta de quelques centimètres. Maintenant, elle devait avoir le ventre appuyé contre la cambrure du métal. La pluie dégoulinait de partout. Il entendit Vaughan donner un coup de lame vers le bas. Le mur tinta, résonna.

« Ça ne veut pas transpercer, dit-elle.

– Plus fort », cria-t-il en retour.

Elle essaya de planter le couteau de nouveau. Son corps tout entier se détendit, et il dut compenser et esquisser un pas de danse sous elle pour qu'elle ne perde pas l'équilibre. Tels des acrobates au cirque. Le mur résonna.

« Rien à faire, dit-elle.

– Plus fort. »

Elle donna un nouveau coup de couteau. Aucun écho. Un petit bruit de métal, puis plus rien.

« La lame s'est cassée. »

Reacher commençait à avoir mal aux bras.

« Essaie l'autre, cria-t-il. Un angle d'attaque précis. Tout droit, de haut en bas, d'accord ?

– Ce métal est trop épais.

– Non. C'est sans doute celui d'une vieille Buick pourrie. Une tôle toute fine. Et tu as une bonne lame japonaise. Frappe fort. Qui détestes-tu le plus ?

– Le type qui a fait sauter David.

– Il est dans le mur. Son cœur est sous cette peau de métal. »

Il entendit le clic du second cran d'arrêt. Puis un long silence d'une seconde. Suivi d'une soudaine tension dans les jambes de Vaughan et d'un coup sourd dans la tôle.

Un coup qui résonna autrement.

« C'est dedans, jusqu'à la garde.

– Hisse-toi avec. »

Il la sentit mettre tout son poids sur le manche en bois, avant de se tortiller pour l'agripper des deux mains. Ses pieds décollèrent de ses paumes. Puis ils retombèrent.

« Ça découpe le métal. Ça le tranche.

– C'est normal, dit-il. La lame se bloquera à la première soudure. »

Elle se stabilisa une seconde plus tard.

« Où est-il planté ?

– Juste au sommet.

– Prête ?

– À trois, fit-elle. Un, deux, trois ! »

Elle se hissa vers le haut et il l'aida du mieux qu'il le put, du bout des doigts, sur la pointe des pieds, puis il ne sentit plus son poids. Il s'écroula comme une masse et partit en roulé-boulé, au cas où elle lui retomberait dessus. Mais non. Il se releva, s'écarta pour avoir un meilleur angle et il la vit, allongée dans le sens de la longueur du cylindre, jambes écartées, les deux mains serrées sur le manche du couteau. Elle demeura ainsi une seconde, puis elle fit porter son poids sur le côté et glissa sur le renflement de l'autre côté, lentement, tout d'abord, de plus en plus vite ensuite, décrivant un arc de cercle, les mains toujours agrippées au manche du couteau. En haut du renflement du cylindre. Puis son poids entraîna la lame plus bas dans la tôle. Assez vite dans un premier temps, le long de la première découpe, puis plus doucement, alors que le couteau mordait dans une nouvelle tôle. Il se bloquerait à la prochaine soudure, que Reacher estima un mètre cinquante plus bas, de l'autre côté du mur, compte tenu de la taille moyenne d'un toit de voiture, diminuée du renflement à chaque extrémité pour faciliter l'assemblage, soit près d'un quart de la circonférence du cylindre, ce qui signifiait qu'elle pendrait le long du mur avec un vide d'un mètre vingt sous les semelles.

Une chute dont on réchappait.

Probablement.

Il attendit un moment qui lui parut une éternité, puis il entendit cogner deux grands coups de l'autre côté. Chacun résonna deux fois : une première, immédiatement, la seconde, plus tard, le temps que le son fasse le tour du cylindre avant de revenir. Il ferma les yeux et sourit. Le signal convenu. Debout sur ses pieds, rien de cassé.

« Impressionnant », fit Thurman, dix pas plus loin.

Reacher se retourna. Le vieil homme n'avait toujours pas remis son chapeau. Son brushing était fichu. Cent mètres derrière lui, ses deux employés gisaient toujours, inertes.

Quatre minutes, pensa Reacher.

« J'aurais pu en faire autant, dit Thurman.

– Vous rêvez, fit Reacher. Elle est souple et en pleine forme. Vous êtes un vieux bonhomme bedonnant. Et qui va vous soulever ? La vie ne ressemble pas aux films. Vos gars ne vont pas se relever, secouer la tête et se remettre tout de suite d'aplomb. Ils vomiront leurs tripes et se prendront les pieds dans le tapis pendant une semaine.

– En êtes-vous fier ?

– Je leur ai laissé le choix.

– Votre amie ne peut pas ouvrir cette porte, vous savez. Elle ne connaît pas le code.

– Gardez la foi, monsieur Thurman. Dans quelques minutes vous assisterez à mon ascension. »

Reacher tendit l'oreille pour entendre ce qui se passait dans l'enceinte principale, mais la pluie faisait trop de bruit. Elle glougloutait dans les flaques, battait la boue et résonnait sèchement sur la tôle du mur. Il se contenta donc d'attendre. Il prit position à un mètre quatre-vingts du mur, un mètre plus à gauche du point où Vaughan l'avait franchi. Thurman recula et observa.

Trois minutes s'écoulèrent. Puis quatre. Alors, sans prévenir, une lanière de toile coula le long du mur et s'immobilisa à un mètre vingt sur la droite de Reacher. Une pareille à celles qui servaient à arrimer les carcasses de voiture au plateau d'une remorque. Vaughan avait pris le Tahoe de Thurman pour se rendre au bureau de la sécurité, choisi une lanière de la bonne longueur dans le tas près de la porte, dont elle avait lesté une extrémité avec un bout de tuyau. Il l'imagina, revenue à son point de départ, à six mètres de lui derrière le mur de tôle, qui faisait tournoyer la lanière comme une cow-girl, lui donnant la vitesse nécessaire, la laissant filer, et la regardant s'envoler par-dessus ce mur.

Reacher attrapa la lanière, détacha le tuyau et fit une large boucle de soixante centimètres avec. Il l'enroula autour de sa main droite et s'approcha du mur. Il donna deux coups dedans, recula d'un pas, passa le pied dans la boucle et attendit. Il se représenta Vaughan en train de fixer l'autre extrémité au timon du Tahoe, de prendre place sur le siège du conducteur, de se régler en position quatre roues motrices pour une meilleure adhérence dans la boue, avant de choisir la boîte de réduction pour mieux en contrôler la puissance. Il avait insisté sur ce point. Il ne tenait pas à se faire écarteler quand elle mettrait les gaz.

Il attendit. Puis la lanière au-dessus de lui se tendit et se mit à vibrer. Elle se resserra autour de sa main. Il abaissa son pied entouré par la lanière et vit celle-ci glisser sur le renflement du cylindre. Aucun frottement. De la toile mouillée sur une tôle peinte luisante de pluie. La toile s'étira un peu. Puis il sentit une sérieuse tension sous son pied et s'éleva doucement dans les airs. Lentement, trente centimètres par seconde, peut-être. Moins de deux kilomètres à l'heure. Au ralenti, pour le gros V-8 du Tahoe. Il imagina Vaughan au volant, en pleine concentration, le pied léger comme une plume sur la pédale.

« Adieu, Thurman, fit-il. On dirait que c'est vous qui restez à terre, cette fois-ci. »

Il leva les yeux, posa la main gauche sur le cylindre, pour se pousser en arrière, et se hissa avec la main droite pour que ses phalanges enrubannées cessent de s'écraser contre le métal. Quand ses hanches arrivèrent au plus fort du renflement, il déroula la sangle autour de sa main, se tint avec force et se laissa tirer jusqu'au sommet. Puis il lâcha la sangle, laissa la boucle autour de son pied entraîner ses jambes sur le côté afin de s'en dégager, et demeura un moment, à plat ventre en haut du cylindre, bras et jambes écartés. D'un coup de hanches, il envoya ensuite les jambes vers l'extérieur de la paroi, fit crisser ses paumes sur quatre-vingt-dix degrés de tôle mouillée, s'écarta et tomba dans le vide, deux longues fractions de seconde. Il toucha terre et se retrouva sur le dos, le souffle coupé. Il roula, se forçant à inspirer un peu d'air, et rampa sur les genoux.

Vaughan avait arrêté le Tahoe de Thurman, quelques mètres plus loin. Reacher se remit debout, s'en approcha et défit la sangle accrochée au timon. Puis il prit place sur le siège passager et referma la portière d'un coup sec.

« Merci, fit-il.

– Toi, ça va ? demanda-t-elle.

– Bien. Et toi ?

– J'ai ressenti la même chose qu'en tombant d'un pommier quand j'étais gamine. Une bonne trouille. »

Elle repassa sur la boîte de vitesses normale et démarra rapidement. Deux minutes plus tard, ils arrivèrent à la porte d'entrée principale. Elle était grande ouverte.

« Il faudrait qu'on la referme, dit Reacher.

– Pourquoi ?

– Pour limiter les dégâts au mieux, si j'ai vu juste.

– Et si tu t'es trompé ?

– Un maximum de cinq coups de fil permettra de le savoir.

– Comment on va la refermer ? Ils n'ont pas l'air d'avoir une commande manuelle de sécurité. »

Ils s'arrêtèrent juste après la porte et retournèrent à pied jusqu'au coffret en métal fixé au mur. Reacher ouvrit le capot. De un à neuf, plus le zéro.

« Essaie 6 6 1 3 », fit-il.

Vaughan le regarda, déconcertée, mais elle avança d'un pas et leva l'index. Elle composa le 6 6 1 3 d'un geste rapide et précis. Il y eut un silence d'une seconde, puis les moteurs se mirent à gémir et les portes se fermèrent. Trente centimètres à la seconde, les roues grondaient sur leurs rails.

« Comment le savais-tu ? demanda Vaughan.

– La plupart des codes sont à quatre chiffres, dit Reacher. Ceux des cartes bancaires, entre autres. Les gens ont l'habitude des codes à quatre chiffres.

– Pourquoi ces quatre-là ?

– Un coup de chance, fit Reacher. Le livre des Révélations est le soixante-sixième dans la version anglaise de la Bible. Le chapitre 1, verset 3, affirme que la fin approche. Apparemment, c'est le passage préféré de Thurman.

– Donc, nous aurions pu nous passer de cette escalade.

– Dans ce cas-là, eux aussi. Je voulais qu'ils restent à l'intérieur. Voilà pourquoi j'ai démoli le mécanisme.

– Où va-t-on, maintenant ?

– À l'hôtel de Despair. C'est toi qui dois passer le premier coup de fil. »

SOIXANTE-DOUZE

Ils longèrent l'enceinte et abandonnèrent le Tahoe de Thurman tout près de l'endroit où les attendait le pick-up de Vaughan. Ils changèrent de véhicule, traversèrent le parking désert en cahotant et retrouvèrent la route. Cinq kilomètres plus tard, ils atteignaient le centre-ville de Despair. Il pleuvait toujours. Les rues et les trottoirs étaient sombres, trempés et complètement vides. Au milieu de la nuit, au milieu de nulle part. Ils empruntèrent les rues transversales et s'arrêtèrent devant l'hôtel. La façade était aussi banale et sinistre que la dernière fois. La porte sur la rue était fermée, mais pas à clé. Derrière, tout avait l'air pareil. La salle à manger vide à gauche, le bar à droite, la réception sans personne au comptoir, devant eux. Le registre des visiteurs sur le comptoir, un gros livre en cuir. Facile à attraper, facile à retourner, facile à ouvrir, facile à lire. Reacher posa le doigt sur les derniers clients consignés dedans : le couple californien, sept mois plus tôt. Il inclina le registre pour que Vaughan voie bien leurs nom et adresse.

« Appelle-les, dit-il. S'ils aident les déserteurs, fais comme te dicte ta conscience.

– *Si* ils les aident ?

– Il pourrait s'agir d'autre chose, je pense. »

Vaughan donna le coup de fil depuis son portable, puis ils s'assirent dans des fauteuils aux couleurs passées et attendirent qu'on les rappelle.

« Ces dons sont une explication parfaitement plausible. Les Églises envoient tout le temps de l'aide à l'étranger. Et aussi des volontaires. Ce sont des gens bien, d'habitude, dit Vaughan.

– Je n'ai rien à redire à cela, répondit Reacher. Mais mon existence tout entière est remplie de gens peu conformes. D'exceptions.

– Pourquoi es-tu si convaincu ?

– Les soudures.

– Les cadenas, ça se fait sauter.

– Le conteneur était soudé à la remorque. On ne les expédie pas ainsi. On les soulève pour les embarquer dans des navires. Avec des grues. C'est là tout leur avantage. Les soudures semblent indiquer qu'ils n'ont pas l'intention que celui-ci quitte le pays. »

Le téléphone de Vaughan sonna. Après trois minutes d'attente. D'un point de vue policier, c'était le côté positif du tapage autour de la Sécurité intérieure. Les agences se parlaient, les ordinateurs étaient interconnectés, les bases de données échangées. Vaughan décrocha et tendit l'oreille quatre longues minutes. Puis elle remercia son correspondant et raccrocha.

« Impossible d'écarter une implication avec les déserteurs, fit-elle.

– Pourquoi ? demanda Reacher.

– Ils sont fichés comme militants. Et des militants peuvent être impliqués dans n'importe quoi.

– Quelle sorte de militants ?

– Religieux conservateurs.

– De quel genre ?

– Ils animent une certaine Église de l'Apocalypse, à Los Angeles.

– L'Apocalypse fait partie de l'histoire de la Fin des Temps, indiqua Reacher. Ils sont peut-être venus ici recruter Thurman comme frère de combat. Peut-être ont-ils repéré son potentiel exceptionnel.

– Ils n'auraient pas dormi à l'hôtel. Ils auraient été accueillis dans sa maison.

– Pas la première fois. Il ne les connaissait pas encore. La seconde, peut-être. Et la troisième, la quatrième, peut-être une cinquième ou une sixième. Ça dépend du temps durant lequel ils ont dû le travailler pour le convaincre. Il y a un intervalle de quatre mois entre leur première visite et le moment où il a commandé le TNT à Kearney.

– Il affirme qu'il s'agissait d'une erreur de paperasserie.

– Tu l'as cru ? »

Vaughan ne répondit pas.

« Encore quatre coups de fil, dit Reacher. Il n'en faudra pas davantage. »

Ils quittèrent l'hôtel, retournèrent au pick-up et roulèrent jusqu'à la limite ouest de la ville. Cinq kilomètres plus loin dans l'obscurité pluvieuse, ils distinguaient toujours les lumières de l'usine, pâles, bleues, lointaines et troubles du fait de l'eau sur le pare-brise : un halo lugubre, morcelé, au beau milieu de rien. Le néant tout autour. Ils se garèrent sur un trottoir, face à la sortie de la ville, au niveau du dernier bâtiment. Reacher se souleva du siège et tira de sa poche son téléphone d'emprunt. Puis il sortit le papier qu'il avait pris au service des achats. Les numéros des nouveaux portables. La feuille était humide, trempée, et il dut soigneusement en décoller les plis.

« Prête ? demanda-t-il.

– À quoi ? Je ne comprends pas. »

Il composa le troisième numéro sur la liste. Entendit la sonnerie dans son oreille, deux, quatre, six, huit fois. Puis on décrocha à l'autre bout. Un bonjour marmonné par une voix connue. Une voix d'homme au timbre et au ton à peu près normaux, mais un peu étonnée, doublement étouffée, d'abord parce qu'elle sortait d'une énorme cage thoracique et ensuite, à cause des circuits du portable.

Le colosse de l'usine.

« Comment vas-tu ? Réveillé depuis longtemps ? dit Reacher.

– Va donc au diable.

– Peut-être irai-je ou non en enfer. Je n'ai aucune idée des probabilités là-dessus. C'est vous, les théologiens, pas moi. »

Aucune réponse.

« Ton copain est réveillé, lui aussi ? »

Aucune réponse.

« Je vais l'appeler et vérifier par moi-même. »

Il coupa la communication et composa le second numéro de la liste. Celui-ci sonna huit fois avant que le contremaître de l'usine décroche.

« Excuse-moi. Faux numéro. »

Il raccrocha.

« Que fais-tu donc, au juste ? demanda Vaughan.

– Comment les insurgés ont-ils blessé David ?

– Avec une bombe posée au bord de la route.

– Et ils l'ont fait exploser comment ?

– À distance, j'imagine. »

Reacher acquiesça.

« Probablement par radio, du haut de la colline la plus proche. Alors, si Thurman a bien fabriqué une bombe, comment la fera-t-il sauter ?

– De la même manière.

– Mais pas du haut de la colline la plus proche. Il voudra probablement se trouver bien plus loin. Il souhaitera sans doute être dans un autre État. Peut-être ici, chez lui, dans le Colorado, ou dans sa fichue église. Ce qui nécessiterait une radio très puissante. En fait, il devrait probablement en fabriquer une lui-même pour s'assurer de sa fiabilité. Ce qui représente beaucoup de travail. À mon avis, il a décidé de se servir d'un réseau déjà construit par d'autres. Des gens comme Verizon, T-Mobile, Cingular.

– Un téléphone portable ? »

Reacher hocha de nouveau la tête.

« C'est le meilleur moyen. Les opérateurs de téléphonie consacrent beaucoup de temps et d'argent à la mise en place de réseaux fiables. Tu connais leurs pubs à la télé. Ils sont fiers d'annoncer qu'on peut appeler n'importe où, de partout. Certains offrent même les appels longue distance.

– Et ce numéro est sur cette liste ?

– Ça serait cohérent, dit Reacher. Il s'est passé deux choses en même temps, il y a trois mois. Thurman a commandé vingt tonnes de TNT, plus quatre nouveaux portables. J'y vois là une sorte de plan. Il avait déjà sous la main tout ce qu'il lui fallait par ailleurs. À mon avis, il a gardé un portable pour lui et il en a distribué deux autres à ses proches, de manière qu'ils puissent communiquer en toute sécurité entre eux, sans qu'il y ait de relation avec leurs autres activités. D'après moi, le quatrième téléphone est enfoui au cœur de ce conteneur, et sa sonnerie connectée à un circuit amorce. La sonnerie d'un portable émet un voltage correct. Ils ont peut-être branché une batterie de secours ou même câblé une antenne extérieure. Peut-être l'une des antennes montées sur le camion Peterbilt est-elle une antenne de portable externe achetée chez Radio Shack et connectée à la remorque.

– Et tu vas appeler ce numéro ?

– Bientôt. »

Il composa le premier numéro sur la liste. Ça sonna une fois, puis Thurman décrocha, vite, impatient, comme s'il attendait l'appel.

« Alors, vous avez franchi le mur ? Ou êtes-vous toujours là-dedans ? demanda Reacher.

– Nous sommes toujours là. Pourquoi nous appelez-vous ?

– Vous commencez à faire le lien ?

– L'autre téléphone était celui d'Underwood. Il est mort et ne répondra pas. Donc, inutile de l'appeler.

– D'accord.

– Combien de temps allez-vous nous laisser ici ?

– Une petite minute de plus », dit Reacher.

Il raccrocha, posa le téléphone sur le tableau de bord du pick-up et fixa l'horizon derrière le pare-brise.

« Tu ne peux pas faire ça. Ce serait un meurtre, lui dit Vaughan.

– *Et celui qui vécut par l'épée périra par l'épée.* Thurman connaît sans doute cette citation-là mieux que quiconque. Elle est tirée de la Bible. Matthieu, chapitre 26, verset 52. Juste un peu paraphrasée. Et il y a aussi : *Qui sème le vent récolte la tempête.* Osée, chapitre 8, verset 7. J'en ai marre des gens qui affirment vivre selon les Écritures, choisissent les passages qui les arrangent et ignorent tout le reste.

– Tu pourrais faire complètement fausse route à son sujet.

– Dans ce cas, aucun problème. Les dons ne sautent pas. Nous n'avons rien à perdre.

– Mais tu pourrais aussi avoir raison.

– Auquel cas, il n'aurait pas dû me mentir. Il aurait dû avouer. Je lui aurais laissé tenter sa chance devant un tribunal.

– Je ne te crois pas.

– On ne le saura jamais.

– Il n'a pas l'air suffisamment inquiet.

– Il a l'habitude que les gens croient ce qu'il raconte.

– Tout de même.

– Il m'a affirmé ne pas redouter la mort. Il m'a dit qu'il rejoindrait un monde meilleur.

– Tu n'es pas la justice à toi tout seul.

– Il ne vaut pas mieux que ce type qui a fait sauter le Hummer de David. Il est même pire. Au moins, David était un combattant. Et il se trouvait sur une route déserte. Thurman a l'intention de déclencher cette chose en pleine ville. Au milieu d'enfants et de vieillards. De milliers d'entre eux. Et de milliers d'autres peut-être, un peu plus éloignés. Il va mettre des milliers d'autres gens dans ta position. »

Reacher vérifia le dernier numéro sur la liste. Il composa le numéro. Déposa le téléphone à plat au creux de sa main et le tendit à Vaughan.

« À toi de choisir, fit-il. La touche verte envoie l'appel, la rouge l'annule. »

Vaughan demeura un moment sans broncher. Puis elle ôta sa main du volant. Replia trois doigts, plus le pouce. Elle tendit l'index, bien droit. Il était petit, propre, élégant, humide, et son ongle était limé. Elle le tint immobile, tout près de l'écran à cristaux liquides du téléphone.

Puis elle l'avança.

Et appuya sur la touche verte.

Rien ne se passa. Pas immédiatement. Reacher n'en fut pas surpris. Il connaissait un peu la technologie des téléphones portables. Il avait lu un long article dans un magazine professionnel abandonné sur un siège d'avion. Quand on appuie sur la touche verte, le téléphone dans notre main envoie une requête à l'antenne-relais la plus proche, appelée station de base par les installateurs. Le téléphone dit : *Salut, je voudrais émettre un appel.* La station de base transfère la demande à un contrôleur de stations, par ondes radioélectriques, si les comptables l'ont emporté lors de la phase d'élaboration, ou par fibre optique, si les ingénieurs ont eu le dernier mot. Le contrôleur de stations regroupe toutes les requêtes plus ou moins simultanées qu'il peut collecter et les transfère au centre de commutation de téléphonie mobile le plus proche, là où les choses sérieuses commencent.

Dès ce moment-là, il se peut que vous entendiez une tonalité de sonnerie dans votre appareil. Mais elle ne veut rien dire. C'est un placebo. Elle sert à vous rassurer. Pour l'instant, vous êtes loin encore d'être connecté.

Le centre de commutation de téléphonie mobile identifie le téléphone destinataire. Vérifie qu'il est allumé, qu'il n'est pas en communication, qu'il n'est pas réglé pour renvoyer l'appel ailleurs. Les canaux permettant de transmettre les voix sont limités en nombre et donc coûteux à faire fonctionner. On ne vous en rapproche pas sans qu'il y ait une chance réelle de réponse.

Si tout va bien, un canal permettant de transmettre la voix se libère. Il relie d'abord votre centre de commutation local de téléphonie mobile à son équivalent à l'autre bout de la ligne. Par fibre optique, par micro-ondes et, peut-être, par satellite si la distante est importante. Puis le centre de commutation de téléphonie mobile à l'autre bout contacte son contrôleur de stations le plus proche, qui envoie une impulsion radio au téléphone que vous recherchez, une impulsion de 850 mégahertz, ou de 1,9 gigahertz, qui surfe sur une onde parfaitement sphérique à une vitesse proche de la vitesse de la lumière. Une nanoseconde plus tard, la boucle est bouclée et la sonnerie dans votre oreille passe du faux au vrai, tandis que celle du téléphone appelé entame sa petite mélodie insistante.

Délai total : sept secondes, en moyenne.

Vaughan retira son doigt et regarda dehors. Le moteur du pick-up tournait toujours et les essuie-glaces battaient encore la mesure. Les traînées sur le pare-brise épousaient des arcs de cercle parfaits. Il restait un peu de cire de protection sur le verre.

Deux secondes.

« Rien, fit Vaughan.

– Attends. »

Quatre secondes.

Cinq.

Ils scrutèrent l'horizon. La lumière bleutée des projecteurs tremblait, suspendue dans l'air humide, pâle, voilée, diffusée par les gouttes de pluie intercalées en autant d'étoiles scintillantes.

Six secondes.

Sept.

Alors, l'horizon muet s'illumina dans un immense éclair blanc qui couvrit le pare-brise et prit immédiatement de la hauteur et de l'épaisseur. La pluie tout autour se transforma en vapeur dans l'air surchauffé et des traînées de brume blanche fusèrent dans toutes les directions, comme si on venait de lancer cent mille fusées en même temps. Ces traînées laissèrent place à un halo dense de suie noire dont le sommet s'élargit en une calotte sombre mouvante d'un kilomètre et demi de haut et de diamètre. Elle vacilla, se déchira, se replia sur elle-même et fut traversée de vifs sillages de vapeur, tandis que des éclats chauffés à blanc transperçaient l'air à plus de deux mille quatre cents kilomètres à l'heure.

Aucun bruit. Du moins, à cet instant. Rien qu'une lumière aveuglante baignée de silence.

Dans une atmosphère calme, le son aurait mis quatorze secondes à couvrir les cinq kilomètres. Mais ce n'était pas le cas. L'air se déplaçait rapidement, sous forme d'une énorme vague compressée qui apporta le son. Trois secondes après la lumière. Le pick-up tangua sur son frein à main et l'air rugit en écho du violent roulement de l'explosion : d'abord un broum sec assourdissant, puis les cris de putois des éclats qui fendaient l'air en hurlant, et enfin un bruit de grêle surréaliste, alors qu'un million de fragments projetés par l'explosion faisaient le vide derrière eux, retombaient sur terre, pulvérisant les broussailles, bouillant et sifflant. Finalement, la vague reflua dans l'autre sens et l'air se précipita pour combler le vide, faisant de nouveau tanguer le pick-up, puis le nuage noir fut réduit à néant sous la violence du vent et il n'y eut plus rien à voir, hormis quelques flammes isolées et des jets de fumée à la dérive, ni plus rien à entendre, à l'exception du crépitement régulier des éclats qui tombaient de cinq kilomètres de haut. Après dix longues secondes, ce bruit disparut et ne demeura plus que celui de la pluie qui battait patiemment sur le toit du pick-up.

SOIXANTE-TREIZE

Vaughan rameuta tous les effectifs de police de Hope pour tenir la foule à distance. En moins de trente minutes, elle mobilisa ses quatre adjoints civils, son collègue, son chef et leur assistant administratif, qui se positionnèrent tous à la limite ouest du dernier pâté de maisons de Despair. Personne ne fut autorisé à passer. La police du Colorado arriva dans les quatre heures qui suivirent. En moins d'une heure, trois de leurs véhicules furent sur place. Cinq autres dans les quatre heures suivantes. Ils avaient dû faire le grand tour. Tout le monde connaissait la présence d'uranium dans cette usine. Les flics du Colorado confirmèrent que les policiers militaires avaient bloqué la route à l'ouest dans un rayon de huit kilomètres. L'aube approchait et ils arrêtaient déjà les premiers camions à destination de l'usine.

L'aube pointa, la pluie finit par cesser, le ciel vira au bleu profond et l'air devint cristallin. *Tel un nerf, la souffrance passée*, avait lu un jour Reacher quelque part dans un poème. La matinée était trop fraîche pour que la brume monte du sol détrempé. Les montagnes semblaient être à des milliers de kilomètres de là, mais le moindre détail s'y détachait nettement. Les affleurements rocheux, les forêts de pins, les lignes d'arbres, les coulées de neige. Reacher emprunta une paire de jumelles au chef de Vaughan et monta au second étage du dernier bâtiment à l'ouest. Il se débattit avec une fenêtre coincée, s'accroupit, les coudes sur le rebord, et fit la mise au point sur le lointain.

Pas grand-chose à voir.

L'enceinte en métal blanc avait disparu. Ne restaient que quelques pans et plaques déchirés, projetés sur des centaines de mètres dans toutes les directions. L'usine elle-même n'était pratiquement plus qu'un trou noir fumant, ses grues et ses portiques, renversés, éclatés et tordus. Les concasseurs avaient basculé de leurs socles en béton. Tout ce qu'il y avait de moins volumineux avait été taillé en pièces trop petites pour être clairement identifiables. Les locaux administratifs avaient totalement disparu. Le domaine de Thurman était rasé. De la maison ne restait que du petit bois. Le mur en pierre était devenu un champ de cailloux qui s'étendait au sud et à l'ouest, pareils à des grains de sel renversés sur une table. Les plantations s'étaient envolées. Quelques souches d'une trentaine de centimètres de haut constituaient les dernières traces des arbres. Le hangar de l'avion était démoli. Aucune trace du Piper.

Des dégâts énormes.

Mieux vaut ici qu'ailleurs, pensa Reacher.

Quand il redescendit, la situation avait changé. Les fédéraux étaient arrivés. Les rumeurs fusaient. Le radar de l'armée de l'air à Colorado Springs avait détecté des fragments de métal à une altitude de cinq mille mètres. Retombés sur terre, une seconde après. Des drones détecteurs de radiations avaient été envoyés et se rapprochaient en décrivant de larges cercles concentriques. On voyait la pluie comme une bénédiction. On savait que la poussière d'uranium appauvri était fortement hygroscopique. Rien de méchant ne pourrait s'échapper. Tous les entrepreneurs à cent cinquante kilomètres à la ronde, du Colorado au Nebraska et au Kansas, avaient été contactés. On avait besoin d'une barrière en métal grillagé de près de trente et un kilomètres de long. L'endroit allait être fermé pour toujours. La barrière aurait des panneaux avertissant du danger de radioactivité tous les deux mètres. Les agences fédérales possédaient déjà les panneaux, mais pas le grillage.

Aucune information sérieuse ne fut apportée par les habitants de la ville. Aucune question gênante ne leur fut posée par les agences fédérales. Le mot sur toutes les lèvres était *accident. Un accident à l'usine.* C'était une seconde nature, une partie de cette culture de dur labeur. Un accident à l'usine, un accident à la mine. L'histoire qui se répétait. Si les agences fédérales avaient des doutes, elles les garderaient pour elles. Le Pentagone avait déjà commencé à faire barrage, à peine les derniers fragments refroidis.

Des responsables de l'État du Colorado arrivèrent avec des plans d'urgence. L'eau et la nourriture seraient apportées par camions. Des bus mis à disposition pour aller chercher du travail dans les villes voisines. Des aides spéciales versées les six premiers mois. Toute l'assistance possible allait être fournie pour assurer la transition. Après quoi, les traînards seraient livrés à eux-mêmes.

Reacher puis Vaughan furent progressivement repoussés plus à l'est par l'activité officielle. Au milieu de l'après-midi, ils se retrouvèrent côte à côte dans le Chevrolet devant l'épicerie, sans rien à faire. Ils jetèrent un dernier regard vers l'ouest puis s'engagèrent sur la route de Hope.

Ils se rendirent chez Vaughan, prirent une douche et se rhabillèrent.

« L'hôpital de David va fermer, dit Vaughan.

– Une autre société prendra le relais, fit Reacher. Des gens meilleurs.

– Je ne l'abandonnerai pas.

– Je ne pense pas que ce serait une bonne chose.

– Même s'il n'en saura rien.

– Il le savait, avant de partir. Et ça comptait dans sa tête.

– Tu crois ?

– J'en suis sûr. Je connais les soldats. »

Reacher sortit de sa poche le téléphone portable qu'il avait emprunté et le laissa tomber sur le lit. Suivirent les papiers de la boîte à gants du vieux Suburban. Il demanda à Vaughan de tout renvoyer par la poste à son propriétaire, sans adresse de retour.

« On dirait le début d'un discours d'adieu.

– Tout à fait, dit Reacher. Et aussi le milieu et la fin. »

Ils s'étreignirent, avec une certaine distance, comme deux étrangers au fait de nombreux secrets. Puis Reacher s'en alla. Il franchit l'allée sinueuse dans le jardin, puis remonta quatre pâtés de maisons, plein nord, jusqu'à First Street. Il trouva très facilement à se faire prendre en stop. Un flot de véhicules roulait vers l'est : des employés des services d'urgence, des journalistes, des hommes en costumes dans des véhicules banalisés, des entrepreneurs. Cette animation les avait rendus solidaires. Il flottait un véritable esprit communautaire. Reacher partit avec un terrassier du Kansas qui venait de signer un contrat de seize cents trous à creuser pour la nouvelle barrière. Le type était tout heureux. Il avait devant lui des mois de travail assuré.

Reacher descendit à Sharon Springs où une belle route partait vers le sud. Il estima qu'il restait environ mille six cents kilomètres jusqu'à San Diego. Davantage, s'il lui prenait l'envie de faire quelques détours.

Le Seuil s'engage pour la protection de l'environnement

Ce livre a été imprimé chez un imprimeur labellisé Imprim'Vert, marque créée en partenariat avec l'Agence de l'Eau, l'ADEME (Agence de l'Environnement et de la Maîtrise de l'Énergie) et l'UNIC (Union Nationale de l'Imprimerie et de la Communication).
La marque Imprim'Vert apporte trois garanties essentielles :

- la suppression totale de l'utilisation de produits toxiques ;
- la sécurisation des stockages de produits et de déchets dangereux ;
- la collecte et le traitement des produits dangereux.

RÉALISATION : NORD COMPO À VILLENEUVE-D'ASCQ
NORMANDIE ROTO IMPRESSION S.A.S À LONRAI
DÉPÔT LÉGAL : JANVIER 2011. N° 99212 (104737)
IMPRIMÉ EN FRANCE

DANS LA MÊME COLLECTION

DERNIERS TITRES PARUS

Brigitte Aubert
Une âme de trop

Lawrence Block
Lendemains de terreur
Le Cambrioleur en maraude
Les fleurs meurent aussi
Le Blues du tueur à gages
Mensonges en tout genre
Heureux au jeu
Keller en cavale

C. J. Box
Sanglants Trophées
L'Homme délaissé
Meurtres en bleu marine
Ciels de foudre
Zone de tir libre
Le Prédateur

Gianrico Carofiglio
Les Raisons du doute

Lee Child
Sans douceur excessive
La faute à pas de chance
L'espoir fait vivre

James Church
Un mort à l'hôtel Koryo
Quand la lune disparaît
La sève et le sang

Michael Connelly
Deuil interdit
La Défense Lincoln
Chroniques du crime
Echo Park

À genoux
Le Verdict du plomb
L'Épouvantail

Arne Dahl
Misterioso
Qui sème le sang

Knut Faldbakken
L'Athlète

Sue Grafton
T... comme traîtrise

Steve Hamilton
Ciel de sang
Un chapeau dans la neige
Un été pourri

Veit Heinichen
Les Requins de Trieste
Les Morts du Karst
Mort sur liste d'attente
À l'ombre de la mort
La Danse de la mort

Steve Hodel
L'Affaire du Dahlia noir

Thierry Jonquet
Mon vieux

Faye Kellerman
Les Os de Jupiter
Premières Armes

Faye et Jonathan Kellerman
Double Homicide
Crimes d'amour et de haine

Jonathan Kellerman
La Psy
Tordu

Fureur assassine
Comédies en tout genre
Meurtre et Obsession
Habillé pour tuer

Michael Koryta
La Mort du privé
Et que justice soit faite
Une tombe accueillante
La Nuit de Tomahawk

Volker Kustsher
Le Poisson mouillé

Laura Lippman
Ce que savent les morts

Henning Mankell
Le Guerrier solitaire
La Cinquième Femme
Les Morts de la Saint-Jean
La Muraille invisible
Les Chiens de Riga
La Lionne blanche
L'Homme qui souriait
Avant le gel
Le Retour du professeur de danse
L'Homme inquiet

Alexandra Marinina
Ne gênez pas le bourreau
L'Illusion du péché
Le Requiem
La 7e victime

Petros Markaris
Le Che s'est suicidé
Actionnaire principal

Deon Meyer
Jusqu'au dernier
Les Soldats de l'aube

L'Âme du chasseur
Le Pic du diable
Lemmer, l'invisible
13 Heures

Håkan Nesser
Funestes Carambolages

Scott Pratt
Angel est innocente
En tout bien tout honneur

George P. Pelecanos
Hard Revolution
Drama City
Les Jardins de la mort
Un jour en mai
Mauvais fils

Joseph Wambaugh
Flic à Hollywood
Corbeau à Hollywood
L'Envers du décor